O ÚLTIMO TREM PARA LONDRES

MEG WAITE CLAYTON

O ÚLTIMO TREM PARA LONDRES

Tradução
Isabella Pacheco

Rio de Janeiro, 2023

Copyright © 2019 by Meg Waite Clayton
All rights reserved.
Título original: *The Last Train to London*

Todos os direitos desta publicação são reservados à Casa dos Livros Editora LTDA. Nenhuma parte desta obra pode ser apropriada e estocada em sistema de banco de dados ou processo similar, em qualquer forma ou meio, seja eletrônico, de fotocópia, gravação etc., sem a permissão do detentor do copyright.

Diretora editorial: *Raquel Cozer*
Gerente editorial: *Alice Mello*
Editor: *Ulisses Teixeira*
Copidesque: *Marcela Isensee*
Preparação de original: *Marcela de Oliveira*
Revisão: *Thaís Carvas*
Capa: *Andrea Guinn*
Imagens de capa: © *Mark Owen/Trevillion Images* (menino); © *olga che/Shutterstock* (arcos); © *Serjio74/Shutterstock* (chão)
Adaptação de capa: *Osmane Garcia Filho*
Diagramação: *Abreu's System*

CIP-Brasil. Catalogação na Publicação
Sindicato Nacional dos Editores de Livros, RJ

C558u

Clayton, Meg Waite
  O último trem para Londres / Meg Waite Clayton ; tradução Isabella Pacheco. – 1. ed. – Rio de Janeiro : Harper Collins, 2020.
  448 p.

  Tradução de: Last train to london
  ISBN 9788595084964

  1. Romance americano. I. Pacheco, Isabella. II. Título.

20-67236
CDD: 813
CDU: 82-31(73)

Leandra Felix da Cruz Candido – Bibliotecária – CRB-7/6135

Os pontos de vista desta obra são de responsabilidade de seu autor, não refletindo necessariamente a posição da HarperCollins Brasil, da HarperCollins*Publishers* ou de sua equipe editorial.

HarperCollins Brasil é uma marca licenciada à Casa dos Livros Editora LTDA.
Todos os direitos reservados à Casa dos Livros Editora LTDA.
Rua da Quitanda, 86, sala 218 — Centro
Rio de Janeiro, RJ — CEP 20091-005
Tel.: (21) 3175-1030
www.harpercollins.com.br

PARA NICK

e em memória de

Michael Litfin

(1945-2008)

— que levou as histórias do
Kindertransport para o meu filho,
que as trouxe para mim —,
de Truus Wijsmuller-Meijer

(1896-1978)

e das crianças que ela salvou.

Eu me lembro: isso aconteceu ontem ou há uma eternidade... E agora o garoto se volta para mim. "Conte", ele pede, "o que você fez com o meu futuro, o que você fez com a sua vida?"... Uma pessoa íntegra pode fazer toda a diferença, a diferença entre a vida e a morte.

— *Elie Wiesel, em seu discurso ao aceitar o Prêmio Nobel da Paz, entregue em Oslo, no dia 10 de dezembro de 1986.*

NOTA DA AUTORA

Em razão da anexação da Áustria, um país independente, à Alemanha em março de 1938, e da violência da *Kristallnacht* (Noite dos cristais) em novembro do mesmo ano, iniciou-se uma tentativa extraordinária de levar dez mil crianças em segurança para a Inglaterra. Embora seja ficção, este romance é baseado nos esforços reais do *Vienna Kindertransport* (Transporte de crianças), liderados por Geertruida Wijsmuller--Meijer, de Amsterdã, que começou a resgatar pequenos grupos de crianças no início de 1933. Para as crianças, ela era a Tante Truus.

Parte I

O

ANTES

Dezembro de 1936

NA FRONTEIRA

Flocos de neve enormes esmaeciam a vista da janela do trem: um castelo coberto de neve em uma montanha coberta de neve feito fantasmas no meio da névoa. O condutor falava:

— Bad Bentheim. Estamos em Bad Bentheim, na Alemanha. Os passageiros que forem seguir para a Holanda precisam apresentar os documentos.

Geertrida Wijsmuller — uma mulher holandesa com queixo, nariz e sobrancelhas marcantes, boca grande e olhos cinza — deu um beijo no bebê em seu colo. Beijou o neném novamente, deixando os lábios por mais tempo na testa macia. Então o entregou para a irmã dele e tirou o gorro do irmão mais novo das crianças.

— *Er ist in Ordnung. Er wird nicht lange dauern. Dein Gott wird dir dieses eine Mal vergeben* — respondeu Truus aos pequeninos, em sua língua materna. *Está tudo bem. Só vai demorar mais um pouco. Deus vai nos perdoar dessa única vez.*

Quando o trem parou, o garotinho correu para a janela e gritou:

— Mamãe!

Truus ajeitou o cabelo dele enquanto seguia o olhar do menino pelo vidro sujo de neve: alemães em fila na plataforma, apesar da tempestade; um carregador com um carrinho lotado de malas; um homem curvado na frente de um cavalete, fazendo propaganda de um alfaiate. Sim, lá estava a mulher que o garotinho tinha visto — magra, de casaco e cachecol escuros, em pé ao lado de um carrinho de salsichas, virada de costas para o trem, enquanto o menino a chamava novamente:

— Maaaa-mãããããe!

A mulher virou-se, preguiçosamente dando uma mordida na salsicha gordurosa enquanto olhava para o painel com os horários dos trens. O menino emburrou-se. Não era a mãe dele, é claro.

Truus puxou a criança para perto de si e sussurrou:

— Está tudo bem. Está tudo bem. — Ela foi incapaz de fazer promessas que não poderiam ser cumpridas.

As portas do trem se abriram com um ruído assustador e um chiado. Um guarda nazista da fronteira estendeu a mão na plataforma para ajudar uma alemã grávida a desembarcar, e a passageira aceitou a ajuda. Truus soltou os botões de pérola da luva de couro amarelo e afrouxou o punho de adornos pretos delicados. Tirou as luvas, o couro prendendo num solitário de rubi entrelaçado a dois outros anéis e as mãos começando a enrugar de frio. Então enxugou as lágrimas do menino.

Ajeitou o cabelo e a roupa das crianças, referindo-se a cada uma pelo nome, mas fazendo tudo bem rápido, de olho na fila de passageiros que diminuía.

— Tudo certo agora — disse ela, limpando a baba do bebê enquanto o último passageiro desembarcava. — Vão lavar as mãos, do jeito que treinamos.

O guarda nazista já estava começando a subir a escada.

— Vão, vão rápido, mas levem o tempo que precisarem para lavarem as mãos — disse Truus calmamente. E para a menina: — Fique com seus irmãos no banheiro, meu amor.

— Até você colocar as luvas de volta, Tante Truus — respondeu a menina.

Truus não podia dar a impressão de que estava escondendo as crianças, mas também não os queria por perto enquanto fazia a negociação. *Então, ficamos de olho não no que é visto, mas no que é invisível*, ela pensou, inconscientemente levando o rubi até os lábios, como num beijo.

Abriu um livro de bolso, algo mais delicado do que teria levado se soubesse que voltaria para Amsterdã com três crianças a tiracolo. Não deixava transparecer, mas estava nervosa e retirou os anéis, enquanto as crianças atrás dela tropeçavam pelo corredor.

Logo à frente, o guarda da fronteira surgiu. Era um rapaz jovem, não a ponto de ser solteiro, mas não devia ter filhos.

— Vistos? Vocês têm vistos para sair da Alemanha? — solicitou ele a Truus, a única pessoa adulta que ainda restava dentro do trem.

Ela revirou a bolsa, como se fosse pegar os papéis solicitados.

— Crianças às vezes dão um trabalhão, não é? — comentou ela, amorosa, enquanto segurava seu único passaporte holandês, ainda dentro da bolsa. — O senhor tem filhos?

O guarda deu um pequeno sorriso.

— Minha mulher está grávida do nosso primeiro filho. Deve nascer no Natal.

— Que sorte a de vocês! — exclamou Truus, sorrindo pela própria sorte enquanto o guarda olhava em direção ao barulho de água caindo da torneira, com as crianças conversando de maneira tão doce quanto passarinhos. Ela deixou que a doçura do momento adentrasse o coração dele: logo ele teria um bebê como o pequeno Alexi, que cresceria e viraria uma criança como Israel ou como a tão querida Sara.

Truus passou a mão em seu rubi — brilhante e quente — do anel solitário que usava.

— Aposto que você tem algo especial para sua mulher, para marcar a ocasião.

— Algo especial? — repetiu o nazista, voltando sua atenção para ela.

— Algo lindo que ela possa usar todos os dias, para se lembrar de um momento tão único. — Ela retirou o anel do dedo e disse: — Meu pai deu esse anel à minha mãe no dia em que eu nasci.

Seus dedos claros e firmes ofereceram o anel de rubi, com um único passaporte.

Ele pegou o passaporte, examinou e olhou de novo para o fundo do trem.

— São seus filhos?

Crianças holandesas podiam ser incluídas no passaporte dos pais, mas as dela não tinham sido.

Ela virou o rubi para reflectir na luz e falou:

— São mais preciosos do que qualquer coisa. Filhos.

O MENINO CONHECE A MENINA

Stephan passou como um furacão pela porta e pelos degraus cobertos de neve, com a bolsa de couro batendo no uniforme da escola enquanto ele corria para o Burgtheater. Parou um instante na papelaria: a máquina de escrever ainda estava ali na vitrine. Ele ajeitou os óculos no nariz, encostou os dedos no vidro e fingiu datilografar.

Voltou a correr, acenando até chegar à multidão do Christkindlmarkt, com o cheiro doce de *glühwein* e biscoito de gengibre.

— Desculpe. Desculpe! Desculpe! — Ele mantinha o boné para baixo, para evitar ser reconhecido.

Eram boas pessoas, a família dele: a fortuna vinha da loja de chocolate que tinham aberto com o próprio dinheiro, e mantinham suas contas sempre com saldo positivo no banco Rothschild. Se seu pai soubesse que ele havia derrubado mais uma senhora na rua, aquela máquina de escrever permaneceria mais perto do pinheiro enfeitado com luzinhas de Natal ali na Rathausplatz do que da árvore no jardim de inverno de casa.

Ele acenou para o senhor idoso que abria a banca de jornal.

— Boa tarde, Herr Kline!

— Onde está seu sobretudo, mestre Stephan? — perguntou o senhor idoso.

Stephan olhou para baixo — havia esquecido o sobretudo na escola novamente —, mas só diminuiu o passo quando chegou a Ringstrasse, onde um protesto nazista bloqueava o caminho. Entrou em um quiosque repleto de pôsteres colados e desceu a escada de metal para a escuridão do submundo de Viena, emergindo do outro lado da rua, próximo ao Burgtheater. Adentrou as portas do teatro e desceu os degraus da escada de dois em dois até chegar à barbearia, no porão.

— Mestre Neuman, que grande surpresa! — disse Herr Perger, erguendo as sobrancelhas grisalhas sobre os olhos redondos e negros como os de

Stephan, embora com um pouco menos de neve. O barbeiro estava curvado, varrendo os últimos fios de cabelo do dia. — Mas eu não...

— Só um corte rápido. Faz semanas desde a última vez que estive aqui.

Herr Perger pôs-se ereto e jogou o cabelo varrido na lixeira, e então colocou a vassoura e a pá ao lado de um violoncelo encostado na parede.

— Bem, acho que a memória não está mais tão viva neste homem velho — falou com carinho, assentindo em direção à cadeira de barbeiro. — Ou será que não está tão viva quanto na mente de um jovem com dinheiro para gastar?

Stephan colocou sua bolsa no chão, deixando cair algumas páginas de sua nova peça. Mas não tinha problema, era somente o Herr Perger. Tirou seu blazer, ajeitou-se na cadeira e tirou os óculos. O mundo ficou confuso; o violoncelo e a vassoura haviam se tornado um casal, abraçando-se no canto da sala; seu rosto refletido no espelho acima da gravata que ninguém via. Ele se encolheu enquanto Herr Perger abotoava a capa ao seu redor; Stephan detestava cortar o cabelo.

— Ouvi dizer que talvez comecem ensaios para uma nova peça — disse o menino. — É alguma do Stefan Zweig?

— Ah, é verdade, você é um grande fã do Herr Zweig. Como eu poderia esquecer? — falou Otto Perger, zombando de Stephan, mas de uma maneira carinhosa; de qualquer forma, Herr Perger conhecia todos os segredos das peças, as estrelas e o teatro. Os amigos de Stephan não faziam ideia de onde ele conseguia as informações internas; achavam que ele conhecia alguém importante.

— A mãe do Herr Zweig ainda mora aqui em Viena — comentou Stephan.

— E, mesmo assim, ele raramente avisa quando chega de Londres. Bem, para evitar decepções, Stephan, a nova peça será de Csokor, *3 de novembro de 1918*, sobre o fim do Império Austro-Húngaro. Houve muita fofoca e intriga, não se sabia se a peça sequer aconteceria. Acredito que Herr Czokor deva viver com as malas prontas. Mas me disseram que *vai* acontecer, apesar da campanha para incluir uma retratação de que a peça não tem o intuito de ofender nenhuma nação do antigo império alemão. Um pouquinho aqui, um pouquinho acolá, o necessário para sobreviver.

O pai de Stephan teria retrucado que ali era a Áustria, e não a Alemanha; o golpe nazista na Áustria já tinha terminado havia anos. Mas Stephan não ligava para política. Ele só queria saber quem faria o papel principal.

— Talvez você queira adivinhar — sugeriu Herr Perger enquanto virava Stephan de frente para ele na cadeira. — Você é bem esperto nesse quesito, se não me falha a memória.

Stephan manteve os olhos fechados, tendo tremeliques involuntários, apesar de nenhum fio de cabelo cair em seu rosto.

— Werner Krauss?

— Ora, veja só! — exclamou Herr Perger, com um entusiasmo surpreendente.

Herr Perger virou a cadeira de volta para o espelho, revelando a Stephan — com a vista desfocada sem os óculos — que o barbeiro não estava aplaudindo seu palpite, mas referindo-se a uma garota que aparecia, como um girassol surrealista brotando da grade, na parede debaixo do reflexo de Stephan. Ela parou de frente para ele, com óculos embaçados, tranças loiras e seios nascendo.

— *Ach*, Žofie-Helene, sua mãe vai esfregar esse vestido a noite inteira — afirmou Herr Perger.

— Essa não foi uma disputa justa, vovô Otto. Há *dois* atores principais — disse a garota, sorrindo, a voz fixando-se em algum lugar dentro de Stephan, como a primeira nota aguda de "Ave Maria" de Schubert; sua voz e o som lírico de seu nome, Žofie-Helene, e seus seios despontando. — É a Lemniscata de Bernoulli — acrescentou ela, passando os dedos em um pingente de ouro. — Analiticamente, o ponto zero do polinômio X ao quadrado mais Y ao quadrado menos o resultado de X ao quadrado menos Y ao quadrado vezes dois A ao quadrado.

— Eu… — gaguejou Stephan, o rosto corado de vergonha por ser pego olhando para os seios da menina, mesmo que ela não tenha percebido.

— Foi meu pai que me deu — disse ela. — Ele também gostava de matemática.

Herr Perger desabotoou a capa, entregou os óculos a Stephan e disse que dessa vez não cobraria nada. Stephan colocou as páginas do roteiro de volta na bolsa, sem querer que a menina visse sua peça, ou sequer soubesse que ele tinha uma peça, ou que ele se achava capaz de escrever algo digno de nota. Ele hesitou, confuso: *O chão estava sem nenhum fio de cabelo?*

— Stephan, essa é a minha neta — disse Otto Perger, com a tesoura ainda em mãos e a vassoura e a pá ao lado do violoncelo, intocados. — Žofie, Stephan é, no mínimo, tão interessado em teatro quanto você, mas um pouco mais disposto a arrumar o cabelo.

— Prazer em conhecê-lo, Stephan — disse a menina. — Mas por que veio cortar o cabelo se não precisava?

— *Žofie-Helene* — repreendeu Herr Perger.

— Eu estava espiando pela grade. Você não precisava de corte, então o vovô Otto fingiu que cortou seu cabelo. Mas espere, não me conte! Deixe-me deduzir. — Ela olhou ao redor da sala: o violoncelo, o cabideiro, seu avô e, novamente, o próprio Stephan. Seu olhar parou na bolsa de couro. — Você é ator! E o vovô sabe tudo sobre esse teatro.

— Acredito que você vá acabar descobrindo, *Engelchen*, que Stephan é escritor — falou Otto Perger. — E precisa saber que os melhores escritores fazem as coisas mais estranhas simplesmente pela experiência.

Žofie-Helene olhou para Stephan com interesse.

— Você é mesmo escritor?

— Eu...vou ganhar uma máquina de escrever de Natal — respondeu Stephan. — Espero que eu seja.

— Fazem máquinas especiais?

— Especiais?

— É estranho ser canhoto?

Stephan olhou para as próprias mãos, confuso, enquanto ela abria novamente a grade por onde tinha entrado e passava, engatinhando, de volta para a parede. Um instante depois, colocou a cabeça para fora outra vez.

— Venha logo, Stephan. O ensaio está quase no fim — disse ela. — Você não se importa com um pouco de poeira na sua manga manchada de tinta, não é? Pela experiência?

RUBIS OU PEDRAS FALSAS

Um botão de pérola se abriu no punho da luva de couro de Truus, enquanto ela segurava o bebê no colo com uma das mãos e estendia a outra para o menino. Ela estava tão atenta ao imenso teto de ferro fundido da estação de Amsterdã que quase o deixou cair do trem.

— Truus — disse o marido ao pegar o menino pelos braços e colocá-lo na plataforma.

Ele ajudou a menina também, e depois a Truus e o bebê.

Na plataforma, Truus permitiu que o marido a abraçasse, uma rara manifestação em público.

— Geertruida — disse ele —, será que a Frau Freier...

— Por favor, não me amole com isso agora. O que está feito está feito, e tenho certeza de que a esposa daquele guarda jovem e gentil que nos viu atravessar a fronteira precisa mais do rubi da minha mãe do que nós. Onde *está* o seu espírito natalino?

— Por Deus, não me diga que você se arriscou a subornar um nazista com uma pedra falsa?

Ela o beijou na bochecha.

— Se você mesmo não consegue ver a diferença, meu amor, então imagino que nenhum deles verá.

Joop riu sem querer e pegou o bebê, segurando-o de um jeito estranho porém carinhoso — um homem que amava crianças, mas não tinha filhos, apesar de anos tentando. Truus colocou as mãos no bolso, mãos não mais aquecidas pelo bebê, sentindo com os dedos a caixa de fósforo esquecida ali. Em um gesto bastante peculiar, o médico que estava no vagão havia entregado a ela. "Você foi enviada por Deus, não tenho dúvidas", dissera ele, olhando com carinho para as crianças. Contou que sempre carregava uma pedra da sorte, e queria que Truus ficasse com aquela. "Para manter você e as crianças em segurança", insistiu, abrindo uma caixinha para mostrar uma pedra antiga de cascalho que não poderia ter nenhum propósito além de sorte. "Em funerais judaicos, as pessoas não levam flores, e sim pedras", acrescentou ele, o que tornava o presente impossível de ser recusado. E, então, desembarcou em Bad Bentheim, antes de o trem cruzar a fronteira da Alemanha para a Holanda. E agora Truus estava em Amsterdã com as crianças, pensando que talvez pudesse haver alguma verdade no pequeno e feioso amuleto da sorte.

— Agora, pequenino — disse Joop para o bebê —, você precisa crescer e conquistar algo extraordinário, para fazer valer a pena o risco que minha noiva desajuizada correu. — Se estava incomodado com esse resgate não planejado, não iria reclamar mais do que reclamava dos resgates planejados de crianças da Alemanha. Beijou a bochecha do bebê. — Tem um táxi esperando.

— Um táxi? Você ganhou um aumento no banco enquanto eu estive fora? — brincou Truss.

Joop era banqueiro de um banqueiro, frugal em essência, embora fosse alguém que ainda chamava a esposa de noiva após duas décadas.

— Seria uma caminhada difícil do ponto de ônibus até a casa do tio deles, mesmo se não estivesse nevando, e o dr. Groenveld não quer que os sobrinhos e a sobrinha de sua amiga cheguem com a roupa coberta de neve — disse ele.

Amiga do dr. Groenveld. Isso explicava tudo, pensou Truss enquanto saíam da estação e passavam pela paisagem dominada pela neve: pendurada nas árvores, enlameando o chão e congelando o canal. Era assim que muitas das pessoas do Comitê de Interesses Especiais dos Judeus ajudavam: sobrinhas e sobrinhos de cidadãos holandeses; amigos de amigos; os filhos de amigos de colegas de trabalho. Com bastante frequência, relações ocasionais determinavam o destino.

THE VIENNA INDEPENDENT

CASA ONDE NASCEU HITLER VIRA MUSEU

Relações entre Áustria e Alemanha permanecem tensas, apesar do acordo de verão

Por Käthe Perger

BRAUNAU AM INN, ÁUSTRIA, 20 de dezembro de 1936

O dono da casa onde nasceu Adolf Hitler, aqui na Áustria, transformou dois de seus cômodos em museu. As autoridades austríacas em Linz permitiram a abertura ao público, com a condição de que somente visitantes alemães, e não austríacos, possam entrar. Se cidadãos austríacos forem encontrados dentro do museu, ou caso vire um espaço de interesses nazistas, o local será fechado.

O museu tornou-se possível devido ao Acordo entre Áustria e Alemanha em 11 de julho, com o intuito de retornar nossas nações a "relações de caráter normal e amigável". No acordo, a Alemanha reconhece a total soberania austríaca e concorda em considerar nossa ordem política um assunto interno sobre o qual não vai exercer nenhuma influência — uma concessão de Hitler, que é contra a prisão de membros do Partido Nazista Austríaco pelo nosso governo.

VELAS AO PÔR DO SOL

Žofie-Helene aproximou-se das cercas cobertas de neve e do alto portão de ferro trepidante do palácio da Ringstrasse. Passou a mão no cachecol rosa xadrez que sua avó tinha lhe dado de Natal, tão suave quanto o carinho de sua mãe. Essa casa era maior que o prédio inteiro em que morava, e de muito mais bom gosto. Quatro andares altos divididos por colunas — o andar de baixo com portas e janelas em arco, e os de cima com janelas francesas altas e retangulares que se abriam para varandas de batente de pedra —, finalizados com um quinto andar mais modesto em tamanho, decorado com estátuas que pareciam suportar o teto de ardósia ou proteger os serviçais que deviam morar ali. Essa não poderia ser a casa de verdade de ninguém, muito menos de Stephan. Mas antes que ela pudesse dar meia-volta, um porteiro de sobretudo e chapéu emergiu da guarita para abrir o portão para ela, e enquanto as portas em arco se abriam, Stephan descia os degraus, tão limpos, sem neve, como se fosse verão.

— Veja! Escrevi uma peça nova! — disse ele, confiando a ela um manuscrito. — Datilografei na máquina de escrever que ganhei de Natal.

O porteiro abriu um sorriso cordial.

— Mestre Stephan, o senhor não gostaria de convidar sua visita para entrar?

O INTERIOR DA MANSÃO era ainda mais intimidador, com candelabros, chão de mármore de intrincadas formas geométricas e uma escada imperial; em todo canto, a arte mais extraordinária possível: troncos de bétula em queda com a perspectiva toda errada; uma vila à beira-mar na subida de uma montanha, tão improvavelmente plana e alegre; um retrato bizarro de uma mulher que parecia muito com Stephan, os mesmos olhos sedutores e o mesmo nariz comprido e reto, os lábios vermelhos e a quase imperceptível covinha no queixo. O cabelo da mulher da pintura estava puxado para trás e suas bochechas eram rabiscadas com um vermelho brilhante, formando uma imagem ao mesmo tempo incômoda e elegante, mais como um toque rosado para embelezar do que arranhões, embora para Žofie parecesse mais a segunda opção. A Suíte para Violoncelo nº 1 de Bach tocava em uma sala enorme onde convidados conversavam ao lado de um piano com a graciosa tampa dourada levantada, revelando um dramático pássaro branco com um trompete nas patas, pintado bem ali, no verso da tampa.

— Ninguém leu ainda — disse Stephan, baixinho. — Nem uma palavra sequer.

Žofie olhou para o manuscrito que ele havia confiado a ela. Ele realmente queria que ela lesse agora?

O porteiro — Rolf, como Stephan o chamava — apareceu:

— Será que sua amiga teve um bom Natal, mestre Stephan?

Stephan, ignorando a dica, falou para Žofie:

— Não aguentava mais esperar você voltar para casa.

— Sim, Stephan, minha avó está bem e eu tive um excelente Natal na Checoslováquia, obrigada por perguntar — disse Žofie-Helene, as palavras compensadas pelo sorriso de aprovação de Rolf enquanto ele pegava o casaco e o cachecol dela.

Ela leu rapidamente, só a página de abertura.

— Começa maravilhosamente bem, Stephan.

— Você acha?

— Vou terminar de ler hoje à noite, prometo, mas se realmente insistir em encontrarmos a sua família, não posso levar um manuscrito comigo.

Stephan olhou para dentro da sala de música, depois pegou o original e subiu a escada. Apoiou a mão nas estátuas de cada curva, conforme seguia pelo segundo andar, onde as portas para uma biblioteca estavam abertas e exibiam uma quantidade de livros maior do que Žofie podia imaginar que qualquer pessoa possuísse.

Uma mulher elegante com seios pequenos no salão dizia:

— ... Os livros que Hitler queimou, todos interessantes, diga-se de passagem. — A mulher se parecia muito com Stephan, assim como com o retrato pintado, apesar de seu cabelo escuro estar dividido ao meio e preso em cachos frouxos. — O canalha chama Picasso e Van Gogh de incompetentes e farsas. — Ela passou os dedos pelo colar de pérolas que dava uma volta rente ao pescoço, como a mãe de Žofie fazia, e depois outra que ia até a cintura, com as esferas tão perfeitas que, se um dia o fio se rompesse, certamente as pérolas rolariam uma por uma em ordem. — "Não é missão da arte chafurdar na sujeira pelo bem da própria sujeira", disse ele, como se fizesse alguma ideia do que é a missão da arte. E ainda assim, *eu sou* a histérica?

— Não é "histérica" — respondeu um homem. — Essa palavra é você que está dizendo, Lisl.

Lisl. Então essa era a tia do Stephan. Ele adorava a tia Lisl e o marido dela, o tio Michael.

— Eu não, Freud — retrucou Lisl com delicadeza.

— Só os modernistas incomodam Hitler — completou tio Michael. — Kokoschka...

— Que, inclusive, conquistaram o lugar na Academia de Belas Artes que Hitler imaginava que deveria ocupar — interrompeu Lisl.

Os desenhos de Hitler eram tão ruins que ele sequer fora chamado para a prova formal, contou ela. Ele teve que dormir em um abrigo de homens sem-teto, comer em um refeitório comunitário e vender suas pinturas para lojas que precisavam de algo para preencher os porta-retratos vazios.

Enquanto o pequeno círculo ria com as histórias, uma porta se abriu na outra ponta da entrada do hall. Um elevador! Um garoto pequeno, de uns quatro ou cinco anos, pulou de uma cadeira lá dentro — uma bela cadeira de rodas (que não era dele, obviamente) com braços elaborados e assento e encosto de treliça, com os anéis dos pegadores de empurrar maravilhosamente concêntricos e as rodas perfeitamente proporcionais. O garoto passeava pelo hall de entrada, arrastando um coelho de pelúcia pelo chão.

— Olá. Você deve ser o Walter — disse Žofie. — E quem é o seu amigo coelho?

— Esse é o Peter — respondeu o irmão de Stephan.

Peter Rabbit. Žofie desejou que não tivesse gastado o dinheiro que ganhou de natal; talvez ela pudesse ter comprado um Peter vestido com casaco azul como esse para sua irmã, Jojo.

— Aquele é meu pai no meu piano — falou o garotinho.
— Seu piano? — perguntou Žofie. — Você toca?
— Não muito bem — disse o menino.
— Mas *naquele* piano?
O garoto olhou para o piano.
— Sim, é claro.

Stephan desceu a escada de mãos vazias, e nesse mesmo instante Žofie percebeu o bolo de aniversário no salão, repleto de velas acesas de manhã cedo e deixadas queimando ao longo do dia todo, um centímetro por hora, conforme os costumes austríacos. Ao lado do bolo, a mais gloriosa bandeja de chocolates que ela já tinha visto, alguns ao leite, outros amargos, de todos os formatos, e cada um deles decorado com o nome de Stephan.

— Stephan, é seu aniversário? — Dezesseis velas pelo aniversário e uma para a sorte. — Por que não me falou?

Stephan bagunçou o cabelo de Walter enquanto o violoncelo parava de tocar.

— Eu! Eu quero fazer! — exclamou Walter, e zarpou em direção ao pai, que puxou o banquinho até a vitrola.

— ...E agora, Zweig fugiu para a Inglaterra e Strauss compõe para o *führer* — falava a tia Lisl; palavras que chamaram a atenção de Stephan. Žofie-Helene não acreditava em heróis, mas deixou que Stephan a levasse para o salão, para ouvir sobre os heróis dele.

— Você deve ser Žofie-Helene! — disse tia Lisl. — Stephan, você não me disse que sua amiga era tão bonita. — Ela puxou alguns grampos do penteado de Žofie, soltando algumas mechas. — Agora sim, bem melhor. Se eu tivesse um cabelo como o seu, também não cortaria, não importa o que a moda imponha. Que pena que a mãe do Stephan não esteja aqui para recebê-la, mas eu prometi que daria detalhes sobre você para ela, então você tem que me contar tudo.

— É um grande prazer conhecê-la, Frau Wirth — falou Žofie. — Mas continue sua conversa sobre o Herr Zweig, ou Stephan jamais me perdoará.

Lisl Wirth abriu um sorriso radiante e elíptico, com o queixo inclinado para o teto absurdamente alto.

— Essa é a filha de Käthe Perger, pessoal. A editora do *Vienna Independent*. — Ela virou-se para Žofie e completou: — Žofie-Helene, essa é Berta Zuckerkandl, jornalista como a sua mãe. — E depois, para os outros: — Que, aliás, tem mais coragem do que Zweig ou Strauss.

— Francamente, Lisl — contestou o marido. — Você fala como se Hitler estivesse na nossa fronteira. Como se Zweig vivesse em exílio, quando ele está aqui na cidade neste exato minuto.

— Stefan Zweig está aqui? — perguntou Stephan.

— Estava no Café Central há menos de meia hora, falando sem parar — respondeu tio Michael.

LISL WIRTH ASSISTIU ao seu sobrinho correr com a amiga até a porta, enquanto Michael perguntava por que Zweig havia abandonado a Áustria.

— Ele nem é judeu — falou Michael. — Pelo menos não pratica a religião.

— Diz meu marido, que não é judeu — repreendeu Lisl delicadamente.

— Casado com a judia mais bonita de toda Viena — completou ele.

Lisl observou Rolf parar Stephan para entregar a ele o casaco velho de sua amiga. Žofie-Helene ficou tão surpresa quando Stephan segurou o casaco para ela que Lisl quase deu uma risada alta. Stephan inspirou disfarçadamente o cheiro do cabelo da garota quando ela se virou, fazendo Lisl se perguntar se Michael já tinha, alguma vez, cheirado seu cabelo daquele jeito quando namoravam. Na época, ela era somente um ano mais velha que Stephan hoje.

— O amor jovem não é sublime? — perguntou ela ao marido.

— Ela está apaixonada pelo seu sobrinho? — indagou Michael. — Não sei se eu o encorajaria a namorar uma filha de jornalista demagogo.

— Qual dos dois, o pai ou a mãe, você suspeita de incitar multidões, querido? O pai dela, que nos disseram que cometeu suicídio em um hotel em Berlim em junho de 1934, coincidentemente na mesma noite em que tantos opositores a Hitler morreram? Ou a mãe, que, sendo uma viúva grávida, continuou o trabalho do marido?

Ela viu quando Stephan e Žofie saíram, com o pobre Rolf correndo atrás deles, acenando com o cachecol esquecido na menina — de um lindo rosa xadrez nada óbvio.

— Bem, eu não posso dizer se aquela menina está apaixonada por Stephan — afirmou Lisl —, mas ele certamente está caidinho por ela.

À PROCURA DE STEFAN ZWEIG

— Ah, *mein Engelchen* com seus admiradores: o dramaturgo e o pateta! — disse Otto Perger ao seu cliente.

Ele não via sua neta desde antes do Natal, mas a ouvia descendo a escada do outro lado do corredor, conversando com o jovem Stephan Neuman e outro garoto.

— Eu realmente espero que ela prefira o pateta — respondeu o homem, dando uma gorjeta generosa a Otto, como sempre. — Nós, escritores, não somos flor que se cheire no amor.

— Temo que ela *esteja* um pouco encantada pelo escritor, mas não sei se ela própria percebeu isso. — Ele hesitou, embromando de propósito para dar tempo de apresentar seu cliente a Stephan, mas o motorista dele estava esperando e as crianças haviam diminuído o passo, como de costume. — Bem, fico feliz que tenha aproveitado a visita à sua mãe.

O homem se apressou, passando pelas crianças no corredor. Já estava na metade da escada quando olhou para trás e perguntou:

— Qual de vocês é o escritor?

Stephan, rindo de algo que Žofie havia dito, nem sequer pareceu ouvir, mas o outro garoto apontou para ele.

— Boa sorte, filho. Precisamos de escritores talentosos agora mais do que nunca.

E então, ele se foi, e as crianças entraram na barbearia, com Žofie anunciando que era aniversário do Stephan.

— Tudo de bom para você, mestre Neuman! — desejou Otto enquanto abraçava sua neta, que se parecia tanto com o pai que Otto ouvia seu filho na voz dela; via Christof no jeito distraído da menina de não perceber as lentes embaçadas. Até o cheiro era o mesmo: amêndoas, leite e luz do sol.

— Aquele era o Herr Zweig — comentou o amigo deles.

— Onde, Dieter? — perguntou Stephan.

— Mestre Stephan, o que você andou aprontando enquanto a nossa Žofie estava fora? — perguntou Otto.

— Ele estava sentado ao nosso lado no Café Central antes de Stephan chegar. Zweig. Com Paula Wesseley e Liane Haid, que parecem estar muito velhas — respondeu Dieter.

Otto hesitou, bastante relutante em admitir que esse garoto lerdo estava certo.

— Acho que o Herr Zweig estava correndo para chegar ao aeroporto, Stephan.

— Aquele *era mesmo* ele? — Os olhos escuros de Stephan estavam tão cheios de decepção que, com o cabelo arrepiado, apesar dos esforços de Otto, ele parecia um garotinho. Otto gostaria de dizer que ele teria outra chance de conhecer seu herói, mas era improvável. Tudo o que falaram, ou tudo o que Zweig falou enquanto Otto ouvia, foi na possibilidade de Londres se mostrar, enfim, realmente distante de Hitler. Herr Zweig sabia como Christof, o filho de Otto, havia morrido; sabia que Otto entendia como a fronteira era uma coisa frágil.

— Mas eu espero que você considere as palavras do Herr Zweig, Stephan — falou Otto. — Ele disse que nós precisamos de escritores talentosos agora mais do que nunca. — O que já era algo importante: o grande escritor encorajando Stephan, mesmo que o garoto não tenha ouvido.

O HOMEM NA SOMBRA

Adolf Eichmann mostrou ao seu novo e gordo chefe, Obersturmführer Wisliceny, todo o departamento judaico do SD, *Sicherheitsdienst* — Serviço de Inteligência —, terminando em sua própria mesa, ao lado da qual estava sentado Tier, o pastor-alemão mais lindo de Berlim.

— Meu Deus, ele está tão imóvel que deve estar empalhado — disse Wisliceny.

— Tier é bem-treinado — respondeu Eichmann. — Nós já teríamos nos livrado dos judeus e seguido adiante para assuntos mais importantes se o resto da Alemanha tivesse a metade da sua disciplina.

— Treinado por quem? — perguntou Wisliceny, sentando-se na cadeira de Eichmann e assumindo sua posição de superior.

Eichmann pegou a cadeira de visitas e estalou os dedos uma vez, em silêncio, chamando Tier para se sentar ao seu lado. Ele tinha garantido a Wisliceny que "as cordas" do Departamento do SD II/112 estavam bem firmes, mas eram tão finas e desgastadas quanto qualquer corda que Tier pudesse ter mastigado. Eles operavam de três pequenas salas do Hohenzollern Palace, enquanto a Gestapo, com um escritório próprio para assuntos judeus e muito mais recursos, tinha prazer em diminuí-los. Mas Eichmann aprendera do jeito mais difícil que as reclamações refletiam de maneira mais negativa em quem reclamava.

— Seu artigo sobre "O Problema dos Judeus", Eichmann... — falou Wisliceny — é interessante essa ideia de que os judeus podem ser instigados a deixar a Alemanha se nós simplesmente desmantelarmos sua base econômica aqui no Reich. Mas por que forçá-los a emigrar para a África ou para a América do Sul, e não para outras nações europeias? Por que nos importarmos com o destino final dos judeus, contanto que estejamos livres deles?

— Não acho que a gente queira a experiência deles nas mãos de países mais desenvolvidos, que possam se beneficiar à nossa custa — respondeu Eichmann, educadamente.

Wisliceny franziu seus pequenos olhos prussianos.

— Você acha que nós, alemães, não podemos ser melhores do que estrangeiros apoiados por judeus, de quem queremos nos livrar?

— Não. Não — protestou Eichmann, pousando a mão na cabeça de Tier. — Não foi nada disso que eu quis dizer.

— E a Palestina, que você inclui como um país "do avesso", faz parte do território britânico.

Eichmann, vendo que essa conversa não seria promissora, perguntou a Wisliceny sua opinião sobre o assunto, sujeitando-se a uma maré bem longa de besteiras respaldada por uma completa falta de conhecimento. Ele ouviu, como sempre fazia, guardando pequenas dicas para usar no futuro e garantir a própria vantagem. Esse era o seu trabalho, ouvir e concordar enquanto outros falavam, e ele era muito bom nisso. Sua rotina era trocar o uniforme por roupas de rua, com o intuito de se infiltrar e observar mais de perto os grupos sionistas de Berlim. Ele havia desenvolvido uma rede de informantes. Obtinha informações da imprensa judaica. Relatava sobre a organização americana Agudath Israel. Mantinha em sigilo arquivos de denúncias. Coordenava prisões. Ajudava nos interrogatórios da Gestapo. Até havia tentado aprender hebraico para melhorar seu trabalho, mas a tentativa foi pelo ralo e todo mundo em Berlim ficou sabendo de sua tolice: oferecer a um rabino três *reichmarks** por hora para aprender a língua, quando poderia simplesmente ter prendido o judeu e o mantido na prisão para obter aulas de graça.

Sua esposa Vera tinha certeza de que por conta dessa atitude estúpida o cargo de chefe do Departamento Judaico acabou indo para aquele prussiano ignorante, restando a Eichmann somente um paliativo de promoção para sargento técnico e as mesmas funções antigas a serem realizadas por um funcionário qualquer. Mas Eichmann sabia que esse não era o motivo de não ter sido promovido. Quem poderia supor que tornar-se um especialista em assuntos sionistas o transformaria em alguém valioso demais para exercer

---

* Moeda oficial da Alemanha de 1924 a 1948. [N. da T.]

funções administrativas? Era melhor ser um cachorrinho de um prussiano com diploma em teologia, uma risada hedionda e especialidade em exatamente nada, se queria subir na escala nazista.

Somente depois de Wisliceny ter ido embora para casa e Eichmann ter arrumado sua mesa, ele permitiu que Tier se mexesse.

— Você é um cão muito obediente — disse, afagando as orelhas pontudas do cachorro, especialmente a parte rosada com textura de veludo de dentro. — Vamos nos divertir um pouco agora? Nós merecemos uma distração depois dessa palhaçada, não acha?

Tier balançou as orelhas e ergueu o focinho pontudo, tão ansioso quanto Vera ficava antes de transar. Vera. Hoje era o segundo aniversário de casamento deles. Ela estaria esperando no pequeno apartamento na Onkel-Herse--Strasse, com o filho deles, cujo nascimento Eichmann tivera que reportar à *Rasse und Siedlungshauptamt* — Departamento responsável por garantir a pureza racial dos alemães — da SS (Tropa de Proteção do Reich), assim como tivera que fazer com o casamento, depois de provar que Vera era de uma linhagem ariana impecável. Ele deveria ir direto para casa, para os olhos grandes e as sobrancelhas adoráveis de Vera, seu rosto redondo e rígido, seu corpo voluptuoso, que era muito mais convidativo do que as mulheres ossudas da moda atual.

Mas caminhou um longo trecho, com Tier e seu andar perfeito. Atravessou o rio e passeou pelo gueto judeu, subia por uma rua e descia por outra, só para apreciar como as crianças desapareciam quando os avistava, apesar do comportamento exemplar do cão.

UM SINGELO CAFÉ DA MANHÃ COM CHOCOLATE

Truss baixou o jornal e olhou para o outro lado da estreita mesa de café.

— Alice Solomon foi exilada da Alemanha — disse, as palavras lhe escapando com o choque da notícia. — Como os nazistas podem fazer isso? Uma pioneira aclamada internacionalmente na área da saúde pública, que não oferece ameaça a ninguém! Ela já é uma senhora e está doente, e nem sequer se mete em assuntos políticos.

Joop colocou seu *hagelslag* no prato. Um pouco do granulado de chocolate do pão caía enquanto um único pedacinho estacionou, despercebido, no canto da sua boca.

— Ela é judia?

Truss olhou pela janela do terceiro andar, sobre os vasos de planta, para o Nassaukade e para o canal, para a ponte e para o Raampoort. A dra. Solomon era cristã. Devota, provavelmente de uma família como a de Truss, cristãos afluentes que apreciavam os presentes de Deus e retribuíam suas bênçãos recebendo crianças belgas em casa durante a Grande Guerra. Mas dizer a Joop que os alemães haviam exilado uma cristã só serviria para preocupá-lo, e Truss não queria dar a ele nenhum motivo para questioná-la sobre seus planos do dia. Ela esperava conseguir ir à Alemanha se encontrar com Recha Freier e falar sobre o que mais poderia ser feito para ajudar as crianças judias de Berlim, agora barradas nas escolas públicas, mas sua mensagem não tinha recebido nenhuma resposta. Agora que já tinha combinado de pegar emprestado o sedan da sra. Kramarsky, poderia, pelo menos, fazer uma viagem à fronteira, até a fazenda dos Weber.

— Parece que tem alguns ancestrais judeus — disse ela, sendo sincera, mas ainda assim seu olhar desceu pelo papel de parede florido e pelas cortinas que precisavam ser lavadas, naquela salinha onde eles tomavam café da manhã desde que tinham se casado. Ela duvidava que os ancestrais de Alice Solomon fossem os responsáveis pela expulsão da idosa de sua terra natal.

— Geertruida — começou Joop, e Truss abraçou o próprio corpo.

Seu nome sempre parecera tão sólido e banal antes de conhecer Joop; Geertruida ou Truss, ambos, mas na voz dele chegavam até a soar adoráveis. Mesmo assim, ele raramente a chamava pelo nome.

O que faz um casamento dar certo é tratá-lo com cuidado, sua mãe havia dito a ela na manhã de seu casamento, e quem era Truss para contrariar o conselho da mãe confessando que essa mania de Joop, de usar seu nome quando queria convencê-la a desistir de um caminho traçado, a deixava em alerta?

Ela pegou o guardanapo e se esticou até o outro lado da mesa para limpar o granulado de chocolate da boca do marido. Agora, sim, voltava a ser o chefe e diretor do De Javasche Bank de quem ela ficara noiva, sem os devidos granulados de chocolate na boca.

— Amanhã vou fazer um *broodje kroket* para você de café da manhã — disse ela, antes que Joop pudesse começar a questionar o que ela pretendia fazer durante o dia.

O croquete frito de ragu de carne dentro de um pão de leite era o seu favorito; simplesmente mencionar essa delícia era capaz de mudar seu humor e distraí-lo.

GIZ NO SAPATO

Stephan assistiu da porta enquanto Žofie apagava metade dos problemas matemáticos que cobriam o quadro a giz.

— Kurt... — falou seu professor, assustado.

O jovem com eles assentiu para Žofie. Stephan sentiu-se um pouco como o médico em *Amok*, personagem de Zweig que fica tão obcecado que começa a perseguir uma mulher que não quer transar com ele. Mas Stephan não estava perseguindo Žofie. Ela havia *sugerido* que ele a buscasse na universidade, apesar de ser verão e não ter ninguém na sala.

Žofie deixou o apagador cair no próprio pé e, sem perceber que sujou todo o sapato de giz, começou a preencher novamente o quadro com símbolos. Stephan pegou um diário na bolsa e escreveu: *Deixa o apagador cair no sapato e nem sequer percebe*.

Somente depois que Žofie-Helene terminou sua equação, ela olhou para ele. Sorriu — como Hèlène, em *Amok*, sorrindo do outro lado do salão em seu vestido amarelo. Até o nome era semelhante.

— Isso faz algum sentido? — perguntou Žofie ao homem mais velho. E depois, ao mais novo, falou: — Se não fizer, vou explicar amanhã, professor Gödel.

Žofie entregou o giz a Gödel e juntou-se a Stephan, agora alheia aos dois homens. O mais velho dizendo:

— Extraordinário. E quantos anos ela tem?

E o outro, Gödel, respondendo:

— Só quinze.

O PARADOXO DO MENTIROSO

Stephan se protegeu da chuva no prédio da Chocolates Neuman, nº 2 da Schulhof, levando Žofie junto. Ele a conduziu por uma escada íngreme de madeira até uma caverna no porão, com os sapatos molhados deixando marcas invisíveis na escuridão das pedras, enquanto o falatório dos *chocolatiers* do andar de cima se esvaía.

— Hummm... chocolate — disse ela, sem sentir nem um tiquinho de medo.

Como um dia ele pôde imaginar que alguém tão inteligente quanto Žofie teria medo de alguma coisa, dando a ele, assim, uma desculpa para pegar em sua mão, como Dieter fazia toda vez que eles ensaiavam sua nova peça? A corrida na chuva acabou limpado o giz do sapato de Žofie, mas Stephan ainda não conseguira esquecer todos aqueles símbolos que ela havia escrito no quadro, cálculos matemáticos em um alfabeto que ele nem sequer conhecia.

Ele puxou a corrente de uma luminária do teto. Havia Pallets empilhados na sombra e nos cantos das paredes irregulares de pedra da caverna. O simples fato de estar ali fazia com que as palavras brotassem em sua mente, embora não fosse mais o local onde escrevia, já que tinha uma máquina de escrever em casa. Abriu um caixote com uma barra de ferro pendurada no gancho preto do último degrau e desamarrou um dos sacos de juta que estavam dentro: grãos de cacau, um cheiro tão familiar que, com frequência, ele se via querendo qualquer coisa que não fosse chocolate, assim como o filho de um escritor devia crescer exausto de leitura, por mais impossível que isso pudesse soar para ele.

— Você *vai* me oferecer um pedaço — disse Žofie-Helene.

— Dos grãos? Não pode comê-los, Žofie. Quer dizer, talvez, se estivesse passando fome...

Ela pareceu tão decepcionada que ele engoliu de volta as palavras que pretendia usar para impressioná-la, sobre temperar chocolate ser como coordenar um balé, derretendo e esfriando e mexendo, para que todos os cristais se alinhassem para deixar a língua em êxtase. Êxtase. De toda forma, ele não achava que poderia usar essa palavra com Žofie, a não ser que fosse em uma peça.

Ele correu no andar de cima para pegar um punhado de trufas e quando voltou não encontrou Žofie.

— Žofie?

A voz dela ecoou da parte debaixo da escada:

— Vocês deveriam guardar os grãos aqui. A temperatura de uma caverna é mais constante quanto maior for o gradiente geotermal.

Ele olhou para a própria roupa bonita — com o intuito de impressioná-la —, mas pegou a lanterna do prego e se enfiou debaixo da escada, pelos desníveis da caverna mais embaixo. E nada de Žofie. Ele se agachou no túnel baixo e sombrio, e a luz da lanterna iluminou a sola dos sapatos dela, suas pernas semiflexionadas e seu traseiro. Ela levantou-se no fim do túnel, e o vestido havia subido tanto com o movimento que, por um breve instante, antes que ela puxasse o tecido para baixo, ele viu a pele clara da parte de trás de seus joelhos e de suas coxas.

Ela se agachou no túnel novamente, agora com o rosto no feixe de luz.

— É um novo termo, gradiente geotermal — explicou. — Tudo bem você não saber o que é. A maioria das pessoas não sabe.

— A câmara de cima é mais seca, melhor para o cacau — retrucou ele ao alcançá-la. — Além de ser mais fácil de colocar e tirar os grãos.

A passagem ali foi naturalmente formada, ao contrário da de cimento sob a Ringstrasse perto do Burgtheater. Parecia terminar em uma pilha de rochas a alguns metros de distância, mas não. Era o caminho do submundo, o labirinto de passagens e câmaras ancestrais que corriam pelo subsolo de Viena: sempre havia uma trilha, bastava ter paciência para encontrá-la. Foi por causa da umidade baixa nessa parte do subsolo que seu bisavô havia comprado o prédio da Chocolates Neuman. Ele tinha ido para Viena sem nada, aos dezesseis anos, a idade de Stephan hoje em dia, para morar no sótão de um casebre no bairro pobre de Leopolstadt. Abrira a fábrica de chocolates aos 23 anos e comprara o prédio para expandi-la, enquanto ainda morava naquele sótão. Depois, construiu o palácio da Ringstrasse, onde a família de Stephan morava.

— Eu poderia ter esperado você explicar aquela equação para os professores — comentou Stephan.

— A teoria? O professor Gödel não precisa de explicação. Ele inventou os teoremas da incompletude, que transformaram os campos da lógica e da matemática, quando era um pouco mais velho do que nós, Stephan. Você ia adorar as teorias dele. Ele usou o paradoxo de Russell e o paradoxo do mentiroso para mostrar que em qualquer sistema formal adequado para teorias numéricas há uma fórmula que não pode ser comprovada, tampouco negada.

Stephan retirou seu diário da bolsa e escreveu: *O paradoxo do mentiroso*.

— Essa frase em si é falsa — afirmou ela. — A frase tem que ser verdadeira ou falsa, não é? Mas se for verdadeira, como ela mesma diz, é falsa. Mas se for falsa, é verdadeira. Portanto, tem que ser tanto verdadeira quanto falsa. O paradoxo de Russell é ainda mais interessante: o conjunto de todos os conjuntos que não são membros de seus conjuntos é um membro do próprio conjunto ou não? Você consegue entender?

Stephan desligou a lanterna para mascarar o fato de que não conseguia entender nada. Talvez seu pai tivesse um livro de matemática que explicasse fosse lá o que Žofie estava dizendo; quem sabe isso o ajudaria.

— Eu não consigo ver onde você está agora! — disse Žofie.

Mas ele sabia onde ela estava. Ele sabia, pela sua voz, que o rosto dela talvez estivesse a uma distância de um braço dele, que se ele se inclinasse um pouquinho, talvez encostasse os lábios dela.

— Stephan, você ainda está aqui? — perguntou ela, com um tantinho do medo que ele às vezes também sentia quando estava nesse subsolo escuro, onde uma pessoa poderia se perder e nunca mais ser encontrada. — Ainda consigo sentir o cheiro do chocolate, mesmo daqui.

Ele apalpou as trufas em seu bolso e pegou uma.

— Abra a boca e coloque a língua para fora, e poderá sentir o gosto — sugeriu ele.

— Mentira.

— Verdade.

Ele ouviu o movimento da língua dela, sentiu o aroma do frescor da sua respiração. Colocou uma das mãos no braço dela, para sentir onde estava exatamente, ou quem sabe para beijá-la.

Ela deu uma risadinha, um som de passarinho que não era nem um pouco de seu feitio.

— Mantenha a boca aberta — disse ele delicadamente, então esticou a mão devagar até que pudesse sentir o calor da respiração dela em seus dedos e colocou a trufa em sua língua. — Deixe que ela se dissolva na boca — sussurrou. — Deixe-a aí, faça com que ela dure. Sinta cada momento.

Ele queria segurar a mão da jovem, mas como se pega na mão de alguém que se tornou rapidamente sua melhor amiga sem colocar em risco a amizade? Colocou as mãos no bolso, onde sentiu as outras trufas. Ele as apalpou e então retirou uma e colocou em sua própria língua, não por querer o chocolate em si, mas pela experiência compartilhada — a escuridão ao redor e a goteira acima, a chuva passando pela grade de um bueiro e fluindo no chão abaixo deles, em direção ao canal e ao rio e depois ao mar, enquanto o chocolate derretia, quente, lentamente, em suas línguas.

— É tanto falso quanto verdadeiro o fato de eu conseguir sentir o gosto do chocolate — afirmou ela. — O paradoxo do chocolate!

Ele inclinou-se para a frente, pensando que talvez pudesse arriscar, talvez pudesse beijá-la, e se ela o impedisse, ele poderia fingir que tinha esbarrado por causa do escuro. Mas alguma criatura (quase com certeza, um rato) passou por perto, e ele ligou a lanterna, num reflexo.

— Não conte para ninguém que eu trouxe você aqui —pediu ele. — Se eu for descoberto, serei confinado em meu quarto pelo resto da vida, por conta dos bandidos e do possível desabamento. Mas não é maravilhoso? Alguns desses túneis são somente drenos de tempestades, que precisamos evitar nas chuvas fortes, e alguns são esgotos, que evito sempre. Mas há cômodos inteiros aqui embaixo. Criptas repletas de ossos antigos. Colunas que poderiam ser, sei lá, dos romanos, até. É uma teia subterrânea que foi usada por todo mundo, desde espiões e assassinos até vizinhos e freiras. É meu local secreto. Eu não trago nem meus amigos aqui.

— Nós não somos amigos? — perguntou Žofie-Helene.

— Nós não somos...o quê?

— Você não traz seus amigos, mas me trouxe, portanto, logicamente, não sou sua amiga.

Stephan riu.

— Eu nunca conheci ninguém que pudesse ser tão brilhante tecnicamente e estar tão, tão errada. De qualquer forma, eu não trouxe você aqui, você encontrou o caminho sozinha.

— Então nós somos amigos porque você não me trouxe?

— Claro que somos amigos, sua boba.

O paradoxo da amizade. Ela era e não era sua amiga.

— Esses túneis vão até o Burgtheater? — perguntou ela. — Nós podemos fazer uma surpresa para o vovô. Ou então... já sei! Conseguimos ir até o escritório da minha mãe? É perto da igreja de St. Rupert e do nosso apartamento. Os túneis são tão extensos assim?

Stephan sempre trafegava pelos mesmos caminhos ali embaixo para não se perder, mas sabia o caminho para a igreja de St. Rupert e para o apartamento dela. Na verdade, tinha encontrado alguns caminhos diferentes nas semanas de recesso escolar; não que fosse como o médico em *Amok*; não que ele a estivesse perseguindo. Ele poderia guiá-la pelo longo caminho, passando pelas criptas sob a catedral de St. Stephen e pelos três níveis, de uma profundidade impossível, que um dia haviam sido um convento. Poderia passar com ela por baixo da Jugenplatz, pelos resquícios de uma escola Talmude subterrânea, de séculos antes. Quem sabe até a levasse aos antigos estábulos. Será que ela ficaria horrorizada com os crânios de cavalos? Conhecendo Žofie, sabia que ela ficaria fascinada. Bem, mas talvez ele guardasse os estábulos só para si, pelo menos por ora.

— Está bem — disse ele. — Vamos por aqui.

— Foi dada a largada! — concluiu ela.

— Pensei em lhe contar que terminei de ler *O signo dos quatro* — comentou ele. — Vou trazer para você amanhã.

— Mas eu ainda não terminei o *Caleidoscópio*.

— Você não precisa me devolver. Pode ficar com ele. Digo, para sempre. — Ao registrar certa relutância na hesitação dela, ele completou: — Tenho outro exemplar. — Apesar de não ter; ele simplesmente gostava da ideia de pensar que a metade dessa edição de dois volumes estaria nas mãos de Žofie, ou simplesmente em sua prateleira, enquanto ela lia à noite na cama. — Eu já tinha um exemplar quando a tia Lisl me deu outro de aniversário — mentiu ele. — Queria que você ficasse com ele.

— Eu não tenho outro exemplar de *O signo dos quatro*.

Ele riu.

— Vou devolver. Prometo.

Ele contornou a pilha de escombros, sobre a qual havia uma escada caracol de metal até a saída para a calçada, onde havia uma tampa octogonal de oito triângulos de metal cujas pontas se encontravam no meio e que podia ser aberto por dentro ou por fora. Eles passaram a escada e caminharam por alguns minutos, e então desceram alguns degraus de metal que davam em um arco largo, feito de tijolos delicadamente empilhados. Um rio passava ao longo de um trilho ferroviário, bem ali, iluminado por uma luz de emergência no teto, projetando suas sombras aumentadas na parede.

— Essa parte é de quando eles redirecionaram o rio para o subsolo, para expandir a cidade — explicou ele, enquanto desligava a lanterna. — Isso ajudou a prevenir a cólera também.

A passagem terminava repentinamente, com a água seguindo por um arco menor, como o arco ao lado do Burgtheater, por onde só é possível passar nadando por águas imundas. Mas ali havia degraus que davam em uma ponte de metal, com um rolo de corda e uma boia salva-vidas pendurada, em caso de necessidade. Eles cruzaram a ponte e saíram na entrada de outro túnel estreito e seco. Stephan ligou a lanterna novamente, iluminando uma pilha de escombros.

— O túnel também afundou aqui, talvez durante a guerra, como ao lado do pequeno túnel que dá na nossa câmara de cacau — disse ele, e a conduziu por um buraco estreito entre a pedra caída e a parede do túnel.

Ao passarem por ali, ele apontou a lanterna para um portão trancado, atrás do qual via-se um emaranhado: caixões e ossos humanos que pareciam organizados por partes do corpo, e uma pilha inteira, cuidadosamente montada, somente de crânios.

A MAIOR MÁQUINA DE ESCREVER DO MUNDO

Stephan já estava guiando Žofie-Helene pelo caminho subterrâneo por aproximadamente quinze minutos, quando chegaram a uma escada circular que dava em outra tampa octogonal, perto do escritório da mãe dela. Havia uma saída mais próxima, bem na rua do apartamento, mas eram somente degraus de metal que davam em uma grade de bueiro pesada demais para ele levantar. Stephan subiu até a rua e a puxou pela mão, soltando com relutância. Chutou para fechar os triângulos e a seguiu até a esquina e por dentro do escritório do jornal, onde um homem operava a maior máquina de escrever do mundo.

— É uma Linotipo — explicou Žofie. — É automática, como uma máquina de Rube Goldberg. Faz a impressão de uma edição inteira de jornal.

— É difícil aprender a mexer? — perguntou Stephan ao linotipista, imaginando imprimir uma peça ali. Para fazer cópias hoje em dia, ele usava papel carbono e pressionava as letras com força, mas como não é possível fazer diversas cópias dessa forma, tinha que escrever para um elenco pequeno ou datilografar o mesmo roteiro muitas vezes. — Eu já sei datilografar.

— É impressionante que você saiba tanta coisa, Stephan — concluiu Žofie-Helene.

— Que *eu* saiba tanta coisa?

— Sobre os caminhos subterrâneos. Sobre fazer chocolate. Sobre teatro e datilografia. Você também fala sobre tudo isso. Quando eu falo, as pessoas me olham como se eu fosse uma criatura esquisita. Mas você é como o professor Gödel. Às vezes, ele também diz que estou errada sobre algumas coisas.

— Eu disse que você estava errada sobre alguma coisa?

— Sobre comer grãos de cacau. E sobre a caverna. De vez em quando, falo coisas erradas só para ver se alguém vai reparar. Normalmente, ninguém repara.

* * *

Na sala do editor-chefe, uma menina ainda mais jovem do que Walter coloria um desenho em uma mesa enquanto uma mulher, que com certeza era a mãe de Žofie, falava ao telefone.

— Jojojojojo, você coloriu algo esplêndido para mim? — perguntou Žofie, erguendo sua irmã e a rodopiando em uma explosão de risadas que deixaram Stephan com vontade de ser rodopiado também, embora ele não gostasse muito de dançar.

A mãe dela indicou com o dedo que sua ligação estava quase no fim, enquanto dizia à pessoa do outro lado:

— Sim, obviamente Hitler não ficará feliz, mas *eu* também não estou feliz com as tentativas dele de forçar Schuschnigg a levantar a bandeira do Partido Nazista Austríaco. E como a minha opinião não freia os planos dele, tenho certeza de que não devemos deixar que ele nos impeça de publicar a matéria. — Ela terminou a chamada e colocou o telefone no gancho, dizendo: — Ah, Žofie, seu vestido! De novo não!

— Mãe, esse é o meu amigo Stephan Neuman — disse Žofie. — Nós viemos até aqui, lá da fábrica de chocolate do pai dele, por um…

Stephan lançou-lhe um olhar de repreensão.

— O pai dele faz os melhores chocolates — completou Žofie.

— Ah, então você é *o tal* de Neuman? — perguntou Käthe Perger. — Espero, de verdade, que tenha nos trazido um pouco desses chocolates!

Stephan limpou as mãos na blusa, pegou as últimas duas trufas que tinha no bolso e as ofereceu. Ai, caramba, tinha fiapos de tecido grudados nelas.

— Deus do céu, eu estava brincando! — exclamou Käthe Perger, pegando um chocolate antes que ele os guardasse de volta, e logo lançando-o dentro da boca.

Stephan retirou o fiapo da outra e ofereceu à irmã de Žofie.

— Žofie-Helene, acho que você se superou na sua esperteza ao escolher um amigo que não só anda por aí com chocolates no bolso mas que aparentemente gosta de lavar roupa tanto quanto você — disse Käthe Perger.

Stephan olhou para baixo, para as suas roupas sujas. Seu pai ia matá-lo.

***

Depois que Stephan foi embora, Žofie disse à mãe:

— Ele é só um amigo, mas um é melhor do que nada, mesmo que zero seja matematicamente mais interessante.

Sua irmã pequena entregou-lhe um livro, e Žofie se sentou e a colocou no colo. Abriu na primeira página e leu:

— Para Sherlock Holmes, ela é sempre A mulher.

— Não sei se Johanna já está pronta para *Um escândalo na Boêmia* — disse a mãe.

Žofie amava essa história, especialmente a parte em que o rei diz que é uma pena que Irene Adler não esteja em seu nível e Holmes concorda, porém o que o rei quer dizer é que a senhorita Adler não é tão inteligente quanto ele, e o detetive quer dizer que ela é mais inteligente do que ele. Žofie também gostava do final, quando Irene supera todos eles, e Sherlock não aceita o valioso anel que o rei oferece a ele, mas quer levar a foto da senhorita Adler como uma recordação de que ele fora vencido pela inteligência de uma mulher.

— Ele é canhoto — afirmou Žofie. — Stephan é canhoto. Você acha isso esquisito? Perguntei a ele uma vez, mas ele não me respondeu.

A mãe riu, uma risada simples e linda, como o belo ponto zero no centro de uma linha que vai até o infinito nas duas direções, positiva e negativa.

— Não sei, Žofie-Helene. É esquisito para você ser tão boa em matemática?

Žofie-Helene pensou a respeito.

— Não exatamente.

— Pode parecer diferente para os outros, mas é quem você é, quem você sempre foi. Imagino que seja o mesmo para o seu amigo.

Žofie ajeitou Jojo no seu colo e beijou a cabeça da irmã.

— Vamos cantar, Jojo? — perguntou ela. E começou a cantar, com Jojo unindo-se a ela, e depois a mãe também. — A lua nasceu, as estrelas douradas brilham no céu, limpo e claro.

THE VIENNA INDEPENDENT

LEIS NAZISTAS "QUE NÃO VÊM DO ÓDIO" CONTRA JUDEUS

Ministro da Justiça: leis surgem do amor pelo povo alemão

Por Käthe Perger

WÜRZBURG, ALEMANHA, 26 de junho de 1937

O Ministro da Justiça da Alemanha, Hans Frank, ao falar em uma reunião de Nacional-Socialistas que ocorreu aqui hoje, insistiu que as leis de Nuremberg foram criadas "para a proteção da nossa raça, não porque odiamos os judeus, mas porque amamos o povo alemão".

"O mundo critica a nossa atitude com relação aos judeus e declara que é muito dura", diz Frank. "Mas o mundo jamais se preocupou com quantos alemães honestos foram perseguidos em suas casas e lares por judeus no passado."

As leis, instituídas em 15 de setembro de 1935, revogam a cidadania alemã para judeus e os proíbe de casar com pessoas "de sangue ou parentesco alemão". Define-se "judeu" qualquer pessoa com três ou quatro avós judeus.

Milhares de alemães que se converteram para outras religiões, incluindo os padres e freiras católicos romanos, são considerados judeus.

Com a implementação das leis de Nuremberg, os judeus alemães não puderam mais receber tratamento em hospitais municipais, oficiais judeus foram expulsos do Exército, e alunos de universidades foram proibidos de fazer prova de doutorado. As restrições foram flexibilizadas na preparação para os Jogos Olímpicos no ano passado, em Garmisch-Partenkirchen, durante o inverno e o verão em Berlim. Mas, desde então, o Reich restaurou seus esforços para "arianização", dispensando trabalhadores judeus e transferindo as empresas de judeus para pessoas não judias por pechinchas ou sem pagamento algum...

A PROCURA

O vaso amarelo estava lá, bem na varanda da casa dos Weber. Mesmo assim, Truus aproximou-se do portão lentamente na Mercedes da sra. Kramarsky, certificando-se, como sempre, de que o vaso não tivesse sido tombado como forma de aviso, para ser colocado de volta no lugar por um nazista prestativo. Eles eram um casal idoso, os Weber haviam dito a ela no dia em que se conheceram; o futuro deles era curto, mas com a ajuda deles, as crianças poderiam ter um longo futuro. Truus abriu o portão, entrou com o carro e saiu para fechá-lo; depois levantou a saia comprida e entrou de novo no carro. Engatou a primeira marcha e cruzou o campo, até chegar à estrada por dentro da mata.

Já passava bastante de meio-dia quando ela avistou o primeiro sinal de movimento, um ruído que poderia ter sido de um cervo, mas que se revelou, como constatou ao parar o carro, uma criança ziguezagueando pelas árvores. Truus ainda não conseguia entender como as crianças sobreviviam nessa mata e no deserto por dias e noites, sem nada no bolso além de passagens de trem já usadas, algumas moedas, se tivessem sorte, e uns pedaços de pão enviados por suas mães, tão desesperadas que colocavam seus filhos em trens rumo à fronteira da Alemanha sem um vislumbre de esperança real — crianças que normalmente sobreviviam e acabavam presas pelos alemães ou enviadas de volta pela patrulha da fronteira holandesa.

— Está tudo bem. Estou aqui para ajudar — falou gentilmente Truus, procurando onde a criança estava escondida. Moveu-se bem devagar. — Sou a Tante Truus e estou aqui para ajudar você a chegar à Holanda, como a sua mãe falou para você fazer.

Truus não sabia exatamente por que as crianças confiavam nela, ou sequer se confiavam. Às vezes, achava que só a deixavam se aproximar por pura exaustão.

— Sou a Tante Truus — repetiu. — Como você se chama?

A menina, que devia ter uns quinze anos, apenas a observava.

— Você gostaria da minha ajuda para atravessar a fronteira? — ofereceu Truus, com delicadeza.

Um garoto um pouco mais novo tirou a cabeça de trás de um arbusto, para espiar, e depois outro menino fez o mesmo. Os três não pareciam irmãos, mas era impossível saber ao certo.

A menina virou-se de volta para Truus.

— Você pode levar todos nós?

— Claro que sim.

Quando os outros dois olharam para a menina sem fazer nenhuma objeção, ela assobiou bem alto. Outra criança saiu de seu esconderijo. E mais uma. Deus do céu, eram onze crianças, uma delas um bebê nos braços da irmã. Bem, o carro ficaria cheio. Truus não fazia ideia de como as mulheres iam arrumar camas à noite para onze crianças, mas ela deixaria isso a serviço de Deus.

TRUUS SE EMBRENHOU pela floresta no caminho de volta para a fazenda dos Weber, com as crianças superlotando o carro. Eram tão silenciosas, tão anormalmente quietas para crianças de qualquer idade, que dirá pré-adolescentes, como a maioria ali. Silenciosas e sérias, como as crianças que a família de Truus havia acolhido durante a guerra.

Ela tinha somente dezoito anos, e a guerra invadiu sua casa em Duivendrecht bem quando ela deveria estar em busca de pretendentes. A Holanda havia ficado neutra, mas ainda assim declarou estado de sítio e o Exército foi mobilizado; todos os homens foram enviados para áreas protegidas essenciais à defesa nacional, que não incluía a casa de Truus. Ela ficou para ler para os pequenos refugiados, que chegavam tão fracos e famintos que ela daria a eles o próprio prato de comida, e ao mesmo tempo comeria cada grão para que nunca ficasse magra daquele jeito. Truus havia ficado enfurecida e triste ao ver aquelas crianças cujo silêncio deixava sua mãe tão infeliz. No fundo, aquelas crianças também davam a Truus um senso de maternidade, ela ficava pensando como poderia atravessar a fina camada sufocante do sofrimento silencioso delas e trazer à tona a mãe dentro de si. E, então, na manhã em que nevou pela primeira vez naquele inverno, flocos grossos e precipitados, Truus acordou com as árvores cobertas de gelo, com a camada fofa de neve sobre trilhos nas pontes, os caminhos brancos intocados em contraste com as águas escuras e paradas do canal. Ela acordou as crianças, mostrou a paisagem e depois as vestiu, agradecida naquela manhã pela quietude delas, ainda que conversassem. Saíram da casa e, com a luz da lua de inverno refletindo no branco, fizeram um boneco de neve. E foi só. Somente um boneco de neve, três bolas sujas de neve empilhadas, com pedras no lugar dos olhos, galhos no lugar dos braços, e nada no lugar da boca, como se as crianças quisessem fazer na criatura a sua própria imagem de silêncio. Sua mãe, com seu chá matinal em mãos, olhou pela janela justo quando eles terminaram o boneco. Era o que ela fazia toda manhã — sua maneira de ver o que o Senhor guardava para ela, como gostava de dizer. Contudo, naquele dia, ela ficou surpresa e contente de ver as crianças lá fora, mesmo que não estivessem sorrindo, mesmo que não estivessem fazendo nenhum barulho. Truus apontou para ela, incitando as crianças a acenar. Justo quando ela respondia o aceno, um dos meninos jogou uma bola de neve na janela, deixando respingos no vidro e, de alguma forma, quebrando o silêncio. As crianças começaram a rir, e a expressão de espanto da mãe transformou-se também em risada. Até então, esse fora o som mais bonito que Truus já tinha ouvido, mesmo que a tenha deixado tão envergonhada. Como, algum dia, ela poderia ter desejado qualquer outra coisa que não fosse a risada dessas crianças? Como, algum dia, ela poderia ter desejado algo para si?

Truus estacionou o sedan da sra. Kramarsky. Embaixo da varanda dos Weber, o vaso amarelo estava caído, com a terra espalhada pelo caminho. Ela deu ré no carro lentamente, para não levantar poeira, e começou a procurar uma saída depois da fronteira pela mata, fazendo a oração que sempre fazia, agradecendo a Deus pelos Weber, por tudo o que eles haviam feito pelas crianças da Alemanha, e pedindo que Ele protegesse aquele corajoso casal de idosos.

KLARA VAN LANGE

Na casa dos Groenveld, na rua Jan Luijkenstraat, Truus — já exausta das horas na floresta procurando uma saída, atravessando a fazenda dos Weber no meio da noite com os faróis do carro desligados e o tanque de gasolina quase vazio — entregou as onze crianças aos voluntários. Klara van Lange, sentada a uma mesinha e com uma daquelas saias novas abomináveis abaixo do joelho, cobriu o bocal do telefone com a mão e sussurrou para Truus:

— É o hospital judeu, da rua Nieuwe Keizersgracht. — E falou para a pessoa do outro lado da linha: — Sim, sabemos que onze é um número grande de crianças, mas é apenas por uma ou duas noites, até encontrarmos famílias para... Se elas tomaram *banho*? — Ela olhou nervosa para Truus. — Piolho? Não, claro que não têm piolho!

Truus checou rapidamente o cabelo das crianças e separou o menino mais velho.

— Você tem um pente fino, sra. Groenveld? — sussurrou ela. — Claro que tem. Seu marido é médico.

— Sim, nós podemos enviar uma pessoa para ajudar a cuidar do bebê — falou Klara ao telefone. Gesticulou para Truus, com a boca: — Eu posso ir com elas.

Por mais que Truus quisesse ir com as crianças, não poderia deixar Joop passar a noite sozinho; sentiu-se agradecida pela disponibilidade de Klara.

— Muito bem, quem gostaria de tomar um banho quentinho e gostoso? — perguntou Truus para as crianças. E, então, para as mulheres adultas: — Sra. Groenveld, você e a srta. Hackman poderiam levar as meninas mais novas? — E para a menina mais velha, pediu: — Se nós enchermos a banheira, você consegue se virar?

— Posso ajudar com os piolhos do Benjamin, Tante Truus — respondeu a menina.

Truus, colocando a mão com delicadeza no rosto dela, falou:

— Se eu pudesse escolher uma filha, meu amor, ela seria uma menina doce como você. Agora, vai tomar um belo banho quente sozinha, e eu vou levar uns sais de banho para você também. — Para Klara, que acabara de desligar o telefone, ela perguntou: — Sra. Van Lange, a senhora poderia preparar uns sanduíches de queijo?

— Sim, eu convenci o hospital judeu a abrigar as crianças sem documentos. De nada, sra. Wijsmuller — respondeu Klara com ironia, fazendo com que Truus se lembrasse de si mesma quando jovem, porém muito mais bonita.

Klara van Lange não precisava deixar os tornozelos visíveis nessa inexplicável moda para atrair a atenção dos homens. Deus do céu, se ela não se sentasse com cuidado, seus joelhos ficariam à mostra.

— Claro que você os persuadiu, Klara — afirmou Truus. — Até o primeiro-ministro diria sim para você. — Ela pensou que talvez devessem tentar usar as saias estilosas de Klara e seus poderes de persuasão com o primeiro-ministro Colijn antes que o governo holandês impossibilitasse que estrangeiros se estabelecessem no país, como diziam os rumores. Não ao fechar literalmente a fronteira, mas ao alertar aos alemães que fugiam do Reich que a Holanda poderia ser um local de passagem, mas não um destino final.

PELA JANELA DE VIDRO, A ESCURIDÃO

Eichmann deixou de lado o relatório que estava fazendo, pelo qual Hagen, seu mais novo chefe, levaria todo o crédito, se é que haveria algum crédito — mais um pretendente surfando na onda da expertise de Eichmann. Abriu a janela e respirou fundo o ar do outono, enquanto o trem passava a fronteira da Itália e adentrava a Áustria. Tinha passado tão mal enquanto atravessava o Mediterrâneo vindo do Oriente Médio para Brindisi, na Palestina, que o enfermeiro sugeriu que ele desembarcasse em Rhodes. A viagem toda tinha sido um grande fracasso: um mês inteiro de deslocamento para que os britânicos permitissem que ele permanecesse apenas 24 horas em Haifa e as autoridades do Cairo negassem os vistos para a Palestina. Doze longos dias no Egito foi tudo o que conseguiram com o transtorno.

— Os judeus enganam uns aos outros. Essa é a raiz do caos financeiro da Palestina — disse Hagen.

— Será mais efetivo se formos mais específicos, senhor — respondeu Eichmann. — Quarenta banqueiros judeus em Jerusalém.

— Quarenta banqueiros judeus caloteiros — concordou Hagen. — Claro, outros cinquenta mil judeus vão emigrar anualmente no transporte que Polkes acha que nós devemos permitir.

Polkes, o único contato útil que fizeram durante a viagem, havia sugerido que se a Alemanha realmente quisesse se livrar dos judeus, deveria permitir que eles levassem mil libras britânicas com eles para emigrarem para a Palestina. Foi como o judeu falou, "mil libras britânicas", como se a moeda alemã, reichmark, não fosse pronunciável.

Eichmann inseriu no relatório: *Não temos o intuito de ter a capital judia transferida do Reich, mas de induzir os judeus sem recursos a emigrarem.*

A ponta do lápis que estava usando quebrou, incapaz de aguentar a pressão de seus pensamentos velozes. Ele pegou a faca de bolso, pensando na madrasta fria e frugal, cuja família em Viena havia se casado com judeus ricos, do tipo que não estariam dispostos a ir embora para lugar algum sem suas riquezas obtidas de maneira doentia.

— Eu cresci aqui, em Linz — disse Eichmann a Hagen, enquanto o trem subia uma longa montanha e a vista se abria de uma floresta para toda a Áustria.

O frio que sentia no rosto agora era o mesmo das corridas com seu amigo Mischa Sebba por florestas como essa; o frio do vazio de suas mãos quando seus pais entrelaçaram os dedos com seus irmãos mais novos ao atravessar a plataforma na Estação de Linz, na reunião da família ali após um ano de separação. Ele tinha oito anos na época, e dez quando a delicada voz de sua mãe deu lugar à sua madrasta lendo a Bíblia no apartamento lotado da rua Bischof Strasse nº 3. Já havia passado quatro anos desde que estivera em casa, quatro anos desde que visitara o túmulo de sua mãe.

— Eu passava dias inteiros passeando por florestas como essa — contou a Hagen.

Ele estava com Mischa na maioria das vezes, que o ensinou a identificar trilhas de cervos, a fazer todo tipo de som de pássaro, a colocar uma camisinha direito antes de Eichmann sequer pensar em introduzir seu pênis em uma garota de maneira totalmente estapafúrdia. Ele ainda podia ouvir o desprezo na voz de Mischa ao ler o nome do grupo de Eichmann no pacote dos escoteiros Wandervögel: "Griffon? É uma espécie de pássaro que ficou extinta antes dos nossos avós nascerem, um abutre que sobrevivia da carne dos mortos." Mischa estava com inveja, é claro — impossibilitado de se juntar aos garotos mais velhos em fins de semana inteiros de caminhada, com seus uniformes e bandeiras, só porque era judeu.

Eichmann começou a fazer uma nova ponta no lápis.

— Sou um cavaleiro astuto — disse ele. — Aprendi a atirar em florestas como essa com meu melhor amigo, Friedrich von Schmidt. Sua mãe era condessa, seu pai era um herói de guerra.

Friedrich o havia convidado para fazer parte da Associação Alemã--austríaca de Jovens Veteranos, e eles frequentaram o treinamento paramilitar juntos. Mas Mischa havia continuado a ser o seu verdadeiro amigo, mesmo depois de Eichmann se juntar ao Partido — no dia 1º de abril de 1932; membro número 899.895. Ele continuou próximo, e cada vez mais argumentativo com Mischa, até que a Áustria fechou a Casa Marrom Nazista e a Companhia de Gasóleo de Vácuo o despediu por sua posição política. Ele teve que pegar seu uniforme e suas botas e cruzar a fronteira da Áustria para a Alemanha, para ficar em segurança em Passau.

— Nós não vamos financiar a Palestina com dinheiro alemão, tampouco com dinheiro alemão judeu — falou Hagen.

Eichmann desviou o olhar da paisagem e focou no relatório: *Conforme citado acima, uma vez que a emigração anual de 50 mil judeus fortaleceria o judaísmo da Palestina, esse plano não deve ser assunto de discussão.*

AUTORRETRATO

Žofie-Helene, com Stephan e sua tia Lisl, pararam na primeira pintura da sala de exposição do Prédio da Secessão, *Autorretrato de um artista degenerado*. A pintura e seu título a deixaram inquieta.

— O que você achou, Žofie-Helene? — perguntou Lisl Wirth.

— Não entendo nada de pintura — respondeu Žofie.

— Você não precisa saber sobre arte para ter alguma sensação — assegurou Lisl. — Diga simplesmente o que vê.

— Bem, a cara dele é estranha. Muitas cores, embora sejam lindas e todas meio que se misturem para parecer pele — disse Žofie, insegura. — O nariz dele é grande e seu queixo é estranhamente comprido, como se estivesse pintando seu reflexo em um espelho distorcido.

— Muitos pintores tornam-se quase analíticos em sua abstração. Picasso. Mondrian. Kokoschka é mais emocional, mais intuitivo — retrucou Lisl.

— Por que ele se autodenomina degenerado?

— Ele está sendo irônico, Žofe — respondeu Stephan. — É assim que Hitler chama artistas como Kokoschka.

Žofe, e não Žofie. Ela gostava quando Stephan a chamava daquele jeito, assim como gostava quando sua irmã a chamava de ŽoŽo.

Eles seguiram para um quadro de uma mulher cujo rosto e cabelo preto formavam quase um triângulo perfeito. Os olhos da mulher eram de tamanhos diferentes, seu rosto era manchado de vermelho e preto, e ela entrelaçava as mãos de um jeito assustador.

— Ela é bem feia, mas também bonita de alguma maneira — concluiu Žofie.

— Não é? — concordou Lisl.

— Esse parece o quadro da entrada da sua casa, Stephan — comentou Žofie-Helene. — A mulher com as bochechas arranhadas.

— Sim, aquele é um Kokoschka também — explicou Lisl.

— Mas aquele é com o seu rosto — falou Žofie-Helene. — E é mais bonito.

Lisl riu, com sua risada calorosa e desenhada, e colocou a mão no ombro de Žofie. Seu pai colocava a mão em seu ombro daquele jeito, às vezes. Žofie ficou ali, parada, prolongando aquele toque para que durasse para sempre, e desejando que ela tivesse um quadro de seu pai pintado por Oskar Kokoschka. Ela tinha fotografias, mas as fotos eram, de alguma forma, menos verdadeiras do que essas pinturas, mesmo sendo mais reais.

PÉS DESCALÇOS NA NEVE

Truus e Klara van Lange sentaram-se a uma mesa bagunçada na sala do sr. Tenkink, em Haia, também na presença do sr. Van Vliet, Ministro da Justiça. Em sua mesa, Tenkink tinha uma autorização para as crianças da floresta dos Weber permanecerem na Holanda — Truus havia escrito e só precisava da assinatura dele. Ela achava que quanto mais mastigado, mais fácil de engolir.

— Crianças judias? — indagou Tenkink.

— Nós temos casas para abrigá-las — respondeu Truus, ignorando o olhar de Klara van Lange.

Klara tinha uma preocupação maior que a de Truus com a verdade absoluta, mas era jovem demais e estava casada havia muito pouco tempo.

— É uma situação difícil, como posso ver, sra. Wijsmuller — alertou Tenkink. — Mas metade dos holandeses agora simpatiza com os nazistas, e a maior parte do restante simplesmente não quer que sejamos um quarto de despejo de judeus.

— O governo quer acalmar Hitler... — começou o sr. Van Vliet.

— Sim — interrompeu Tenkink —, e roubar as crianças de um país não é exatamente uma política de boa vizinhança.

Truus encostou no ombro de Van Vliet; Tenkink era um homem que respondia de forma mais positiva a mulheres. Muitos eram assim, até alguns homens bacanas. Ela pensou que deveria ter trazido as crianças a tiracolo — é muito mais difícil dizer não para cachinhos e olhares esperançosos do que para o conceito de uma criança, ou onze. Mas parecia cruel arrancar os pobres bezerrinhos exaustos da cama para uma longa viagem de trem de Amsterdã até Haia só para exibi-los para um homem que estava propenso a tomar a decisão certa, que sempre era convencido a tomar a decisão certa.

— A Rainha Wilhelmina simpatiza com a condição dos alemães que desejam se libertar da fúria de Hitler — disse Truus a Tenkink.

— Até a família real... Você precisa entender a magnitude desse problema dos judeus. Se Hitler fizer jus à sua ameaça de anexar a Áustria... — retrucou Tenkink.

— O Chanceler Schuschnigg mantém os líderes nazistas austríacos atrás das grades, sr. Tenkink — acrescentou Truus —, e não há uma cidade no mundo mais dependente dos seus judeus para prosperar do que Viena. A maioria dos médicos, advogados, economistas e a metade dos jornalistas são judeus de nascimento, não só de prática religiosa. Você sinceramente consegue imaginar um golpe bem-sucedido contra o dinheiro *e* a imprensa da Áustria?

— Sra. Wijsmuller, não estou dizendo que não — respondeu Tenkink. — Só estou sugerindo que seria mais fácil se as crianças fossem cristãs.

— Tenho certeza de que a sra. Wijsmuller lembrará disso na próxima vez em que fugir com crianças de um país que já sumiu com os pais delas — falou Klara.

Truus segurou o sorriso ao pegar um porta-retrato sobre as pilhas de coisas na mesa do sr. Tenkink: um jovem Tenkink com uma esposa delicada, dois garotos e uma bebê bochechuda. A língua surpreendentemente rápida de Klara fora uma das coisas que fez Truus pedir sua companhia naquela visita.

— Que família linda, sr. Tenkink — afirmou Truus.

E recostou-se de volta na cadeira, tentando não entregar seu plano de comover o sr. Tenkink pelo monólogo de pai pródigo que ela, afinal, começara. Paciência era uma de duas virtudes.

Devolveu a foto a Tenkink, que sorriu carinhosamente.

— Uma das crianças alemãs é um bebê, ainda menor do que a sua filha nessa fotografia, sr. Tenkink — disse Truus, usando a palavra "alemães" em vez de "judias", tirando o foco da característica que mais incomodava o homem e sendo direta, enquanto ele ainda segurava a foto de sua filha. — Tem certeza de que nem o mais frio dos corações poderá se aquecer com um bebê?

Tenkink olhou da foto para a autorização em sua mesa, e depois para Truus.

— É menino ou menina?

— Qual o senhor prefere? Não é fácil determinar o sexo quando estão enrolados para a imprensa admirá-los.

Tenkink, balançando a cabeça, assinou a autorização e disse:

— Sra. Wijsmuller, quando os nazistas invadirem a Holanda, espero que a senhora se pronuncie em meu favor. Parece que a senhora consegue convencer qualquer um a fazer qualquer coisa.

— Que Deus não permita isso — disse Truus. — Mas nesse caso, Ele certamente se pronunciará por você, sr. Tenkink. Obrigada. Há tantas crianças que precisam da nossa ajuda.

— Bem, então, se era isso... — disse sr. Tenkink.

— Entendo que seja impossível — interrompeu Truus—, mas tenho notícias de Hamburgo, onde trinta órfãos foram arrancados de suas camas e jogados na rua, ainda vestindo pijamas, por uma gangue da SS.

— Sra. Wijsmuller...

— Trinta crianças de pijamas e pés descalços, em cima de uma camada grossa de neve, enquanto a SS ateava fogo no orfanato.

Tenkink respirou fundo.

— O que aconteceu com "somente onze"? — Olhou para a foto da sua família e disse: — E essas trinta são todas judias também, suponho? Você pretende salvar todos os judeus do Reich?

— Elas estão abrigadas em casas de alemães não judeus — respondeu Truus. — Nem preciso lhe dizer o que os nazistas fazem com aqueles que contrariam, mesmo sendo cristãos, a proibição de ajudar judeus.

— Com todo o respeito, sra. Wijsmuller, a proibição nazista de ajudar judeus não abre exceção para mulheres holandesas atravessando a fronteira para...

Truus olhou profundamente para a foto da família.

— Mesmo que eu pudesse ajudar, a verdade é que nós vamos aprovar essa lei que fecha nossa fronteira em algumas semanas, quem sabe até dias. Sem essa informação em mãos, não vejo como... — falou Tenkink.

Truus entregou a ele um arquivo marrom fechado com fitas verdes, contendo toda a informação que ele poderia precisar, já reunida e arquivada. Fácil de descer goela abaixo.

Tenkink, sacudindo a cabeça, disse:

— Tudo bem. Tudo bem. Vou ver se consigo organizar para aceitá-las, por ora. Somente até que encontrem lares fora da Holanda para elas. Está claro? Elas têm família em algum alugar, na Inglaterra ou nos Estados Unidos?

— Sim, é claro, sr. Tenkink — respondeu Truus. — É por isso que estão descalças na neve do lado de fora de um orfanato judeu em chamas.

EXPOSIÇÃO DA VERGONHA

Lisl Wirth parou ao lado de seu marido na galeria de Munique no último dia da exposição: trabalhos cubistas, futuristas e expressionistas removidos de museus na Alemanha por não estarem de acordo com os "padrões" artísticos do *führer*, todos expostos e precificados para incitar zombaria da parte dos visitantes. Qualquer pessoa com alguma noção artística podia ver que a outra exposição em Munique, a Exposição de Arte da Grande Alemanha, na Haus der Deutschen Kunst, puxa-saco de Hitler, era repleta de paisagens incompetentes e nudez entediante em comparação. Sério, como alguém podia fazer uma nudez tão enfadonha como a "grande" arte alemã? E *isso* era a "arte degenerada"? Esse quadro de Paul Klee era lindo pela sua simplicidade — as linhas irregulares do rosto do pescador, as curvas em S graciosamente reclinadas dos seus braços, a extensão charmosa da vara de pesca sobre um azul tão variado e evocativo quanto o mar. Tudo isso fez com que ela pensasse em Stephan, embora não soubesse por quê. Ela não imaginava que seu sobrinho já tivesse pescado alguma vez na vida.

— Você gosta? — perguntou a Michael, surpreendendo-se com a própria pergunta. Até poucas semanas antes, ela teria certeza de que ele amaria o quadro, mesmo que fosse simplesmente porque ela amava. — O quadro de Paul Klee, *O pescador* — acrescentou, tendo que identificar a que obra se referia, pois as pinturas estavam todas amontoadas, um desrespeito escancarado pelas palavras que as anunciavam nas paredes: *Loucura torna-se método.*

Pelo silêncio de Michael, Lisl voltou sua atenção às palavras.

Uma risada veio de trás dela, uma mente pequena em conformidade com a expectativa.

Ela baixou a voz e disse a Michael:

— Achei que Goebbels fosse fã dos modernistas.

Michael olhou, inquieto.

— Isso foi antes de Hitler fazer seu pequeno discurso sobre a arte degenerada menosprezar a cultura alemã, Lis. Antes de promover Wolfgang Willrich e Walter Hansen.

Dois denunciantes — fracassaram como artistas, mas prosperaram como denunciantes — responsáveis por determinar qual arte deveria ser aplaudida e qual deveria ser difamada.

— Essa exposição foi ideia de Goebbels, e foi politicamente inteligente — completou Michael.

Lisl afastou-se da obra de Klee e de Michael. Quando ele tinha se tornado alguém que valorizava o viés político no lugar da expressão artística?

Até Gustav e Therese Bloch-Bauer estavam com uma atitude blasé quanto ao desrespeito dos nazistas à cultura. Todo mundo estava envolvido demais com suas próprias famílias e vidas para enxergar as nuvens negras da política acumulando-se na fronteira entre a Alemanha e a Áustria. Todos achavam que Hitler seria uma moda alemã passageira, que isso não aconteceria com a Áustria, país que tinha vencido o assassinato do chanceler Dollfuss e a tentativa do golpe nazista três anos antes; achavam que poderia resistir a isso também. Afinal, as pessoas tinham seus negócios para cuidar, filhos para criar, festas para frequentar, fotografias para posar, arte para comprar.

Lisl fingiu interesse por outra pintura, outra escultura, até estar em uma sala totalmente diferente de seu marido, admirando um autorretrato de Van Gogh, obras de Chagall e Picasso e Gauguin, uma parede inteira dedicada, de forma pouco lisonjeira, aos dadaístas. Foi somente quando ela entrou na sala e percebeu que era a "sala dos judeus" que sentiu sua própria posição precária. "Revelações da alma da raça judia" estava escrito em uma das paredes. Lisl achou as pinturas extraordinárias; desejou que o que elas revelavam, seja lá o que fosse, refletisse algo sobre sua própria alma.

Mas ela era uma mulher judia caminhando sozinha em meio a um grupo nada amigável na Alemanha.

Era ridículo, esse medo repentino. Munique era logo ali na fronteira. Em menos de uma hora, ela poderia estar de volta à Áustria.

Mesmo assim, foi em busca de Michael outra vez.

Ela o viu de pé diante de um Otto Dix, uma pintura de uma mulher grávida, com a barriga e os seios tão distorcidos que deixou Lisl quase aliviada por não poder ter filhos. O rosto de Michael, enquanto olhava para o quadro, estava repleto de anseios. Ele sempre dissera que não precisava de um herdeiro, que Walter poderia ficar com a fábrica de chocolate da família dela, e Stephan, com o banco da família dele — banco que só havia sobrevivido graças ao dinheiro da família dela, não que Lisl tocasse nesse assunto. Michael era um homem vaidoso, de uma família orgulhosa que havia vivido momentos difíceis, como tantos depois da crise do mercado financeiro, e Lisl jamais faria nada que pudesse comprometer o orgulho do marido, assim como ele jamais faria a ela. Stephan era como um filho para Michael, o marido sempre dizia, e Walter também. Mas mesmo antes disso, dessa revelação na expressão do marido, Lisl havia sentido que algo estava estranho; Michael estava cada vez menos seduzido pela educação universitária e encantos intelectuais que ele sempre dissera serem o motivo de ter se apaixonado por ela.

Ela fez uma pergunta para um estranho, para que Michael pudesse, quem sabe, ouvir sua voz e ter tempo de se recompor. Quando isso ocorreu, ela se juntou a ele, segurando em seu braço e dizendo:

— Nós deveríamos comprar esse Klee — afirmou, só para falar alguma coisa.

Mas eles não iam fazer isso, nem aqui nem em lugar nenhum, e não só porque estava absurdamente superfaturado.

AO LONGO DO CAIS

O céu nublado ameaçava mandar ainda mais neve, renovar a camada suja nas calçadas e aos canais sem vida, com gelo raspado. Truus, que caminhava com Joop, passou por três barcos congelados no canal Herengracht, com o gelo tão solidificado que Amsterdã estava agitada com o burburinho de que o Elfstedentocht, grande evento de patinação no gelo, ocorreria novamente, pela primeira vez desde 1933. Perto da ponte próxima ao apartamento deles, um pequeno grupo de adultos reunia-se no meio do canal, com crianças patinando ao redor, ou simplesmente deslizando em suas pequenas botinas. Essa era a parte preferida do dia de Truus — quando ela e Joop iam andando juntos para casa, percurso que fizeram na primeira vez em que Joop a levou para sair, quando ela era recém-formada no curso de finanças e tinha acabado de ser contratada no banco em que ele trabalhava.

— Não estou dizendo que não, Truus — dizia Joop. — Não estou proibindo. Você sabe que eu nunca lhe proibiria de fazer algo importante para você.

Truus afundou as mãos ainda mais no bolso do casaco. Joop não pretendia começar uma briga nem diminuí-la; era simplesmente o jeito casual que até os homens bons como ele falavam inadvertidamente, homens que eram de uma época em que as mulheres nem sequer tinham o direito de votar — quando, de fato, somente homens ricos votavam.

Eles observaram quando um garotinho, iniciante na patinação, derrubou sua irmã.

— Nem eu lhe proibiria de fazer algo importante para você, Joop — disse Truus.

Ele riu carinhosamente, tocou seu ombro e procurou as mãos dela para segurar.

— Tudo bem, eu mereço — afirmou ele. — Isso deveria estar nos nossos votos de casamento: amor, honra e nem pense em tentar me proibir de nada, seja importante ou não.

— Você não acha que salvar trinta órfãos abandonados de pijama na neve por nazistas seja importante?

— Eu também não disse isso — retrucou ele, com gentileza. — Você sabe que não foi isso o que quis dizer. Mas pense. A situação na Alemanha me parece estar piorando, e eu me preocupo com você.

Truus ficou de pé ao lado dele, assistindo aos patinadores; a irmã agora ajudava o irmão a se levantar do gelo.

— Bem, se você pretende ir — continuou Joop —, prefiro que resolva de uma vez, antes que as coisas piorem ainda mais.

— Só estou esperando o sr. Tenkink agilizar os vistos de entrada, Joop. Você disse que tinha algo para me contar?

— Sim, recebi uma ligação muito estranha no escritório hoje à tarde. Do sr. Vander Waal, você o conhece. Um dos clientes dele tem certeza de que você tem algo de valor que pertence a ele. Algo que você trouxe para ele da Alemanha.

— Algo que *eu* trouxe? Por que eu cruzaria a fronteira com algo para um estranho? — Ela franziu a testa e ficou incomodada, olhando os patinadores e vendo o pai do garotinho e da garotinha se juntar a eles e segurar na mão do menino. — Eu limito minha carga preciosa às crianças. Juro para você.

— Foi o que eu disse. Garanti a ele que você não tinha nada a ver com isso.

Na pista de gelo, a irmã segurou a outra mão do irmão. Ele disse algo que fez a pequena família rir, e os três patinaram em direção à ponte e passaram por baixo dela, com o pai gritando "até logo" para os outros adultos. Truus olhou para o outro lado, para o céu liso em meio às árvores secas. Quantas vezes ela tinha assistido a um grupo de pais se encontrando, conhecendo-se, enquanto seus filhos corriam ao redor? Mas nunca com Joop. Era a pequena parte de si que ela escondia, até do marido. Após seu terceiro aborto espontâneo, ela e Joop haviam desistido em silêncio, e Truus focou seus esforços na Associação dos Interesses e Igualdade das Mulheres e no trabalho social, em ajudar crianças como aquelas que seus pais abrigavam.

Um trem apitou bem alto. Truus continuou olhando ao longo do canal, de mãos dadas com Joop, imaginando se ele vinha sozinho observar essas famílias. Ela sabia que ele queria um filho tanto quanto ela, ou mais. Mas ela havia escondido sua dor com tanto cuidado, assim como ele, para que não trouxessem à tona para o outro em um momento inoportuno. E agora, depois de anos evitando falar sobre o fato de que não tinham filhos, aquilo tinha virado um hábito, impossível de quebrar. Truus, por mais que quisesse muito, não podia simplesmente chegar, colocar as mãos no rosto de Joop e perguntar: "Você vem aqui de vez em quando observar as crianças, Joop? Você observa os pais? Você pensa, em algum momento, que devemos tentar mais uma vez, antes que seja tarde demais?" Então, ela ficou de pé ao lado dele, observando, enquanto os patinadores riscavam o gelo, os pais conversavam e os barcos no canal, congelados no mesmo lugar, indicavam um futuro que ainda estava a invernos de distância.

DIAMANTES, NADA DE CASCALHOS

Depois que Joop saiu para trabalhar na manhã seguinte, Truus vasculhou sua gaveta e pegou a caixinha de fósforo que o homem do trem lhe dera — já tinha se passado um ano? Ela a abriu na mesa da cozinha e retirou o terrível fragmento de cascalho lá de dentro. Esfregou-o com o dedo até que pequenos pedaços soltassem.

Levou os pedacinhos para a pia, colocou-os delicadamente em uma tigela e encheu de água. Esfregou os pedaços submersos, e a água ia ficando acinzentada. Então os retirou da água e os colocou na palma da mão.

Afinal, era verdade: nada é mais frustrante do que sermos nosso próprio motivo de decepção.

Ela telefonou para o escritório do sr. Vander Waal.

— Sr. Vander Waal, acredito que eu lhe deva desculpas. Meu marido estava enganado, afinal. Eu tenho *sim* algo do dr. Brisker para o senhor — disse ela.

Havia, no mínimo, uma dúzia de diamantes brutos na "pedra da sorte" — dinheiro suficiente para começar uma nova vida. Esse tal de dr. Brisker havia conscientemente confiado a ela seu tesouro secreto para atravessar a fronteira, depositando na pedra significado suficiente para impedi-la de descartá-la na primeira lixeira que encontrasse. Ele arriscou a vida de três crianças só para retirar da Alemanha um pouco da fortuna dele. Tinha sido uma completa idiota.

MOTORSTURMFÜHRER

A *Judentagung* organizada pelo SD em Berlim foi o triunfo de Eichmann. Dannecker e Hagen falaram primeiro: Dannecker, sobre a necessidade constante de vigilância dos judeus, e Hagen, sobre as complicações de uma Palestina independente que poderia ir em busca de direitos para eles. Quando Eichmann subiu no palco, ele se sentiu livre como na juventude ao percorrer a Áustria de moto com seus amigos, defendendo nazistas palestrantes em palanques, contra multidões que jogavam garrafas de cerveja e comida estragada — eles próprios deixando os comícios entre garrafas e espelhos quebrados. A viagem à Palestina, embora tenha sido um fracasso, ajudou a reforçar seus conhecimentos sobre o problema dos judeus. Agora, ele era um dos palestrantes, e a multidão do *Judentagung* gritava em apoio a ele.

— O verdadeiro espírito da Alemanha reside no povo, nos camponeses e suas terras, no sangue e no solo da nossa terra pura — falou ele. — Nós agora estamos diante da ameaça de uma conspiração judia que eu sei como conter.

A multidão explodiu em aprovação, conforme ele alertava sobre as armas e o poder aéreo que o Haganá da Palestina havia reunido; de judeus estrangeiros disfarçados de funcionários de organizações internacionais contrabandeando informações para serem usadas contra o *Reich;* de uma vasta conspiração antialemã liderada pela Alliance Israélite Universelle, na qual uma fábrica de margarina da Unilever agia como fachada.

— Não é através de leis que restrinjam as atividades dos judeus na Alemanha que vamos resolver a questão, nem mesmo com brutalidade nas ruas — gritou ele para a massa enlouquecida. — O que se precisa fazer é individualizar os judeus do *Reich*. Colocar nomes em listas. Identificar oportunidades para permitir a emigração deles da Alemanha para países inexpressivos. E, mais importante, retirar deles todo o dinheiro que possuem, e ao serem forçados a escolher entre ficar na pobreza completa ou ir embora, os judeus vão *escolher* partir.

ESCOLHAS

Era uma manhã escura de inverno quando Truus sentou-se para tomar café da manhã com Joop perto da janela. Ela pegou o primeiro caderno do jornal, com a primeira mordida de um *uitsmijter*, a torrada de ovo, queijo e presunto, ainda quente, e disse:

— Meu Deus, eles conseguiram, Joop.

Joop deu um sorriso malicioso do outro lado da mesa estreita.

— Eles subiram as bainhas ainda mais? Sei que é a favor das saias longas, mas você tem, de fato, os joelhos mais belos de toda Amsterdã.

Ela entregou um pedaço de pão para ele, que pegou e logo colocou na boca, voltando-se para o prato e saboreando seu desjejum de um jeito que Truus admirava, mas nunca conseguia fazer, mesmo quando as notícias eram boas.

— Nosso governo aprovou essa nova lei que impede a imigração do Reich — disse ela.

Joop colocou seu *uitsmijter* no prato e dedicou atenção total à esposa.

— Você sabia que eles fariam isso, Truus. Deve ter mais ou menos um ano que o governo começou a "proteger" qualquer profissão em que um estrangeiro seja capaz de se manter.

— Achei que fôssemos melhores do que isso. Fechar nossas fronteiras completamente?

Joop pegou a primeira página do jornal e leu a notícia, deixando Truus com seus pensamentos de autopenitência. Ela deveria ter tentado com mais dedicação apressar o sr. Tenkink a favor dos trinta órfãos de Hamburgo. Trinta. Era criança demais para ela conseguir fazer passar em seu passaporte que não permitia criança nenhuma, mas deveria ter tentado.

— Nós ainda podemos dar refúgio para quem estiver em perigo — completou Joop, devolvendo a ela o jornal.

— Para quem conseguir *provar* que está correndo perigo *físico*. Qual judeu na Alemanha não está em perigo? Mas que prova de perigo físico uma pessoa pode ter antes de ser capturada e encarcerada pelos nazistas, antes que seja tarde demais?

Truus voltou a olhar para o jornal, com a cabeça já nos horários do trem para chegar a Haia. Ela não podia mudar isso, o que o governo faria, mas talvez conseguisse persuadir o sr. Tenkink a burlar as regras.

— Geertruida... — disse Joop.

Geertruida. Sim, ela baixou o jornal mais uma vez. Olhou para o cabelo de Joop, ficando grisalho nas têmporas, para seu queixo pontudo, para sua orelha esquerda levemente maior do que a direita, ou talvez simplesmente um pouco mais para a frente; mesmo depois de todos esses anos, Truus não conseguia saber se era um ou outro.

— Geertruida — repetiu Joop, confirmando sua convicção —, você já pensou em pegar algumas dessas crianças, como sua família fez durante a Primeira Guerra?

— Para viver conosco? — perguntou ela, com cautela.

Ele assentiu.

— Mas elas são órfãs, Joop. Não têm família para serem devolvidas.

Joop assentiu novamente, encarando-a. Ela viu no leve piscar de seus olhos claros, naquela breve tentativa de esconder seus sentimentos, que ele *também* parava no canal para assistir às crianças brincarem, para observar os pais.

Ela segurou a mão dele do outro lado da mesa, tentando se ater a uma esperança arrebatadora. Joop sentiu-se muito desconfortável quando ela ficou emotiva.

— Nós temos o quarto extra — disse ela.

Ele comprimiu os lábios, acentuando seu queixo pontiagudo.

— Estive pensando que nós deveríamos nos mudar para um lugar maior qualquer hora dessas.

Truus olhou para o jornal, para a manchete sobre a nova lei de imigração.

— Um apartamento maior? — perguntou.

— Nós temos condições de morar em uma casa.

Ao apertar a mão dele, Truus sabia que era isso o que queria, assim como era o que ele desejava também. Uma família diferente. Uma família escolhida, em vez da que Deus enviara. Filhos escolhidos para serem amados.

— Seria difícil para você administrar tudo quando eu estiver fora — disse Truus.

Joop recostou-se na cadeira, soltando um pouco a mão e passando os dedos nos anéis que ela usava: a aliança de ouro que marcava o casamento deles; o rubi de verdade, não uma daquelas réplicas que ela mandara fazer para subornos pouco depois de começar a atravessar a fronteira com crianças; as alianças entrelaçadas que ele dera de presente na primeira vez em que ela engravidara, para marcar o início da família que eles achavam que teriam.

— Não — falou Joop. — Não, seria impossível administrar crianças sem você aqui, Truus, mas com essa nova lei, você não traria mais ninguém da Alemanha.

Truus olhou para Nassaukade e para o canal, para a ponte, para o *Raampoort*, tudo ainda escuro. Do outro lado do canal, em outra janela iluminada no terceiro andar, um pai se agachava na direção do filho ainda sentado na cama. Amsterdã estava acordando. Estava vazia no momento, mas logo estaria cheia de crianças carregando livros escolares, homens como Joop saindo para trabalhar, mulheres como ela indo ao mercado, ou empurrando carrinhos de bebê, caminhando em duplas ou em pequenos grupos conforme se encontravam, mesmo em uma manhã fria como essa.

A MATEMÁTICA DA MÚSICA

— O que estamos fazendo aqui? — sussurrou Žofie-Helene para Stephan.

Eles haviam acabado de sair de um corredor com cheiro de incenso e se deparado com uma fila de adultos bem-vestidos descendo uma escada e aguardando para entrarem na *Hofburgkapelle*. Žofie tinha feito exatamente o que Stephan havia mandado, mesmo ele recusando-se a explicar o porquê: vestira uma roupa arrumada e o encontrara na estátua de Hércules, na *Hendelplatz*.

— Estamos aguardando na fila para uma comunhão com as pessoas que estão descendo dos balcões superiores — falou Stephan.

— Mas eu não sou católica.

— Nem eu.

Žofie seguiu Stephan para a capela, que era surpreendentemente estreita e plana, como as capelas dos palácios reais — um cômodo que ia subindo cada vez mais, de arquitetura gótica, circundado por balcões de onde uma orquestra tocava e um coro cantava, mas tudo em um único tom de branco. Até o vidro da janela atrás do altar só era colorido na parte de cima, em um terrível desequilíbrio estético.

Ela aceitou um pavoroso pedaço de pão e um gole de vinho amargo, cochichando em seguida para Stephan de trás do altar:

— Isso foi bem intragável.

Stephan sorriu.

— Na sua igreja serve-se torta sacher, imagino.

As pessoas a quem eles haviam se juntado na fila subiram a escada de volta, mas Stephan escolheu um local esquisito, de pé no canto da capela, e Žofie esperou ao seu lado. Quando a comunhão acabou, eles seguiram para dois assentos ao fundo. Enquanto estavam sentados aguardando a multidão dispersar, ele escreveu em seu diário: *Comunhão = bem intragável*.

Por alguma razão que Žofie não conseguiu entender, os dois continuaram sentados mesmo depois que o tumulto tinha acabado. Quase todo mundo permaneceu na capela, embora o padre tivesse saído. Ela olhou para o teto, para a abóbada em cruzaria na qual o peso dos arcos era sustentado pelas pilastras nas interseções, e a propulsão era transmitida para as paredes externas. Se estivesse com outra pessoa que não Stephan, jamais teria tolerado sentar-se em uma capela, fazendo absolutamente nada, mas ele sempre tinha um objetivo.

— Sabe por que esse teto não despenca? — sussurrou ela.

Stephan tapou a boca de Žofie, retirou os óculos dela, limpou-os em seu cachecol e colocou-os de volta. Então sorriu e tocou no colar da menina com um pingente de infinito.

— Não foi bem um presente do papai — disse ela. — Foi um clipe de gravata que ele ganhou na escola. O vovô transformou em um colar para mim depois que o meu pai morreu.

Filas de garotos vestidos em uniformes de marinheiro azul e branco começaram a se formar, enchendo a frente do altar. Após um momento conturbado, uma voz linda começou a cantar do balcão do coro, com a primeira nota aguda de "Ave Maria" de Schubert vindo de um garoto deixado para trás. Na voz pura do garoto desamparado, as notas se intercalavam ritmicamente agudas e graves, voltando à nota inicial e descansando ali, simplesmente descansando dentro de Žofie, em algum lugar que ela nem sequer sabia que existia. E, então, a voz do garoto foi respondida por todo o coro de belíssimas vozes dos outros, aumentando ainda mais de tom, ecoando na pedra branca da abóbada do teto, circundando-a em todas as direções, adentrando sua mente com uma equação sobre a qual ela havia passado quase a semana toda refletindo, como se as duas coisas viessem do mesmo céu. Ela fico sentada, simplesmente deixando a música preencher os espaços vazios entre os números e símbolos dentro dela; de repente, estava no meio da confusão das pessoas indo embora, até que somente ela e Stephan sobrassem, lado a lado, na capela vazia, o lugar mais pleno em que ela já estivera.

KIPFERL E CHOCOLATE QUENTE VIENENSE

Na *Michaelerplatz*, do lado de fora da *Hofburgkapelle* e do palácio, o dia estava claro e frio, e em todo canto, panfletos e pôsteres espalhados proclamavam "Sim!" e "Com Schuschnigg, por uma Áustria livre!" ou "Vote SIM" no plebiscito que o chanceler Schuschnigg convocou para determinar se a Áustria deveria ou não permanecer independente da Alemanha. Cruzes da Frente da Pátria Austríaca — o partido do chanceler — estavam pintadas de branco nos muros dos prédios e nas calçadas. Multidões nas ruas e grupos de jovens gritavam "Heil Schuschnigg!", "Heil liberdade!" e "Vermelho-branco-vermelho até a morte!", enquanto outros gritavam "Heil Hitler!".

Žofie tentava ignorar todos. Queria se ater à música e à matemática que ainda se misturavam dentro dela, enquanto caminhava com Stephan pelo *Hegengasse* em direção ao Central Café. Se as palavras gritadas incomodavam Stephan, ele não disse, mas não tinha falado nada desde o início da música na capela. Žofie achava que aquilo o havia transportado para o seu mundo das palavras, assim como havia feito com ela em seu mundo de números e símbolos. Ela imaginou que era por isso que eles haviam se tornado grandes amigos, apesar de Stephan conhecer outras pessoas há muito mais tempo — pois a escrita dele era como a matemática dela, de algum jeito que os dois entendiam, mesmo que isso realmente não fizesse sentido.

Eles estavam empurrando a porta de vidro do Central Café quando Stephan finalmente falou, agora com os olhos secos, embora tivessem lacrimejado na capela, o que ela imaginava que o teria constrangido na presença da turma da cafeteria.

— Imagine, Žofie, se eu conseguisse escrever algo assim — disse ele.

Por trás do balcão de doces, lá no fundo do café, os amigos deles estavam sentados em duas mesas juntas, próximos à revisteira com jornais, já reunidos e aguardando Stephan.

— Mas você escreve peças de teatro, e não músicas — respondeu Žofie.

Ele a empurrou de leve pelo ombro, como vinha fazendo ultimamente, apenas sendo brincalhão, Žofie sabia, mas ainda assim ela amava o toque dele.

— Tão brilhante, tão tecnicamente correta, e tão, tão errada — concluiu ele. — Não a música em si, sua tonta. Uma peça que realmente tocasse as pessoas como a música faz.

— Mas...

Mas você consegue, Stephan.

Žofie não podia dizer por que tinha interrompido sua fala, da mesma forma que não podia dizer por que não tinha segurado na mão de Stephan na capela. Talvez ela pudesse ter dito lá, no silêncio depois da música, como contou a ele sobre o colar. Ou talvez não. Era intimidador perceber que conhecia alguém que poderia fazer esse tipo de mágica um dia, bastava simplesmente que continuasse amarrando as palavras, criando histórias e ajudando pessoas a enxergar uma maneira de torná-las realidade. Era assustador pensar que a peça dele, um dia, poderia ser representada no Burgtheater; as palavras dele ditas a um público que iria rir e chorar e, quando chegasse ao fim, iria se levantar e aplaudir, como se fazia somente com as melhores peças, aquelas que nos elevam de um mundo e nos transportam para outro, que, por mais improvável que seja, nem sequer existe. Ou existe, sim, mas somente na imaginação da plateia, somente durante aquelas horas no escuro. O paradoxo do teatro: real e fictício ao mesmo tempo.

STEPHAN QUERIA PEDIR a Dieter para mudar de lugar, para que ele pudesse se sentar ao lado de Žofie, para ficar perto dela, e do coro, e da música, e do sentimento, e da esperança que a música vivida pelos dois tinha trazido, de alguma forma. Se ela não tivesse vindo com ele para a leitura de seu roteiro, ele teria pegado seu jornal e ido diretamente da capela para o Café Landtmann, ou melhor ainda, para o Griensteidl, onde ninguém iria interrompê-lo; ele teria imergido seu dedos nas palavras, para melhorar uma de suas peças ou começar uma nova. Mas Dieter apareceu para segurar a cadeira para Žofie, e era por causa da peça de Stephan que eles estavam reunidos; todos tinham que conseguir ouvi-lo no meio de todo aquele ruído — a mesa ao lado travava uma discussão calorosa sobre um exemplar de *Neue Freie Presse* que a tia Lisl lia de vez em quando, os jogadores de xadrez do outro lado discutindo também, o café inteiro aparentemente atordoado, especulando se a Áustria deveria entrar em guerra com a Alemanha, ou quando. Então, Stephan sentou-se em sua cadeira de sempre e pediu um *kaffee mit schlag* e um strudel de maçã, e depois pediu, discretamente, que o garçom trouxesse para Žofie — que havia dito que não estava com fome — um *kipferl* e um chocolate vienense. Uma extravagância para ela, mas não para Stephan e seus amigos.

UM CÓDIGO CONFUSO

Os vagões de trem estavam tão vazios quanto os trilhos debaixo da ponte para a estação de Hamburgo, tão vazio quanto a própria estação alemã naquele horário tão cedo. Na caminhada até o hotel, Truus e Klara van Lange passaram somente por um único militar, um sargento jovem que se virou para olhar pela segunda vez para Klara. Era um dificultador, Truus sabia, que Klara sempre chamasse a atenção, que fosse tão memorável. Mas até as maiores dificuldades poderiam reverter-se em vantagens. E havia trinta crianças órfãs para buscarem, um número muito maior do que Truus podia administrar sozinha.

— Você se sairá muito bem, eu prometo — assegurou Truus, enquanto Klara passava pela enorme suástica pintada na fachada horrorosa da estação.

Era revestida de vidro? Estava tão suja que não dava para saber.

Elas desceram trinta degraus imundos e chegaram a uma plataforma também imunda, limparam um banco com um lencinho e se sentaram, colocando as malas ao lado em vez de no chão, ainda mais sujo.

— Agora, vamos ao que eu gostaria que você fizesse — disse Truus. — Um soldado vai fiscalizar a entrada de passageiros no seu vagão. Mostre a ele sua passagem e pergunte, em holandês, se você está no vagão correto. Talvez possa demonstrar que não sabe ao certo se está ou não na primeira classe. Mas não exagere. Não queremos que ele transfira você para um vagão melhor e me deixe sozinha escondendo trinta crianças. Se ele nao falar holandês, finja que fala pouco alemão, mas o suficiente para atraí-lo. Entendeu?

Klara parecia confusa.

— Nós não temos os documentos das crianças?

— Temos, mas seria melhor se fizessem poucas perguntas.

Os vistos holandeses de entrada eram verdadeiros, graças ao sr. Tenkink. Os vistos de saída da Alemanha talvez fossem, talvez não. Truus preferia acreditar que eram.

— Como eu disse, você se sairá muito bem nessa tarefa — assegurou Truus novamente —, mas será mais fácil nessa primeira vez fazer as coisas na sua própria língua.

Nessa primeira vez, que talvez fosse a última. Tenkink havia, de alguma maneira, arrumado esses vistos de entrada, mas com a nova lei — fechando a fronteira —, não haveria como conseguir outros. Talvez Joop tivesse razão. O certo a fazer agora era levar algumas das crianças para casa e dar a elas um lar.

— O medo faz coisas engraçadas, mesmo com as mentes mais brilhantes — disse Truus.

Um tempo depois, um agente da estação se aproximou e parou diante delas, um senhor mais velho com um rosto desconcertante, redondo, branco e cheio de caroços. O medo de Klara era palpável em sua tranquilidade perfeita, um instinto animal em busca de adequação, mas estava tudo certo. Todo mundo na Alemanha estava com medo naqueles dias.

— Vocês estão aguardando uma encomenda? — perguntou o homem.

— Sim, uma entrega — respondeu Truus, delicadamente.

— O trem está trinta minutos atrasado — disse ele.

Truus agradeceu por avisá-las e disse que esperariam.

Klara sussurrou quando o homem saiu de perto, com um pequeno sorriso:

— Sr. Boneco de neve.

Truus lembrou-se da imagem de seus pais em *Duivendrecht*, o rosto da mãe na janela, enquanto a bola de neve do garoto refugiado se espatifava no vidro, sua mãe rindo da risada das crianças diante do boneco de neve que Truus havia ajudado a fazer. Sr. Boneco de neve. O homem parecia mesmo, e o apelido foi bem aplicado. Isso também dizia muito sobre Klara van Lange. Ela estava com bastante medo, mas não a ponto de não conseguir usar o humor para lidar com a situação.

— Talvez você queira espantar o medo respondendo ao homem da próxima vez que ele vier aqui, não acha, Klara? Ele vai perguntar se nós estamos aguardando uma encomenda e nós vamos responder "Sim, uma entrega".

— Sim, uma entrega — repetiu Klara.

Após algum tempo, um agente aproximou-se outra vez. Truus esperou até que ele estivesse perto o suficiente para que ela pudesse ver seu rosto debaixo do chapéu. Não era o sr. Boneco de neve.

— Vocês estão aguardando uma encomenda? — perguntou ele.

Truus, tocando inconscientemente seu anel de rubi por baixo da luva, assentiu para Klara.

— Sim, um pacote — respondeu Klara.

— Sim, uma *entrega* — corrigiu Truus.

Os olhos do homem correram inquietos por toda a estação, mas sua postura permanecia imutável. Seria difícil para qualquer um que pudesse estar observando à distância detectar alguma suspeita nele.

— Sim, uma *entrega* — repetiu Truus.

Talvez Truus devesse ter feito uma oração em silêncio, mas não podia se dar ao luxo da distração.

Os sinos de Hamburgo bateram, marcando seis horas.

— Temo que o caos na Áustria tenha tornado impossível as entregas de pacotes hoje de manhã — disse finalmente o agente, no meio do barulho dos sinos.

— Impossível. Entendo — falou Truus.

Será que ele estava cancelando o transporte em função da mancada de Klara com o código ou será que estava falando a verdade?

Truus esperou com paciência conforme ele olhava novamente para Klara, que sorriu com simpatia. O rosto dele se iluminou levemente.

— Voltaremos amanhã, então — concluiu Truus, sem fazer exatamente uma pergunta (não queria dar margem a um não definitivo), mas com uma pequena entonação de questionamento no fim da frase, admitindo que havia entendido o recado dele, uma vez que um código confuso *deveria* tê-lo deixado suspeito, como de fato deixou. — Minha amiga aqui nunca esteve em Hamburgo. Posso mostrar a cidade a ela e voltar amanhã.

Conforme Truus e Klara chegaram aos degraus de saída da estação, alguém segurou a mala de Klara, dizendo:

— Deixe-me ajudar com a mala.

As duas levaram um susto.

O sujeito pegou a mala de Truus também e sussurrou:

— O homem à direita, no topo da escada, seguiu vocês desde o hotel. É melhor saírem para a esquerda da estação e darem a volta no quarteirão.
— Ele entregou a mala para elas no topo da escada e saiu rapidamente para a direita.

Truus o observou passar por um homem que ela já tinha visto antes, que a abordara no hotel perguntando sobre um roubo de moedas de ouro na Holanda, uma armadilha da Gestapo que ela sabia como driblar. Ainda assim, checou os bolsos e lembrou-se do dr. Brisker, que lhe dera a sua "pedra da sorte". Ele também alegava estar ajudando.

NAS ENTRELINHAS

Stephan abriu o cobertor de Mutti sobre ela no sofá em frente à lareira, enquanto a tia Lisl, que havia se juntado a eles naquela manhã, sem o tio Michael, mexia novamente no volume do rádio. A cortina estava fechada, deixando uma leve sombra nas prateleiras de livros que se estendiam até o teto do terceiro andar, interrompidas somente pela grade que circundava o andar de cima da biblioteca, pela escada e pelos corrimãos de bronze que Stephan amava escalar, antes mesmo de aprender a ler. Ele suspeitava que as cortinas fechadas dessem certa inquietude ao ambiente, como se houvesse algo sinistro em ouvir o rádio enquanto toda a cidade de Viena vivia uma bela manhã de inverno.

Tentou ler "Episódio no lago de Genebra" novamente, uma história de Stefan Zweig sobre um soldado russo que fora encontrado nu em uma jangada por um pescador italiano. Seu Papa dizia que era uma metáfora sobre a extinção dos valores humanos em homens como Hitler. Mas era difícil se concentrar com o rádio ligado, falando sobre as notícias do plebiscito para uma "Áustria Cristã Independente", programado para dali a dois dias, mas que Hitler já estava dizendo que era uma fraude que a Alemanha não reconheceria. "*Lügenpresse*", era como Hitler chamava a imprensa austríaca que publicava qualquer notícia. *Imprensa mentirosa*.

— Como se aquele maluco não fosse, ele próprio, o mentiroso — disse Papa ao rádio, enquanto Helga, que acabava de entrar com o café da manhã, tropeçou em um sapato na frente da cadeira de rodas vazia de Mutti e quase derrubou a bandeja de prata. — Como Hitler convenceu a Alemanha inteira de que as mentiras dele são verdades e que a verdade é mentira?

— Deixo aqui, senhor, na escrivaninha? — perguntou Helga a Papa, sem saber onde colocar.

— Peter Rabbit — sussurrou Walter para o seu bichinho de pelúcia —, nós temos que tomar café na biblioteca!

Café da manhã na biblioteca, algo ainda mais perturbador do que as cortinas fechadas. Sua mãe, de vez em quando, mandava levar uma bandeja para o quarto quando estava em um dia ruim, mas *todos* serem servidos aqui? E somente pão preto com geleia e ovos cozidos, sem salsichas nem fígado de ganso, nem mesmo uma opção de pão de *kornspitz* ou *semmel*, e tampouco um docinho matinal.

Stephan pegou um pedaço de pão e encheu de manteiga e geleia, para esconder o gosto do centeio. Quando comeu tudo o que conseguiu, para deixar a Mutti feliz, ele disse:

— Bem, agora vou levar minha máquina de escrever para...

— Você pode escrever aqui na biblioteca — interrompeu Papa.

— Mas a escrivaninha está cheia com as coisas do café da...

— Você pode usar a mesinha da saleta.

Já era impossível escrever sob circunstâncias normais, exceto quando estava sozinho, e comer na biblioteca ao som de Hitler ameaçando seu país não estava nem perto da normalidade. Na Alemanha, Goebbles dizia que a Áustria inteira estava fazendo protestos e que os austríacos pediam intervenção dos alemães para restabelecer a ordem. Mas as ruas do lado de fora da cortina fechada no meio de Viena estavam quietas. Um protesto silencioso, pensou Stephan. Žofie-Helene teria algum título perfeito de paradoxo para isso.

Ele iria encontrá-la do lado de fora do Burgtheater no fim da tarde; ela tinha uma surpresa para ele. Certamente a essa altura ele seria libertado. Até seu pai havia dito que não havia protestos em lugar algum de Viena, que aquilo era uma mentira de Hitler só para justificar o envio de soldados para um país ao qual eles não pertenciam.

O café da manhã deu lugar ao almoço, novamente trazido em bandejas. Todo mundo, com exceção de Walter, debruçou-se sobre o rádio, como se isso pudesse diminuir a enxurrada de notícias ruins. Walter, expressando o tédio que Stephan também sentia, girava o globo de seu pai cada vez mais rápido. Ninguém o reprimiu.

Stephan abriu a mesinha na saleta e colocou sua máquina de escrever. Inseriu uma folha de papel em branco na máquina, imaginando uma cena como a que refletia no espelho sobre a mesa: um enorme incêndio em uma biblioteca de dois andares, com livros e corrimãos e escadas, mas com a cortina aberta. Ele colocou uma menina de óculos embaçados no topo de uma das escadas, procurando um livro de Sherlock Holmes. Começou a datilografar um título na página — O PARADOXO DO…

— Agora não, querido — falou Mutti. — Nós não conseguimos ouvir.

Ele continuou, escrevendo MENTIROSO, na esperança de que a bronca tivesse sido para Walter.

— Stephan — reprimiu Papa. — Você também, Walter.

Stephan, com relutância, abandonou a máquina de escrever e escolheu um livro da prateleira infantil, e então colocou Walter em seu colo. Ele leu baixinho *As incríveis aventuras do Professor Branestawm*, as confusões divertidas de um professor maluco que inventa máquinas para pegar ladrões e fazer panquecas. Mas Walter estava se contorcendo, e Stephan logo se cansou de ler em inglês. Era por isso que a tia Lisl havia trazido esse livro de sua última viagem a Londres, porque o Papa queria que Walter e ele melhorassem o inglês.

— Eu podia levar o Walter ao parque — ofereceu ele, mas seu Papa mandou que ficasse quieto.

Stephan olhou para o relógio quando Helga levou um lanche para a biblioteca. Ele pensou em ligar para Žofie-Helene e dizer que não poderia encontrá-la, mas ainda tinha um tempinho. Comeu um pouco do lanche — enquanto ouvia a notícia de que Hitler estava exigindo que o chanceler Schuschnigg se rendesse e entregasse o poder aos nazistas austríacos, ou encararia uma invasão — e depois se sentou para escrever novamente, enquanto todos comiam. Ele podia descrever a cena: uma menina de óculos embaçados agora pegava um prato de comida na mesa e colocava-o ao lado da lareira, como a tia Lisl; seu pai pegando um prato para a sua mãe antes de se servir. Ele manteria as cortinas do cômodo fechadas, afinal.

Tec, tec, tec. Tentou datilografar em silêncio — *por Stephan Neuman* — mas o sininho do carrilho soava em meio às vozes do rádio.

— Stephan — brigou Mutti.

— Deixe que ele leve essa porcaria para outro cômodo, Ruchele! — disse o pai, surpreendendo Stephan, que tinha certeza de nunca tê-lo ouvido falar de maneira severa com Mutti em toda a sua vida.

— Herman! — repreendeu tia Lisl.

— Foi você que insistiu que os meninos permanecessem na biblioteca, Herman — disse Mutti, gentilmente.

Quando foi que aquela papada apareceu no rosto de seu pai? E as linhas nos olhos e na boca, e as rugas profundas na testa? Mutti estivera doente durante toda a vida de Stephan, mas a deterioração de seu pai era algo novo e alarmante.

— Stephan, você pode usar minha sala de estudos. Mas fique dentro de casa. Evite ainda mais preocupações à sua mãe. E leve o Walter com você — falou Papa.

— Peter Rabbit e eu queremos ficar com a Mutti — resmungou Walter.

— Que inferno! — exclamou Papa.

Outro choque. Papa era um galã, e galãs não falavam assim.

Walter escalou o sofá e deitou junto com Mutti.

— Vá, Stephan. Vá — mandou Papa.

Stephan pegou sua máquina de escrever pesada e saiu, passando pela cadeira de rodas de sua mãe com pressa, antes que Papa mudasse de ideia. Ele colocou sua máquina na sala de estudos do pai, ao lado da biblioteca, e voltou ao trabalho, percebendo, somente ao puxar a página com o título, que não havia pegado mais papel. Olhou pela janela por um minuto, a mesma vista do seu quarto no andar de cima, com a árvore e a rua. Colocou o papel de volta no carrilho e datilografou no verso da folha. Não queria arriscar ficar preso na biblioteca de novo.

Quando chegou ao fim da página, rolou a folha para cima novamente e começou a escrever nos espaços das entrelinhas, agora ouvindo as vozes na biblioteca. Sim, seus pais e a tia Lisl estavam tendo uma conversa séria.

Ele abriu a janela francesa ao seu lado, em silêncio, fechou-a de volta do outro lado da varanda e desceu pelo galho de uma árvore. Em vez de escalar a árvore até o telhado, como costumava fazer — de madrugada, para contemplar a vista de Viena quando tinha lua cheia —, ele desceu, pulando de um galho baixo para o chão, perto da guarita e da porta da frente. Onde estava

Rolf? Ninguém estava tomando conta da porta? Mas isso não importava. Não haveria visitas essa noite.

Mesmo assim, ele parou para olhar na janela da guarita de Rolf. Estava escuro demais para ver se havia alguém ali. Na rua também estava um silêncio assustador, sua própria sombra na luz dourada que vinha dos postes públicos de ferro fundido eram perturbadoras, e ele correu quarteirão abaixo.

A TEORIA DO CAOS

Stephan observou, nervoso, Žofie-Helene destrancar a porta lateral do Burgtheater com a chave que ela havia pegado do bolso do casaco do avô.

— Não deveríamos estar aqui — disse Dieter.

— Stephan verá cenas de sua própria peça, ensaiadas em um palco de verdade — insistiu Žofie-Helene, guiando-os pelo hall e para dentro do teatro. — Assim como seu herói, Stefan Zweig.

— Estaremos muito encrencados se formos descobertos — retrucou Dieter.

— Achei que você *gostasse* de encrenca, Dieter — comentou Žofie-Helene.

Ela colocou seu casaco e seu cachecol em uma cadeira na última fileira do teatro e desapareceu pelo hall, sem dar explicações.

Stephan sussurrou ao seu amigo:

— Achei que você gostasse de encrenca, Dieter.

— Só de encrencas com garotas.

— Você nunca se meteu em encrenca com uma garota, Dieterrotzni.

— Ah, não? Se quero beijar uma garota, vou lá e beijo, Stephan. E *você* que é um fedelho.

Uma luz piscou no palco, assustando Stephan. Ele baixou ainda mais a voz e disse:

— Não se beija uma garota de repente.

— Elas querem que você faça isso. Querem um homem que esteja no comando. Querem que você as elogie e as beije.

Žofie-Helene apareceu no palco. Como ela foi até lá?

— A questão agora é a hemoglobina — disse ela, recitando uma fala da nova peça dele. — Você consegue ver o significado dessa minha descoberta?

Quando Stephan e Dieter simplesmente ficaram parados no corredor, olhando para cima, ela completou:

— Vamos lá, Deet. Você não decorou suas falas?

Dieter hesitou, mas tirou o casaco, desceu o corredor, subiu no palco e recitou:

— Não há dúvidas de que seja interessante, mas...

— "É interessante, *quimicamente*, sem dúvida", Deet — corrigiu Stephan. — Não consegue se lembrar de uma fala simples? — Sua impaciência estava transparecendo com Dieter, apesar de estar realmente irritado com Žofie. Mas como ele podia estar irritado com uma garota que queria dar a ele o presente de ver seu trabalho no palco do Burgtheater?

— É a mesma coisa — comentou Dieter.

— É uma homenagem a Sherlock Holmes, Deet — explicou Žofie-Helene a ele. — Não vai ser uma homenagem se você não falar as palavras exatas.

Stephan foi até lá, pensando que deveria sentar-se perto do palco. Não era isso o que os diretores faziam?

— Sherlock Holmes é homem — falou Dieter. — Ainda não consigo entender como uma detetive mulher pode honrá-lo.

— É mais interessante com uma detetive mulher, pois é inesperado. E de qualquer forma, eu já li todos os livros de Sherlock Holmes, e você não leu nenhum — explicou Žofie-Helene.

Dieter chegou perto e tocou em sua bochecha.

— É porque você é muito mais inteligente do que Stephan e eu, e mais bonita também, minha pequena *mausebär* — respondeu ele, usando o apelido do primeiro ato de Stephan.

Stephan esperava que Žofie-Helene risse de Dieter, mas ela só ficou corada e olhou para Stephan e depois para o chão do palco. Ele não deveria ter dado o papel de Selig para Dieter contracenar com a Zelda de Žofie-Helene, mas Dieter era o único com arrogância suficiente para encená-lo. Stephan havia tentado misturar um detetive estilo Sherlock Holmes com a personagem feminina Zelda, e um personagem parecido com o médico em *Amok*, de Zweig, um garoto obcecado por uma menina que não tinha interesse nele. No entanto, Stephan não entendia perfeitamente o livro e quando perguntara ao Papa por que a mulher achava que o médico poderia ajudá-la com o bebê que não queria ter, seu pai dissera, em tom áspero: "Você é um homem de caráter, Stephan. Jamais estará na posição de ter um bebê indesejado."

Dieter ergueu o queixo de Žofie e beijou seus lábios. Ela estranhou o beijo, mas depois se derreteu um pouco por Dieter.

Stephan virou de costas para eles, fingindo escolher uma cadeira para se sentar e murmurando:

— É uma história de mistério, não de amor, seu idiota.

Sentou-se e olhou para eles. Felizmente, não estavam mais se beijando, embora as bochechas de Žofie estivessem coradas.

— Žofie, comece com a fala sobre como Dieter é estúpido — disse ele.

— Sobre como Selig é estúpido? — perguntou Žofie.

— Não foi isso o que eu disse? Se todo mundo for repetir tudo o que eu disser, nós não vamos acabar o roteiro nunca.

Eles haviam ensaiado duas cenas e os relógios de Viena acabavam de marcar sete horas quando Žofie ouviu algo. Buzinas de carros? Gritos do lado de fora do teatro? Era o que parecia: o som abafado de multidões gritando, carros buzinando. Do palco, ela olhou para Stephan. Sim, ele também estava ouvindo.

Os três pegaram seus casacos e correram para a porta do teatro, o som aumentando cada vez mais. Quando abriram a porta, o barulho tomou conta. Viena estava repleta de homens carregando armas, vestidos com camisas marrons e braçadeiras com suásticas; rapazes de pé em caminhões com cruzes suásticas pintadas nas laterais, descendo pela Ringstrasse, passando pela universidade e pela prefeitura, chegando até onde os três estavam, no teatro. Ninguém estava protestando. Os homens estavam contentes. Por todo canto, gritavam:

— Ein Volk, ein Reich, ein Führer!

— Heil Hitler, Sieg Heil!

— Juden verrecken! — *Morte aos judeus.*

Žofie observou a multidão, e os três voltaram para as sombras da entrada do teatro. Deve ter sido por isso que o vovô tinha vindo passar a noite com ela e com Jojo enquanto sua mãe havia saído, mas o que era toda essa movimentação? De onde teria vindo? Os caminhões pintados. As suásticas coladas nos postes de luz da rua. As braçadeiras. A multidão. Não poderiam ter se materializado do nada. Zero mais zero mais zero mais infinitos zeros ainda resultam em zero.

Alguns garotos no fim da rua começavam a pintar a vitrine de uma loja com suásticas, caveiras e ossos cruzados, e a palavra *"Juden"*.

— Olhe, Stephan, lá estão Helmut e Frank, da escola! Vamos até lá! — disse Dieter.

— É melhor levarmos Žofie-Helene para casa, Deet — respondeu Stephan respondeu.

Muito agitado, Dieter olhou para Žofie. A ansiedade nos olhos do jovem era bem parecida com aquela vez em que Jojo estava com uma febre muito alta e ficava chamando Žofie de "Papai", apesar de só conhecer o pai por fotos e histórias, pois ele havia morrido antes de Jojo nascer.

— Vou levá-la para casa, Deet. Encontro com você mais tarde — afirmou Stephan.

Stephan e ela foram mais para dentro do teatro, e Dieter desceu a escada correndo. Uma gangue de nazistas marchou em direção a um senhor que saía de um prédio para cobrir a vitrine de sua loja. Um homem de camisa marrom começou a insultar o senhor, e outros se juntaram a ele. Um deles deu um soco na barriga do pobre senhor, que retraiu-se de dor.

— Meus Deus — falou Stephan.   Vamos ajudá-lo.

Mas o homem desapareceu no meio de um enxame de camisas marrons.

Žofie olhou para o outro lado, para um homem erguendo uma bandeira nazista sobre o Parlamento Austríaco, sem ninguém para detê-lo: nenhum policial, nenhum militar, nem sequer um cidadão de bem de Viena. Eram *esses* os cidadãos de bem de Viena? Todas essas pessoas gritando em apoio a Hitler? Esses garotos que deveriam estar admirando trenzinhos de Natal nas vitrines?

— Não podemos chegar em casa pelas ruas — disse ela.

Caos. Era a única coisa que nem os matemáticos conseguiam prever.

* * *

Com uma tesoura que ela encontrara na barbearia do avô, sem acender a luz, Žofie abriu a grade debaixo do espelho. Encaminhou Stephan pelos túneis que haviam passado no dia em que se conheceram, até chegarem a uma passagem subterrânea que, embora tivesse descoberto depois, nunca havia entrado, por medo de se perder sozinha.

— Caramba! — exclamou ela ao entrar na escuridão da caverna, muito mais abaixo da terra do que ela havia imaginado.

Stephan desceu também, e Žofie procurou por ele na escuridão, sentindo um conforto imediato ao encostar os dedos na manga dele, que segurou a mão dela. Novamente a sensação de conforto, e algo mais.

— E agora, em que direção vamos? — perguntou ela.

— Você não sabe?

— Eu nunca estive nas passagens subterrâneas, a não ser com você.

— Nunca passei por esse lado — respondeu Stephan. — Bem, nós não conseguiremos subir de volta para o teatro. Não sem uma escada.

Eles seguiram juntos, com o som da água passando e de coisas correndo por todos os lados no meio da escuridão assustadora. Žofie tentou não pensar nos bandidos e assassinos sobre os quais Stephan havia contado a ela. Que opção tinham? Lá em cima, os bandidos e assassinos haviam tomado as ruas.

O barulho das multidões estava distante, mas Stephan ainda conseguia ouvir as buzinas e os incessantes "Heil Hitler" enquanto emergiam dos túneis subterrâneos por um bueiro octogonal próximo à casa de Žofie. Stephan ergueu um único triângulo bem discretamente para ver se aquela rua de trás estava segura.

Žofie abriu a porta do prédio com sua chave.

— Vá para casa com cuidado, está bem? — disse ela a Stephan, deu um beijo na bochecha dele e entrou no prédio, deixando-o prolongar a sensação do toque da armação fria dos óculos dela em sua pele, o calor de sua bochecha, a umidade delicada de seus lábios.

Mas ela havia beijado o fedelho do Dieter na boca.

Não, Dieter que a beijara.

Em uma janela de algum andar acima, por trás das cortinas finas, a sombra de um homem lançava seus braços para a frente, abraçando a sombra de uma garota magra, que era Žofie-Helene chegando em casa ao encontro de seu pai. Mas o pai de Žofie estava morto. Stephan observou com mais afinco, concluindo que o corpo baixinho e roliço era de Otto Perger, as duas sombras unindo-se em um abraço de amor e alívio. Ele não deveria ficar espiando; sabia disso. Deveria virar-se e voltar para casa pelo túnel. Mas ficou ali, olhando as sombras do avô e da neta se separarem e conversarem, e Žofie se esticava um pouco na ponta dos pés para beijar o avô no rosto. Seus óculos roçariam na bochecha do avô, sua pele tocaria a pele do avô.

Ela desapareceu da janela, mas sua sombra reapareceu um pouco depois, segurando algo. Bem baixinho, as notas de abertura da Suíte para Violoncelo nº 1 de Bach se uniram às buzinas e vozes distantes, o futuro desconhecido do que quer que aconteceria em Viena depois dessa noite. E Stephan continuava a observar, imaginando como seria envolver o corpo delicado de Žofie nos braços, sentir os seios dela pressionando seu peito, beijar seus lábios, seu pescoço, seu colo onde o colar com pingente do infinito que seu pai não havia exatamente lhe dado tocava sua pele.

CONVITE RECUSADO

O bar de carvalho brilhoso do hotel estava lotado de militares da SS. Truus colocou sua mão sobre a de Klara, do outro lado da mesa. Os dedos da pobre moça estavam tremendo. Seu *schnitzel* permanecia intocado no prato.

— É assustador, eu sei — disse Truus, reconfortando-a, com a voz tão baixa que somente Klara podia ouvi-la. — Mas os alemães permitirão somente um trem às cinco da manhã, então ninguém verá as crianças partirem, e isso não poderá acontecer hoje.

— Porque eu falei "pacote" em vez de "entrega".

— Nesse tipo de trabalho, as coisas nem sempre saem conforme planejado — respondeu Truus, com delicadeza.

— É que... o sr. Van Lange está tão nervoso por mim. E nós não podemos ficar aqui esperando para sempre, principalmente se... Você acha que é verdade? Esses homens parecem achar que Hitler vai invadir a Áustria hoje à noite, ou quem sabe já o tenha feito.

Truus ergueu seu garfo e comeu um pedaço do *schnitzel*, pensando que uma invasão na Áustria explicaria a falta de trem para elas. Todos deveriam estar deslocando tropas.

— Essa não é nossa preocupação de hoje — respondeu ela. — Devemos nos preocupar com os trinta órfãos alemães.

Elas comeram em silêncio por alguns instantes antes de serem abordadas por um dos homens da SS, que bateu uma continência firme e curvou-se tanto que sua cabeça quase encostou no prato de Truus.

— Sou Curd Jiirgens — apresentou-se, enrolando um pouco a língua.

A música que tocava era um mau presságio, e dizia: "Ah, senhorita Klara, eu a vi dançando."

Truus o fitou. Não se apresentaram de volta.

— Mutti — disse ele, referindo-se a Truus, — posso tirar sua filha para dançar?

Truus olhou-o de cima a baixo. Respondeu de maneira firme, porém educada:

— Não, não pode.

O local pareceu silencioso, exceto pela música, e todos se viraram para olhar.

O dono do hotel apressou-se para a mesa delas, retirando o prato da sra. Van Lange, embora estivesse praticamente intocado, e dizendo:

— As senhoras já estão prontas para serem acompanhadas até o quarto?

ANSCHLUSS

Quando Stephan emergiu do túnel subterrâneo por um bueiro no meio da rua, guardas da tropa nazista haviam substituído os guardas da chancelaria, e as multidões estavam ainda mais ruidosas. Sob a sombra dos prédios, ele traçou seu caminho até o palácio real e por baixo dos arcos até a Michaelerplatz, onde um cartaz no edifício Looshaus dizia: "O mesmo sangue pertence a um Reich unido!" Fez seu caminho para casa a partir dali e encontrou as cortinas ainda fechadas e a casa apagada. Continuava sem sinal de Rolf na entrada.

Entrou no palácio, fechando a porta silenciosamente, e subiu a escada, na esperança de entrar no quarto sem ser percebido, como se estivesse na sala de estudos do pai ao lado da biblioteca durante todo esse tempo. Ouviu do lado de fora da porta da biblioteca Papa e Mutti discutirem com o rádio, enquanto Walter dormia nos braços de Mutti e seu coelho estava no chão.

— Você tem que pegar Walter e seguir para a estação de trem — insistia sua mãe. — Lisl já terá os bilhetes. Enviarei Stephan logo em seguida.

— Você e Lisl estão sendo exageradas — retrucou seu pai. — Quem minha irmã acha que vai incomodá-la? Ela é casada com um membro de uma das famílias mais proeminentes de Viena. E se eu partisse, quem comandaria a Chocolates Neuman? O presidente Miklas vai restabelecer a ordem ao nascer do dia, e você não pode ficar aqui sozinha, Ruche...

Lisl entrou pela porta da frente e subiu correndo, passando às pressas por Stephan e entrando na biblioteca bem quando Mutti dizia que se encontraria com todos assim que estivesse melhor e que, enquanto isso, ficaria aos cuidados de Helga.

— Não seja tola, Ruchele — disse tia Lisl, enquanto Stephan, ignorando o tumulto que vinha da porta que a tia havia deixado entreaberta, tentava entrar atrás dela.

— Stephan! Graças a deus! — exclamou Mutti, enquanto o pai exigia saber onde ele estava.

— O trem das 23:15 para Praga já estava lotado desde às 21h, totalmente esgotado antes que eu chegasse à estação. E não tem mais nada para hoje à noite. De qualquer forma, assim que o trem parou na estação, aqueles bandidos terríveis começaram a arrancar todos os judeus que estavam sentados — contou tia Lisl.

O relógio do avô badalou uma única vez, marcando meia-noite e meia ou uma da manhã. O rádio continuou com seu murmúrio baixinho, repetindo parte do discurso que o chanceler Schuschnigg havia feito mais cedo naquela tarde, em que dizia que o Reich alemão tinha apresentado um ultimato exigindo que o chanceler escolhido por eles entrasse no poder, ou as tropas alemães começariam a atravessar a fronteira.

"Embora, nessa hora solene, não seja nossa vontade derramar nenhuma gota de sangue alemão, ordenamos ao nosso exército, no caso de ocorrer uma invasão, que recue sem muita resistência, para aguardar as decisões das próximas horas", disse o chanceler. "Assim, neste momento, despeço-me do povo austríaco com o meu mais profundo desejo: Deus proteja a Áustria!"

O chanceler renunciou, entregando o governo aos nazistas? A Áustria não iria sequer se defender?

Vozes do andar de baixo chamaram a atenção de todos. Stephan ajudou Papa a levantar Mutti rapidamente e colocá-la na cadeira de rodas, ainda segurando Walter, que dormia; e Papa a levou até a porta da biblioteca. Seria mais seguro nos andares de cima.

Rapazes e meninos já se aglomeravam no palácio, suas vozes ecoando no hall de entrada com entusiasmo.

Papa voltou com a cadeira de Mutti para a biblioteca e trancou a porta.

Do andar de baixo, veio o som dos móveis sendo jogados no chão, o tilintar do cristal sendo quebrado, não só um copo ou um vaso, mas talvez todas as peças de cristal, de prata e de porcelana que Helga havia arrumado na mesa, caso a família quisesse jantar. Seguiu-se uma risada rouca. Alguém começou a tocar piano, algo surpreendentemente belo: *Sonata ao Luar*, de Beethoven. Os nazistas mostraram uns aos outros uma caixa de cigarros, um candelabro, as estátuas da sala. Alguns começaram a cantar: "Heave-ho.

Heave-ho", seguidos por um estrondo pesado, que não poderia ser nada menos do que uma das enormes estátuas de mármore caindo no chão da sala de estar. Os invasores comemoravam, e muitos agora subiam a escada principal em direção aos quartos, onde Stephan achava que eles esperavam encontrar a família.

Algo foi arremessado e se espatifou, gerando mais risadas. A carteira do Papa estava na cômoda. As joias de Mutti também deviam estar lá. Não dava para saber ao certo se os invasores estavam levando as coisas ou simplesmente divertindo-se em uma casa luxuosa sem a proteção do porteiro. Onde *estava* Rolf?

A pobre Helga no andar dos empregados devia estar aterrorizada. Será que esses brutamontes machucariam os funcionários?

A maçaneta da biblioteca chacoalhou. Ninguém se moveu. Chacoalhou outra vez. Todos parados, e o rádio seguia seu murmúrio revelador.

O piano tocava na sala de música; o dó sustenido — a nota que Stephan achava que o luar no lago Lucerna teria, se fosse audível — se tornara ameaçador.

— Quem está aí? Vocês se trancaram aí dentro? — disse alguém.

Poderia ser a voz de Dieter, mas Stephan não conseguia acreditar nisso.

Um corpo bateu violentamente na porta, e depois outra vez, seguido de risadas e empurrões, e de mais batidas, enquanto vozes diferentes incitavam um e depois outro a entrar; seriam eles os responsáveis por arrombar a porta.

— Aquela estátua. Poderíamos usá-la para arrombar a porta.

Um caos de conversas e pés se arrastando foi seguido por mais risadas. A estátua era de mármore. Assim como outra que haviam derrubado na sala, a estátua pesava mais de duzentos e vinte quilos. Žofie havia calculado.

Outro corpo bateu na porta da biblioteca.

— E essa mesa? — perguntou alguém.

Stephan escutou com atenção, como se isso fosse suficiente para impedi-los. A coleção de objetos de prata de sua mãe tilintou no chão do lado de fora da porta. E o rádio continuava o murmúrio, e o piano continuava tocando.

Stephan foi até a porta, colocando seu corpo como mais uma barreira contra eles. Sua mãe sacudiu a cabeça, tentando dissuadi-lo, mas ninguém se movia nem dizia uma só palavra.

O radialista chamou atenção para um pronunciamento importante: o presidente Miklas havia se rendido. O major Klausner anunciava "com profunda emoção nessa hora festiva, que a Áustria está livre, que a Áustria é Nacional-Socialista."

Um grito de celebração ecoou pelas ruas.

Do andar de baixo, perto da porta principal, alguém assobiou alto.

O garoto que tinha uma voz parecida com a de Dieter gritou, do outro lado da porta:

— Para os trilhos!

O som de algo se espatifando no chão de mármore do hall uniu-se a comemorações e a uma debandada escada abaixo. A porta da frente bateu com força, deixando-os com os barulhos abafados lá fora e o murmúrio baixinho do rádio, enquanto a *Sonata ao Luar* continuava sendo tocada no piano. As últimas duas notas longas e profundas do primeiro ato soaram, seguidas por um momento de silêncio. Uma última leva de passos correu pelo hall de entrada. A porta se abriu, mas não se fechou. Será que ele tinha ido embora?

Antes que o silêncio dentro de casa pudesse ser quebrado, com a voz no rádio sendo substituída por uma marcha militar alemã, Stephan abriu a porta da biblioteca e espiou do lado de fora. A casa inteira estava um caos, mas não tinha ninguém no piano.

Ele desceu a escada, tropeçando nos últimos degraus. Trancou as portas e apoiou as costas nelas. O coração disparado, como um estranho batendo desesperado do lado de fora.

A entrada e a escada imperial estavam inundadas de coisas quebradas e amassadas: móveis e cristais, pinturas e esculturas, jarras de flores delicadas de prata e açucareiros, chocalhos de bebê, vasos de água, dedais e tampas de garrafas e coisas que não tinham nenhuma utilidade, agora amassadas de maneira irreparável. Espalhadas no meio de tudo estavam as fotografias e papéis e cartas esmagadas que seriam, de toda a bagunça deixada pelos invasores, o que deixaria os olhos de Mutti mareados. Somente o piano parecia inteiro, e o pianista até havia tido o cuidado de fechar a tampa das teclas, algo que Stephan esquecia com tanta frequência de fazer. Quando ele se aproximou, deparou-se com outra bagunça de folhas espalhadas. Virada para cima, no meio de tudo, amassada quase a ponto de ficar ilegível, estava uma página com somente um título escrito: O PARADOXO DO MENTIROSO.

Parte II

O DURANTE

MARÇO DE 1938

APÓS A RECUSA DO CONVITE PARA DANÇAR

Truus espiou na escuridão de fora do quarto do pequeno Hamburg Inn quando Klara van Lange, acordada pelas vozes ou, quem sabe, sem sequer ter dormido, perguntou o que era aquele barulho todo.
— Os homens do bar estão debaixo da nossa janela, cantando.
— Às quatro horas da manhã?
— Acho que querem fazer uma serenata para você, minha querida.
Truus soltou a cortina, que se fechou novamente, e voltou para a cama. Alguns minutos depois, o despertador tocou. As duas se levantaram da cama e, sem acenderem a luz, já que os homens estavam do lado de fora, tiraram seus pijamas e começaram a se vestir. Truus percebeu Klara observando-a enquanto terminava de fechar seu corpete e escolhia uma meia-calça. Era aflitivo ser observada despida, mesmo que na escuridão. Do lado de dentro. Do lado de fora.
— O que foi, Klara? — perguntou, com a meia-calça nas mãos.
Klara van Lange disfarçou o olhar, virando-se para a janela.
— Você acha que estaríamos fazendo isso se tivéssemos filhos?
Truus deslizou a meia-calça pelos dedos do pé e ao redor do calcanhar, subindo pelo tornozelo, joelho e coxa; um pedacinho da meia ficou preso entre os dois elos entrelaçados de seu anel, mas não chegou a puxar fio. Cuidadosamente, ela a ajeitou, enquanto do lado de fora os rapazes desistiam e iam embora. Em poucos instantes, Truus deveria acender a luz, ou talvez Klara o fizesse.
— Você ainda é jovem, meu amor — disse Truus com carinho. — Ainda tem tempo.

ESCOLHAS

Os bondes do lado de fora da estação de Hamburgo estavam tão silenciosos quanto na manhã do dia anterior, e os trilhos abaixo seguiam vazios. Truus e Klara van Lange passaram novamente pela porta sob aquela suástica terrível, desceram pela mesma escada suja e chegaram à mesma plataforma imunda, limparam o mesmo banco com um lenço limpo — a única parte de Truus que estava limpa naquela manhã; ela não contava com aquele atraso. Novamente, elas colocaram as malas no meio do banco e esperaram. Ainda não havia amanhecido.

O sr. Boneco de Neve se aproximou e, sem se virar nem fazer nenhuma pausa, sussurrou:

— O trem está trinta minutos atrasado, mas o pacote de vocês chegará em tempo.

Quando, finalmente, podia-se ouvir o trem se aproximando, duas supervisoras — uma mulher mais velha de cabelo grisalho e uma mais nova segurando um bebê —, com um monte de crianças, desceram a mesma escada por onde Truus e Klara haviam passado.

Truus pediu à supervisora mais jovem para apresentar as crianças, enquanto a moça grisalha checava os nomes em uma prancheta e entregava a documentação para Klara. Com um aperto de mão caloroso em cada criança — o toque era muito importante para estabelecer uma relação de confiança —, Truus disse que elas poderiam chamá-la de "Tante Truus".

Após as trinta terem sido checadas, a supervisora jovem lançou um olhar nervoso para a mais velha e disse:

— Adele Weiss. — Ela entregou para Truus o bebê que segurava e foi embora, deixando a criança chamando por "Mama! Mama!" e começando a chorar.

— E os papéis dela? — perguntou Klara para a supervisora mais velha.

Truus ninou a menina para acalmá-la, enquanto o trem apitou para parar.

— Não podemos levar uma criança sem documentação — sussurrou Klara.

Truus assentiu na direção do funcionário nazista que acabava de sair do trem e pisava na plataforma.

— Sra. Van Lange, acredito que a senhora esteja liberada — disse ela. — Terei ajuda suficiente aqui para colocar as crianças dentro do trem.

Klara, com um olhar duvidoso para a criança nos braços de Truus, pegou sua passagem e aproximou-se do nazista, que estava de olho nos belos tornozelos e joelhos dela, abaixo de sua saia um pouco mais curta.

— *Entschuldigen Sie, bitte* — disse ela para o homem. — *Sprechen Sie Niederländisch?*

O funcionário do trem olhou ao redor, como se Helena de Troia tivesse acabado de abandonar o banco de uma estação de trem para conversar com ele.

Com a pequena Adele Weiss no colo, Truus segurou a mão de outra criança e foi para o vagão do trem, com o nazista olhando rapidamente antes de voltar a prestar atenção em Klara van Lange. Truus embarcou, e a supervisora começou a ajudar as crianças a subirem ao encontro dela.

— Obrigada — agradeceu a supervisora mais velha. — Essas escolhas que temos que fazer...

— Você colocou a vida de trinta crianças órfãs em risco pelo bem de uma, obviamente amada pela mãe — repreendeu Truus. — Apresse-se, vamos colocá-las todas dentro do trem.

Enquanto a supervisora entregava a última criança a Truus, ela sussurrou:

— Você está fazendo um desserviço à minha irmã, Frau Wijsmuller. Teria arriscado a vida da filha e a dela própria.

Com as crianças a bordo e o trem deixando a estação, Klara van Lange começou a chorar.

— Ainda não, querida — disse Truus. — Ainda precisamos passar pela inspeção na fronteira.

Truus pensou em dizer que ela era jovem, bonita e memorável demais para fazer isso de novo, mas embora houvesse voluntários o suficiente para ajudar os refugiados na Holanda, os que cruzavam a fronteira eram de uma espécie mais rara.

— Eu aconselharia a se acostumar com isso, mas eu mesma nunca consigo — afirmou ela. — Fico pensando se alguém consegue.

Ela entregou a pequena Adele Weiss para a pobre Klara.

— Segure a criança. Ela vai animar você. Ela é esse tipo de criança.

Todas as outras crianças estavam, milagrosamente, sentadas em silêncio. Ela imaginava que fosse por conta do choque.

— Meu pai dizia que coragem não é a falta do medo, mas o ato de encará-lo — disse Truus para Klara.

DIA DA LIMPEZA

Stephan olhou para a manhã cinza de Viena por um buraco na cortina fechada da biblioteca. Uma mulher enrolada em um casaco vendia bandeirinhas com a suástica estampada, outra oferecia enormes balões redondos também com suásticas, e os pôsteres com "Ja" para o plebiscito já estavam todos pintados com suásticas enormes. Homens em escadas prendiam o símbolo nos postes. Outros encobriam placas de paradas de bonde com "*Ein Volk, Ein Reich, Ein Führer*". Adesivos com o mesmo slogan encobriam os bondes, que também ostentavam imensos pôsteres de Hitler. Do lado de fora do palácio, um caminhão com a carroça aberta e uma suástica pintada parou.

— Papa! — exclamou Stephan, assustado.

Será que os homens estavam voltando?

Seu pai, dando a Mutti uma dose de remédio, não prestou atenção em Stephan. Sequer tirou os olhos de Mutti, toda enroscada em cobertores no sofá em frente à lareira, com Walter e Peter Rabbit, seu bichinho de pelúcia, aninhados ao lado dela, como sempre; como se soubesse de alguma maneira que, embora ninguém dissesse, sua mãe poderia não estar mais ali no dia seguinte. Os cinco — tia Lisl ainda estava com eles — ouviam às notícias no rádio enquanto, pela casa toda, os empregados arrumavam a bagunça.

Stephan tomou coragem e olhou para fora novamente. O motorista havia saído do caminhão e estava descarregando um monte de braçadeiras nazistas. Uma multidão se juntava para pegá-las e vesti-las no braço.

Era chocante como tudo era bem organizado; quantas bandeiras e latas de tinta e braçadeiras e balões — balões! — existiam aqui em Viena sem nunca parecer terem chegado? Para celebrar esse momento, os alemães queriam que o mundo acreditasse que isso tudo havia sido um movimento espontâneo surgido de dentro da Áustria.

Na calçada por trás do portão da casa e na rua que Stephan atravessava todos os dias de sua vida, pessoas agachadas de quatro esfregavam e limpavam os slogans do plebiscito. Não só os homens, mas também mulheres e crianças, idosos, pais e professores, rabinos. Estavam todos cercados pela SS, pela Gestapo, por nazistas e pela polícia local — muitos deles erguendo as calças para não molhar as barras enquanto supervisionavam o trabalho —, enquanto seus vizinhos zombavam deles.

— O Herr Kline tem cem anos de idade, e nunca fez nada além de desejar bom-dia com um sorriso e deixar que pessoas sem dinheiro lessem o jornal na sua banca — lamentou Stephan, com doçura.

Papa colocou o frasco de comprimidos e o copo de água ao lado do farto café da manhã intocado de Mutti.

— Eles estão deixando Viena "pronta" para Hitler, filho. Se você estivesse em casa...

— Não, Herman — interrompeu Mutti. — Não mesmo! Ponha a culpa em mim, por não estar bem. Se eu estivesse saudável, nós já teríamos partido há semanas.

— Eu não posso ir embora, em hipótese alguma, Ruche — retrucou Papa, acalmando-a. — Você sabe que a culpa não é sua. Eu não posso abandonar meus negócios. Só quis dizer...

— Eu não sou idiota, Herman — interrompeu Mutti novamente. — Se quer usar a desculpa dos negócios para me livrar da culpa, tudo bem, mas não ouse transformar Stephan no culpado. Nós já teríamos vendido a fábrica e ido embora se eu estivesse bem.

Walter mergulhou o rosto no seu coelhinho de pelúcia. Papa sentou-se ao lado deles, na ponta do sofá, e beijou a testa de Walter, mas ainda assim ele chorou.

Stephan voltou-se para a janela, para aquela visão terrível. Seus pais não brigavam daquela maneira.

— Toda a cidade de Viena ama os Chocolates Neuman — afirmou Papa. — Aqueles bandidos ontem à noite... eles não sabem quem somos. Veja, ninguém está nos incomodando nesta manhã.

No rádio, Joseph Goebbels estava lendo a proclamação de Hitler:

"Eu mesmo, como Führer, ficarei satisfeito em entrar na Áustria, minha terra natal, novamente, como um cidadão alemão e um homem livre. O mundo precisa ver que o povo alemão na Áustria foi tomado por um espírito de alegria, que seus irmãos vieram resgatá-los, ajudá-los, nessa hora de grande necessidade."

— Nós precisamos enviar os meninos para estudar fora do país — sugeriu Mutti com uma voz tão firme que assustou Stephan, por mais que ele reconhecesse que o objetivo era justamente poupá-lo de qualquer preocupação. — Para a Inglaterra, acho.

O FICHÁRIO

Um imenso fichário de mesa circular com cartões furados dominava o escritório do Departamento SD II/112 no Palácio Hohenzollern, em Berlim. O lugar estava repleto de jornais, livros, relatórios anuais, cadernos e arquivos austríacos que homens consultavam enquanto preenchiam várias fichas coloridas com informações. Um assistente sênior lia as anotações pessoais de Eichmann, reunidas através dos agentes infiltrados com quem ele estava em contato, enquanto um outro assistente, sentado em um banco de piano, inseria fichas completas no fichário, organizado em ordem alfabética. Quando Eichmann entrou, com Tier ereto ao seu lado, todo mundo levantou e saudou-o, dizendo *"Heil Hitler, Untersturmführer Eichmann"*. Ele havia sido promovido mais uma vez, para segundo tenente, e se ainda não era o chefe do departamento, ao menos se tornara o responsável por juntar toda e qualquer informação que pudesse ser necessária para fazer com que os judeus do Reich emigrassem. Sua visão de que a melhor solução para o problema dos judeus era livrar a Alemanha de seus ratos estava finalmente sendo colocada em prática.

Pegou algumas cópias das diversas publicações e leu aleatoriamente assinaturas de artigos e outros nomes para o assistente que acrescentava cartões ao fichário. Para cada nome, o assistente girava o arquivo até localizar o cartão correspondente, e então lia em voz alta: Judeus e Defensores de judeus.

— Käthe Perger — leu Eichmann em um artigo do dia anterior do jornal *Vienna Independent;* sua atenção sendo despertada por uma porcaria antinazista descarada na primeira página.

O assistente girou o fichário, retirou o cartão e leu:

— Käthe Perger, editora do jornal *Vienna Independent*. Antinazista. Não comunista. Apoia o chanceler austríaco Schuschnigg.

— Ex-chanceler — corrigiu Eichmann. — Essa tal Käthe Perger pode ser um homem escondendo-se por trás da fachada de uma mulher?

Eles poderiam enviar os homens para Dachau, mas tinham poucos lugares para prender mulheres.

— A informação é bastante específica — continuou o assistente. — Marido morto. Duas filhas, quinze e três anos. Aparentemente, a filha de quinze anos é algo como um prodígio da matemática. E ela não é judia.

— A filha prodígio?

— Käthe Perger. É da Checoslováquia, e seus pais eram cristãos. Fazendeiros. O pai morreu, mas a mãe ainda está viva.

O Povo. O sangue do Reich.

— O marido morto era judeu? — sugeriu ele.

— Cristão também, filho de um barbeiro, e jornalista como a mulher. Morreu no verão de 1934.

— Em Viena?

— Estava em Berlim na época.

— Entendi — concluiu Eichmann. O marido era um dos jornalistas inconvenientes que não sobrevivera ao Röhm Purge. — Um dos suicidas.

O assistente riu.

— Então, foi tarde — ironizou Eichmann. — Essa Käthe Perger será problema de outra pessoa; nós não vamos encarar a possibilidade de prender a mãe de alguém. Nosso foco é nos judeus.

— Você vai levar o fichário para Viena? — perguntou o assistente.

— A lista de pessoas que faremos a partir dele. Para Linz, espero.

OS PROBLEMAS QUE NÃO CONSEGUIMOS PREVER

Truus ninava delicadamente Adele Weiss, adormecida, enquanto negociava com um guarda da SS na estação da fronteira, pensando que poderia usar a "pedra" da sorte daquele médico naquela ocasião. Atrás dela, Klara van Lange fazia o máximo para manter as trinta crianças em ordem, aguardando que o trem saísse da Alemanha e entrasse na Holanda.

— Mas novamente, Frau Wijsmuller — insistia o guarda —, a senhora não tem nenhuma criança registrada em seu passaporte. Uma criança holandesa pode viajar com a sua mãe sem ter seus documentos separados, mas precisa estar registrada no passaporte dos pais.

— Vou repetir, senhor. Eu não tive tempo de trocar meu passaporte. — Pensou que poderia ter encontrado um viajante simpático, com uma criança registrada no passaporte, e realizado uma rápida adoção na fronteira. Pensou que precisava terminar a conversa com esse homem antes que a criança acordasse e chorasse, ainda nos braços de Truus, chamando pela mãe. — O senhor não vê que ela tem os meus... — Olhos, Truus quase completou, mas a criança estava dormindo, com seu pequeno rostinho de pele escura que em nada se parecia com Truus.

— Ah, é a Mutti com sua linda filha! — disse alguém, e a voz chamou a atenção de Truus e do guarda. Era o soldado do hotel, Curd Jiirgens, que perguntara se poderia dançar com Klara. Quando o guarda o cumprimentou, Truus puxou a bebê para mais perto. Esse Jiirgens sabia que ela não tinha filha nenhuma quando estava no hotel. Meu Deus, que mal teria uma mísera dança?

— Achei que estava reconhecendo-a, e sim, estou certo — concluiu Jiirgens, orgulhoso. E então, daquela maneira formal que os militares se cumprimentam, ele falou: — Algum problema, oficial? Essa amável mulher e sua linda filha não dançam, aparentemente, mas também não reclamam, quando poderiam fazê-lo.

Ele sorriu para Truus, e o soldado murmurou:

— Sua filha... — Ele olhou para Truus e depois para a adormecida Adele.

Truus permaneceu em silêncio, temendo que qualquer coisa que falasse pudesse chamar a atenção do guarda da fronteira para o mal-entendido, enquanto Jiirgens pedia desculpas para Klara van Lange.

— Mas certamente sua serenata da meia-noite foi suficiente para desculpá-lo! — respondeu Klara, de maneira charmosa, distraindo ambos os homens.

E logo os homens estavam ajudando-as a embarcar as crianças. Truus tentava não pensar o que significava o fato do Curd Jiirgens e seus homens não terem ido de Hamburgo para a Áustria, para apoiar a invasão, e em vez disso permanecerem ali, na fronteira com a Holanda.

Alguns minutos depois de partir da estação alemã, o trem parou na Holanda. Um agente holandês entrou no vagão e, com um olhar descontente para os assentos repletos de crianças, examinou a papelada que Truus entregou a ele, trinta vistos de entrada perfeitamente válidos, assinados pelo sr. Tenkink em Haia. O relógio da estação lá fora marcava 9h45 da manhã.

— Essas crianças são judias imundas — disse o guarda da fronteira.

Truus poderia ter dado um tapa na cara dele, se não estivesse atravessando a fronteira com uma criança sem documentos. Então apenas disse, com uma voz bastante paciente, que se ele tivesse alguma dúvida sobre os vistos, ela poderia encaminhá-lo para o sr. Tenkink, focando nas trinta crianças que tinha visto, e não na única que não tinha.

O guarda pediu que saíssem do trem, que partiria novamente em poucos minutos. Não havia nada que se pudesse fazer, além de obedecer. Truus deu um beijo na testa da criança que carregava nos braços, enquanto o homem pegou os papéis e desapareceu. Era uma bebê tão doce, a pequena Adele Weiss. *Edelweiss*. Uma flor branca em formato de estrela pontiaguda que só existe nas montanhas dos Alpes. Foi o símbolo das tropas dos Alpes Austro-Húngaros do Imperador Franz Joseph durante a Grande Guerra; Truus havia conhecido garotos com esse símbolo bordado nas lapelas da camisa. Agora, diziam que era o símbolo favorito de Hitler.

A criança olhava para Truus com o dedo na boca, sem reclamar, embora com certeza estivesse com fome. Até Truus estava com fome, pois havia saído do hotel antes do café da manhã ser servido.

O trem partiu sem eles, e o relógio seguiu correndo com o tempo, mais uma hora tentando divertir crianças cansadas e inquietas antes que o guarda retornasse. Truus entregou o bebê para Klara quando o homem apareceu, imaginando que, se precisasse, era melhor dizer que o bebê era de Klara. Era mais provável que uma menina na idade dela tivesse um bebê tão pequeno. Era o que Truus deveria ter feito na fronteira com a Alemanha. Por que não tinha pensado nisso?

Ela respondeu às perguntas do guarda da fronteira:

— As crianças serão levadas diretamente para os centros de controle de quarentena em Zeeburg, e de lá vão para lares privados. Novamente, tenho certeza de que o sr. Tenkink, em Haia, ficará feliz em explicar que autorizou pessoalmente essas crianças a entrarem na Holanda.

Todas menos Adele. Adele Wijsmuller, Truus disse para si, preocupando-se repentinamente que talvez já tivesse dito ao guarda que o nome da bebê era Adele Weiss.

Quando ele saiu novamente com os papéis dos vistos, Truus repetiu para si, *Adele Wijsmuller*. Falou para Klara:

— É preciso muita paciência para guardar meus pensamentos para mim.

Klara colocou suas mãos delicadamente sobre a cabeça de dois meninos; e como em um passe de mágica, eles pararam de brigar, sorriram para ela e começaram a brincar de um joguinho amigável com as mãos.

— O pensamento de que essas crianças são mais limpas do que aquele guarda? — perguntou ela.

Truus sorriu.

— Eu sabia que você era a pessoa certa para esse desafio, Klara. Melhor seria se pelo menos esse guarda da fronteira fizesse seu trabalho antes de o último trem partir. Encontrar um lugar para abrigar trinta crianças durante a noite seria uma tarefa impossível, mesmo se elas fossem cristãs.

— Quem poderia imaginar que seria mais fácil sair da Alemanha do que entrar na Holanda? — comentou Klara.

— São os problemas que não conseguimos prever que nos derrotam.

A SAUDAÇÃO DA VERGONHA

Stephan estava com Dieter e sua turma no meio da multidão, e o horizonte se movia pelo vermelho da bandeira alemã e adentrava a escuridão, até que o primeiro trem chegou à estação Westbahnhof e soldados saíram lá de dentro. As tropas, acompanhadas por uma marcha militar, quase não eram visíveis do fim da rua, mas a multidão levantava os braços em saudação e comemorava de maneira feroz. Carros blindados surgem de longe com mais alemães, alguns carregando tochas, e seus passos rígidos ao longo da Mariahilfer Strasse soavam como um compasso de uma banda de música conforme se aproximavam. A multidão ao redor de Stephan falava cada vez mais alto, e Dieter e os outros garotos falavam junto: *"Ein Volk, Ein Reich, Ein Führer!"*

Do outro lado da rua, uma senhora vestindo um casaco de pele — com quem Stephan devia ter cruzado em uma tarde qualquer na Ringstrasse — começou a gritar com um homem que estava assistindo àquilo tudo em silêncio, como Stephan, com os braços para baixo. A mulher balançava sua mão em riste, insistente. O homem tentava ignorá-la, mas diversas pessoas o rodearam, e ele desapareceu no meio da confusão. Stephan não conseguiu ver o que aconteceu. O homem simplesmente sumiu, deixando a senhora de casaco de pele gritando: *"Ein Volk, Ein Reich, Ein Führer!"*

— *Ein Volk, Ein Reich, Ein Führer,* Stephan! — gritou Dieter em seu ouvido.

Stephan se virou e viu todos os seus amigos saudando e gritando, e olhando para ele.

Ele hesitou, sozinho no meio da multidão.

— *Ein Volk, Ein Reich, Ein Führer!* — repetiu Dieter.

Não conseguia encontrar ar para dizer aquelas palavras, mas, lentamente, ergueu seu braço.

ENTRELAÇADOS

Truus saiu do trem na plataforma de Amsterdã, com a bebê Adele no colo e trinta crianças para desembarcar. Joop pegou a bebê dos braços de Truus e deu um abraço apertado nela. É claro que ele estivera preocupado, e o sr. Van Lange logo atrás também, na janela do vagão. Ele chamou o nome de Klara e parecia que ia chorar de alívio ao ver a esposa. O pobre homem correu até a porta do vagão e começou a descer as crianças, dando boas-vindas à Amsterdã para cada uma delas enquanto as colocava na plataforma para serem encaminhadas aos voluntários.

Joop abraçou a bebê Adele, apresentando-se como Joop Wijsmuller, marido daquela doida da Tante Truus, e perguntou quem ela era. A bebê colocou a mão no nariz de Joop e deu uma risada de alegria.

— O nome dela é Adele Weiss. Ela é…

Ela não era uma das trinta crianças, mas como poderia admitir isso para Joop? Como dizer que a mãe dela estava tão preocupada pela segurança da filha que a entregou a uma estranha sem documento nenhum, real ou falsificado? Que Truus havia se arriscado trazendo uma criança pela fronteira sem visto algum, nem de entrada nem de saída? Isso só iria preocupá-lo ainda mais, e para quê?

— É a criança mais doce do mundo — disse ela. *Edelweiss*. Uma flor rara.

Juntos, eles entraram com as crianças no bonde elétrico, com os fios passando sobre toda a cidade, o que, na opinião de Truus, não era uma grande melhoria comparado aos bondes puxados por cavalos, mas pelo menos nenhum daqueles sessenta pequenos pezinhos pisaria em cocô. Somente quando todos estavam dentro do bonde, Joop devolveu Adele para Truus.

Truus acenou para Joop enquanto o bonde balançava e começava a se mover, e pensou no lindo berço de balanço de madeira que ele havia comprado na primeira vez em que ela ficara grávida, nas colchas que ela havia costurado, na capa de travesseiro que tinha bordado com um boneco de neve em uma ponte observando um canal e uns galhos de árvore, branco sobre branco, a cena quase imperceptível. Onde estava o berço e as colchas? Será que Joop os havia guardado em algum lugar escondido? Ou ele finalmente tinha doado tudo?

Os centros de controle de quarentena em Zeeburg consistiam em uma vila, um prédio de escritórios e dez tendas, uma mais deplorável e desconfortável do que a outra. Foram feitas para abrigar europeus necessitados, com destino aos Estados Unidos, mas que opção eles tinham, com tantas crianças? Truus, segurando a bebê Adele, ajudou as últimas crianças a descerem do bonde, uma menina cujas tranças compridas e escuras estavam amarradas com um elástico vermelho, e seu irmão, com o mesmo olhar tristonho e perdido. Todas as crianças tinham olhos tristes, até a bebê Adele, que chupava o dedo em silêncio nos braços de Truus.

Os dois irmãos relutaram quando Truus os enviou para duas tendas separadas.

— Nós podemos dividir uma cama — ofereceu o menino. — Eu não me importo em dormir com as meninas.

— Eu sei, meu amor — respondeu Truus —, mas eles separaram um lugar para as meninas e outro para os meninos.

— Mas por quê?

— Essa é uma ótima pergunta. — Algumas das meninas já tinham idade suficiente para se meter em confusão, e alguns dos meninos, para conduzi-las a isso. — Talvez eu tivesse feito de forma diferente, mas às vezes temos que viver com as escolhas dos outros, mesmo quando sabemos que as nossas poderiam ser melhores.

Truus entregou a bebê para Klara, pegou a menina no colo e agachou-se na altura do irmão:

— Sheryl, Jonah — disse ela, olhando no fundo dos olhos de cada um, para que vissem que ela estava sendo sincera. — Eu sei que é assustador ficarem separados.

Eu sei quão assustados vocês devem estar, ela pensou em dizer, mas isso não seria verdade; ela só podia imaginar quão aterrorizante isso deveria ser para uma criança que já tinha perdido os pais. Talvez ela simplesmente os levasse para casa com a pequena Adele Weiss, sua flor rara, mas Joop estava certo: se eles começassem a levar órfãos para dentro de casa, ela dificilmente conseguiria continuar com suas viagens à Alemanha.

Talvez essa tivesse sido sua última viagem, já que a fronteira de seu país agora estava fechada e não haveria mais vistos para serem emitidos.

Ela retirou seu anel entrelaçado e separou as duas argolas.

— Esse anel foi um presente de alguém que me ama tanto quanto vocês dois se amam. Alguém de quem eu não suportaria ficar separada. E, ainda assim, às vezes eu tenho que deixá-lo, para ajudar aqueles que precisam da minha ajuda.

— Como nós, Tante Truus? — perguntou o menino.

— Sim, crianças maravilhosas como você e a Sheryl, Jonah — respondeu ela.

Ela pegou a mão da menina e colocou uma das argolas do anel em seu polegar, uma escolha sensata para caber, e então colocou a outra argola no dedo do meio do seu irmão — um pouco largo. Fez uma pequena oração para que as argolas não caíssem e se perdessem. Ela jamais conseguiu se sentir confortável usando esse presente de Joop depois de perder seu primeiro bebê, e tampouco conseguia cogitar tirá-lo ou guardá-lo. A esperança era algo muito frágil.

— Quando eu vier buscá-los para levá-los para a nova casa, e eu prometo que vou encontrar uma família que queira ficar com os dois, vocês precisam me devolver o anel, combinado? Agora vão e encontrem suas camas.

Quando eles saíram, ela procurou as luvas no bolso do casaco, sentindo-se estranhamente nua sem seu anel. Estava puxando uma das luvas quando Klara van Lange juntou-se a ela. Não tinha se dado conta de que Klara havia se afastado, pois estava focada nos irmãos.

— Eles estão se acomodando — falou Klara. — Pensei por um instante em levar a pequena Adele para casa comigo.

Truus pegou a segunda luva. Com cuidado, fechou os botões de pérola, enquanto ganhava tempo para se acalmar:

— Eles levaram a Adele também? — perguntou.

— Quem não amaria uma criança tão linda? — retrucou Klara, talvez com a voz tão inquieta quanto o coração de Truus. — Mas chegaria o momento de ter de devolvê-la para a mãe, e eu não conseguiria suportar entregar uma criança pela qual eu tinha me apaixonado. Você conseguiria, Truus?

HITLER

Stephan subiu em um poste de luz para enxergar melhor. Em todos os lugares — nas ruas, nas janelas, nos telhados dos prédios, nos degraus do Burgtheater e na Adolf Hitler Platz, o novo nome da Rathausplatz —, as pessoas sacudiam bandeiras e faziam saudações nazistas; Viena inteira pulsava em comemoração, enquanto os sinos das igrejas badalavam. Hitler passava em um carro aberto, segurando no para-brisa e acenando para todos. Duas filas longas de carros o seguiam pela Ringstrasse, e os soldados, alguns em motocicletas, continham a multidão. O carro entrou no Hotel Imperial e Hitler desceu direto em um tapete vermelho, cumprimentou algumas pessoas e passou pelas portas elegantes. Stephan observou tudo pendurado no poste de luz, por cima da multidão — o carro vazio, a porta fechada, a sombra do homem movendo-se para uma suíte bem iluminada no segundo andar.

HITLER SENTOU-SE EM um sofá na Suíte Real, que tinha o pé direito alto na sala principal, cortinas vermelhas e móveis brancos e dourados um pouco degradados. Havia locais melhores para se hospedar em Viena, mas ele não ficaria em nenhum deles.

— Na época em que eu vivi aqui, os vienenses tinham uma maneira sentimental de dizer "E quando eu morrer, quero ir para o céu e ter um buraquinho entre as estrelas para ver minha querida Viena" — disse ele, enquanto seus colegas próximos sentavam-se ao seu redor e Julius Schaub ajoelhava-se na sua frente para retirar suas botas pretas brilhantes. — Mas para mim, era uma cidade vivendo a decadência em sua própria grandeza. Somente os judeus ganhavam dinheiro, e somente aqueles que tinham amigos judeus ou que queriam trabalhar para os judeus conseguiam ter uma vida decente. Eu quase morri de fome, assim como muitos outros como eu.

Eu passava por esse hotel à noite, quando não tinha mais nada para fazer e não tinha dinheiro nem para comprar um livro. Eu observava carros e motoristas passarem pela entrada e serem recebidos com uma longa reverência pelo porteiro de bigodes brancos. Podia ver as luzes brilhantes dos lustres na recepção, mas nem o porteiro dignava-se a falar comigo.

Schaub trouxe um copo de leite morno, e Hitler deu um gole. Os outros comiam. Eram bem-vindos para comer e beber tudo o que quisessem, contanto que ninguém fumasse.

— Em uma noite depois de uma nevasca, eu estava retirando a neve com uma pá só para ganhar algum dinheiro para comprar comida — continuou ele. — Os Habsburg, não Kaiser Franz Josef, mas Karl e Zita, saíram de seu carro e caminharam com elegância sobre o tapete vermelho que eu havia limpado. Nós, pobres coitados, tirávamos o chapéu toda vez que um aristocrata chegava, mas eles nem sequer olhavam para nós. — Ele recostou-se no sofá, lembrando o cheiro doce dos perfumes das mulheres, mesmo no ar congelado, enquanto retirava neve com uma pá. Para aquelas mulheres, ele não era nada além da lama que limpava. — Esse hotel não tinha sequer a decência de nos mandar um café quente. Durante a noite toda, cada vez que o vento cobria o tapete vermelho com neve, eu pegava uma vassoura e limpava. E todas as vezes, eu olhava para dentro desse hotel brilhantemente iluminado e ouvia a música. Aquilo me fazia querer chorar e me deixava com raiva, portanto resolvi que um dia eu iria voltar aqui, caminhar pelo tapete vermelho e adentrar o salão brilhante onde os Habsburg dançavam.

THE VIENNA INDEPENDENT

GRÃ-BRETANHA A CAMINHO DE FECHAR AS PORTAS PARA IMIGRANTES JUDEUS

A maioria dos países já limitou a imigração

Por Käthe Perger

15 de março de 1938 — Em meio ao colapso da Bolsa de Londres e à notícia da tomada da Áustria pela Alemanha, o primeiro-ministro britânico pediu que seu gabinete impusesse um visto de entrada para todos os cidadãos do Reich.

O Conselho Britânico para os Judeus Alemães, com o apoio dos bancos Rothschild e Montagu Samuel, já forneceu um aporte financeiro que permite que refugiados judeus emigrem para a Inglaterra sem a ameaça de tornarem-se um fardo econômico para os britânicos. Mas com a ocupação alemã da Áustria vem o medo de milhões de emigrações, para as quais o apoio financeiro não seria viável.

A Grã-Bretanha também suspendeu a imigração de toda mão de obra judia para a Palestina até que as condições econômicas melhorem. Por ordem de William Ormsby-Gore, secretário de estado britânico das colônias, não mais de dois mil judeus com recursos independentes serão admitidos à colônia nos próximos seis meses.

TRUUS NO HOTEL BLOOMSBURY

Quando Truus e Joop entraram em uma sala com a placa "Fundo Britânico para os Judeus Alemães", no Hotel Bloomsbury, em Londres, uma mulher vestida com uma roupa impecável levantou-se para recebê-los.

— Helen Bentwich — disse ela, com a voz suave da riqueza equilibrada pela responsabilidade social. — E esse é o meu marido, Norman. Nós não usamos formalidades nesse trabalho, a não ser que insistam.

Truus, sem poder insistir em coisa alguma, respondeu:

— Esse é o *meu* marido, Joop. O que nós faríamos sem eles?

— Imagino que um pouco mais do que fazemos com eles — brincou Helen, e todos riram.

Sim, Truus pensou, instantaneamente confortável nesse escritório elegante e só um pouquinho decadente, com suas no estilo rococó muito bem aproveitadas, por mais incrível que parecesse, e cadeiras estofadas: essa Helen Bentwich era, assim como o sr. Tenkink em Haia, alguém que jamais diria "não" a quem precisasse de ajuda se houvesse alguma possibilidade de dizer "sim". A família de Helen, os Franklin, era banqueira como Joop, e um pouco mais: eram parte da "irmandade" anglo-judaica dos Rothschild e dos Montagus que incluía não só homens poderosos — diretores de bancos e empresas, barões e viscondes, membros do parlamento —, mas também mulheres influentes. Sua mãe e irmã haviam sido sufragistas importantes, e Helen, que já tinha trabalhado como correspondente palestina do *Manchester Guardian* quando seu marido era Procurador Geral da colônia, era hoje um membro eleito do Conselho do Condado de Londres.

— Você não precisa nos convencer da necessidade de encontrar lares para essas crianças — começou Helen, enquanto tirava os papéis das cadeiras e os convidava a sentar. — Mas nós vamos precisar ser rápidos.

Norman tinha acabado de fazer parte de uma comissão recebida pelo primeiro-ministro e seu secretário pessoal para considerar a condição dos judeus do Reich — uma comissão que incluía Lionel de Rothschild e Simon Marks, herdeiro da loja de departamento Marks & Spencer.

— Ninguém duvida dos benefícios de se admitir imigrantes como seus pais — falou Norman. — Sem a Marks & Spencer, onde nós iríamos comprar presentes feitos na Inglaterra para que nossas mulheres possam sempre trocar por algo melhor escolhido por elas mesmas? — Joop e ele riram. — Mas com essa nova onda de refugiados... É uma escolha infeliz: como permanecer sendo o mais humano possível sem... Quer dizer, precisamos ser realistas. Não podemos arriscar uma reação antissemita aqui na Inglaterra.

— Mas são crianças — retrucou Truus.

— O governo teme que, se as crianças vierem para cá, os pais delas venham atrás — explicou Norman.

— Mas essas crianças são órfãs — contestou Truus, sentindo novamente aquele enjoo, o medo de que pudesse fracassar com elas.

Helen, encostando discretamente no braço do marido, perguntou:

— São trinta?

— Você mudou de ideia, Truus? — perguntou Joop com a mesma esperança que demonstrara na noite em que lhe dera o anel de argolas entrelaçadas, a esperança pelo bebê que ela poderia ter parido caso tivesse comido isso ou aquilo, ou ficado na cama, ou sido mais cuidadosa.

— São trinta e uma — respondeu Truus, com relutância.

Helen tamborilou um único dedo no braço do marido, delicadamente, um gesto tão pequeno que talvez Truus não tivesse visto se Norman não tivesse levantado imediatamente e chamado Joop para juntar-se a ele do lado de fora, para um cigarro, dizendo:

— Como minha Helen costuma dizer, as senhoritas fazem um pouco mais sem ter-nos por perto.

Os dois saíram e apareceram um minuto depois do lado de fora, onde se sentaram a uma pequenina e charmosa mesa de ferro no meio de galhos vazios, grama cortada e uma cama de flores secas, com as flores de Bloomsbury ainda não evidentes nessa época do ano.

— A trigésima primeira criança é um bebê sem documentos — contou Truus a Helen. — Sua mãe foi uma das mulheres que nos entregaram as crianças na Alemanha.

— Entendo. E você está... considerando adotar a criança?

Truus olhou pela janela quando Norman ofereceu a Joop um cigarro, surpresa ao ver seu marido aceitar.

— Pretendo voltar à Alemanha em busca da mãe da criança, mas Joop diz, e tem razão, que se a mãe da Adele pudesse ir embora, ela teria ido. Que se nós ficarmos com a criança... É uma "escolha infeliz", como seu marido disse... posso ajudar a resgatar mais crianças, ou posso virar a mãe dessa, mas seria injusto arriscar deixá-la sem mãe novamente, mesmo que eu pudesse suportar a possibilidade. E ela tem uma mãe.

— Uma mãe que a ama o suficiente para entregá-la para outra pessoa — concluiu Helen.

Ela colocou a mão sobre a de Truus, em um gesto tão repleto de compreensão que fez Truus se perguntar por que não tinha tocado na mãe de Adele daquela forma tão calorosa para entendê-la melhor.

Truus levantou-se e foi até a janela, onde, do outro lado, estavam Joop e Norman em uma conversa leve enquanto fumavam. Quando voltou, percebeu sobre os papéis na mesa de Helen um globo de neve contendo uma roda-gigante vazia e, ao lado do guichê de entrada, um boneco de neve. Ela levantou o globo de vidro e o virou de cabeça para baixo, causando uma pequena nevasca ali dentro.

— Desculpe — falou, percebendo sua pretensão.

— Tenho quarenta e três em nossa casa em Kent, muitos deles *Wiener Schneekugels* de Viena, como esse daí — contou Helen. — Temo ser uma pequena obsessão.

— E mesmo assim você mantém somente esse aqui em seu escritório — concluiu Truus.

Helen sorriu com tristeza, uma concessão de que esse globo de neve tinha um significado especial, deixando Truus a imaginar o que seria.

— Minha mãe teve um dos primeiros globos feitos no mundo, com a Torre Eiffel dentro. De Paris, 1889 — contou Helen. — Meu pai não gostava que tocássemos nele, mas minha mãe sempre permitia, e aquilo me fazia rir toda vez, prometer não contar para ele. — Novamente, o sorriso triste. — Truus, sei que não é da minha conta, mas... Você parece tão inquieta quanto eu fiquei quando... Bem, eu não tenho filhos, mas...

Truus encostou seu rubi na boca e tocou a barriga com a outra mão, a que ainda segurava o globo de neve, percebendo somente naquele momento que Helen estava certa, ela estava grávida novamente. Ou será que ela já sabia, ou suspeitava? Será que ela não conseguiria lidar com isso sozinha, sem ninguém para quem contar? Amsterdã era uma cidade menor do que se imagina, e até os amigos mais discretos poderiam, sem querer, deixar o segredo chegar aos ouvidos de Joop.

— E ficar com essa criança alemã, Truus... — completou Helen, gentilmente. — Será que a sua escolha infeliz já não foi feita?

As lágrimas escorreram ao ouvir seu nome dito de forma tão amorosa. Era sempre algo muito significativo, ser chamado pelo próprio nome como uma oferta de carinho. Seu nome e a tentativa de não pensar nisto: uma criança crescendo sem a mãe para amamentá-la, dar banho, ler para ela seu livro preferido e cantar para ela na hora de dormir.

Ela enxugou as lágrimas com seu lenço e disse:

— Eu nunca... Ah, Helen. Mas eu não posso contar ao Joop, de jeito nenhum. Posso? Ele não suportaria perder outro bebê.

Helen Bentwich levantou-se e se aproximou dela, colocando a mão firme em seu braço novamente, enquanto do lado de fora, Joop batia a longa cinza de seu cigarro.

— Acredite quando digo que sei como é doloroso perder uma criança — disse Helen.

A voz de Joop ultrapassou a janela fechada com sua risada.

— Joop gostaria que nós ficássemos com a Adele — contou Truus.

Elas observaram juntas seus maridos apagarem os cigarros e encaminharem-se para porta.

— Vou encontrar um local seguro para a pequena Adele — concluiu Helen. — Prometo para você.

— Não acho que seja a segurança dela que Joop pretende preservar ao adotá-la.

OS PORTÕES DO INFERNO

Stephan andou pela Heldenplatz lotada, segurando firme a mão de Žofie-Helene para que os dois não se separassem na confusão. A área em volta do palácio estava mais cheia do que quando Viena havia ficado de luto pela morte do chanceler Dollfuss, com homens usando chapéus, como faria qualquer homem decente de Viena, e mulheres também, circulando desde a estátua do homem-cavalo até o mais longe que se conseguia enxergar.

— Um Povo! Um Reich! Um Führer!

Aquelas palavras iam ecoar na cabeça de Stephan pelo resto de sua vida. Somente a rua debaixo do arco e da entrada do palácio estava vazia, com a multidão sendo contida por soldados.

Stephan puxou Žofie ao redor da estátua de Hércules e Cérbero e ofereceu a mão para ajudá-la a escalar a pedra e as três cabeças de Cérbero. Ela subiu até o pescoço de Hércules, com as coxas apertando a barba e os ombros do herói de pedra e os sapatos pendurados na frente do seu peito enorme. Stephan subiu por trás dela e se sentou no buraco entre a mais alta das cabeças da fera e o ombro de Hércules. Se ele se inclinasse na direção de Žofie, podia ver do outro lado do ônibus no meio da multidão a varanda onde Hitler faria seu discurso.

Žofie colocou a mão para baixo e encostou, sem querer, na perna de Stephan quando afagou um dos três narizes da fera, com a boca próxima ao ouvido do amigo. Então quando ela disse "Pobre Cérbero", o som saiu dolorosamente alto.

— Quando estiver tão perto, não precisa gritar — disse Stephan, um pouco mais baixo no ouvido dela, inspirando seu cheiro, cítrico e fresco. — E *pobre Cérbero*? Ele é um monstro carnívoro que mantém os mortos presos no submundo, Žofe. Euristeu ordenou que Hércules capturasse a criatura, pois ele jamais conseguiria tal feito. Ninguém nunca havia voltado do Submundo.

— Não acho que você possa culpar uma criatura mítica por ser o que o roteiro do mito determinou.

Stephan pensou.

— Ou criaturas? Cérbero é criatura ou criaturas?

Ele pegou seu diário no bolso do casaco e fez uma anotação sobre as criaturas míticas servirem a roteiros que precisavam delas. Ele gostaria de ter escrito sobre o cheiro de Žofie-Helene e a palma da mão dele se encaixando na dela como em um quebra-cabeça, mas simplesmente guardou esse acontecimento do dia em sua mente para escrever depois, quando ela não estivesse presente.

— Essa é uma das melhores partes da nossa amizade: as coisas que eu digo são registradas no seu diário para aparecerem mais tarde em uma peça de teatro — disse ela.

— Você sabe que ninguém fala coisas assim, não sabe, Žofe?

— Por que não?

O rosto dela estava tão perto que ele poderia esticar o pescoço, como o monstro debaixo dele, e beijá-la.

— Não sei — respondeu ele.

Ele achava que sabia um monte de coisas antes de conhecer Žofie-Helene.

Ela sentou-se ereta novamente, para observar, e Stephan fez o mesmo, mas sempre com um olho vidrado nela. Ele escrevia em seu diário — sobre o dia e a multidão, as bandeiras nazistas balançando na brisa fria, os antigos heróis austríacos homenageados em estátuas de pedra circundados pelo que parecia ser toda a população de Viena em uma mesma praça —, quando uma carreata entrou na praça pelos arcos da Ringstrasse. Hitler estava de pé fazendo uma saudação com o braço erguido em um carro aberto, o eco incisivo da sua sombra seguindo ao seu lado. A multidão vibrou, reproduzindo a saudação e dando gritos de alegria, que transformaram-se em coro: *"Sieg Heil! Sieg Heil! Sieg Hiel!"* Stephan observou em silêncio, com medo borbulhando em seu peito conforme o carro contornava a estátua do Príncipe Eugénio e estacionava. Quando o Führer entrou no palácio real, Žofie observou no mesmo silêncio que Stephan, através de suas lentes embaçadas.

— Nós não falamos esse tipo de coisa porque não temos tanta certeza quanto você de que estamos certos, Žofe — disse ele, baixo demais para Žofie ouvir sobre o coro da multidão. — Nós falamos o que todo mundo fala, ou não falamos nada, para não parecermos idiotas.

— O quê? — questionou Žofie-Helene, inaudível, compreensível apenas pelo movimento de seus lábios, quando Hitler aproximou-se dos microfones na varanda do palácio e começou:

— Como Führer e chanceler da Nação Alemã, eu comunico para a história a entrada da minha terra natal no Reich.

RETIRADA

Eichmann imaginou se os homens mortos nas fotografias penduradas ao redor deles no escritório da *Israelitische Kultusgemeinde* de Viena teriam mais noção do que estava prestes a acontecer com os judeus da Áustria do que os próprios líderes judeus reunidos ali na mesa. Ele observava pacientemente enquanto Josef Löwenherz, diretor do centro comunitário, pegava seus óculos de leitura do casaco, arrastando no colarinho da blusa e deixando-a amarrotada. Os óculos não melhoraram em nada a aparência do homem com olhar turvo e lábio superior coberto por um bigode, entradas no cabelo e baixa estatura. Uma coisa muito comum no mundo do Direito: ler um documento com calma, como se pudesse acrescentar algo ao texto.

Löwenherz assinou o documento e o passou para Herbert Hagen, que assinou pelo Reich antes de passar para Eichmann. O trabalho de Eichmann ali em Viena era temporário; Hagen havia deixado bem claro. Cabia a Eichmann tornar-se indispensável, e esse ataque aos escritórios da IKG na Seitenstettengasse era o início do fim.

Eichmann escreveu seu nome ao lado do de Hagen, deixou sua caneta próxima ao sino de prata na mesinha de madeira escura, levantou-se e cumprimentou Hagen, que, após terminar sua função, foi embora para um almoço elegante ou para encontrar-se com alguma mulher bonita.

— Tudo certo, então — disse Eichmann para os judeus na mesa. — Há muitas caixas para serem carregadas.

— Você quer dizer para nós carregarmos? — gaguejou Löwenherz.

Foi a piadinha de Eichmann que encerrou sua função sob o teto em cúpula do ostentoso salão oval de Stadttempel. Quando os judeus terminaram de levar suas listas de membros e outras evidências de atividades subversivas do prédio de pedra de cinco andares para os caminhões que aguardavam na rua estreita, ele ordenou que voltassem para dentro.

Löwenherz, agora suado e claramente insatisfeito por Tier estar na sala de orações, mas sem reclamar, olhou para a varanda do segundo andar como se fosse fugir.

— Imagino que os judeus mais inferiores se sentem lá em cima — disse Eichmann.

— As mulheres, claro — respondeu Löwenherz.

Eichmann riu.

— As mulheres, isso, é claro.

Seu encarregado trancou as portas da sinagoga e um assistente começou a ler a lista dos líderes judeus de Viena: Desider Friedmann, presidente da IKG; Robert Stricker, editor do jornal diário de Viena, *Zionist*; Jacob Ehrlich; Oskar Gruenbaum.

— Adolf Böhm...

Eichmann esperou até que Adolf Böhm, chocado, entrasse na fila, antes de dizer:

— Não, Herr Böhm, mudei de ideia sobre você. — Ele ficou feliz em ver o alívio estampado no rosto do escritor.

Sim, isso provaria ser tão efetivo quanto ele planejara, fazer o homem sentir em seu velho e fraco coração o quanto estaria se arriscando se não cooperasse. Deixar todos que ficaram livres naquele dia sentirem esse risco.

Seu assistente leu o último nome:

— Josef Löwenherz.

Ao ver a traição nos olhos esbugalhados de Löwenherz, Eichmann assentiu. Não era nenhum equívoco. Ele não havia esquecido a lição que aprendera a custo de sua dignidade e progresso: não precisava pagar os judeus para obter o que queria deles.

Somente depois que os homens presos foram trancados na escuridão do caminhão e levados embora, Eichmann entrou novamente no escritório de Löwenherz, encontrando Tier de pé. Observou a mesa escura, o papel de parede chique e os quadros.

— Sim, a hora de vocês chegou — disse ele aos homens nos retratos.

Pegou o sino de prata da mesa onde sua caneta ainda permanecia e o guardou no bolso, um souvenir sem valor, mas do qual ele faria bom uso.

Virou-se, então, em direção ao elegante Hotel Metrópole de seis andares, onde, quando jovem, havia chegado em uma lata velha (uma monstruosidade suja e barulhenta, como a que passava ao seu lado naquele instante) e sido impedido de entrar. Agora, o porteiro segurava a porta para ele e fazia reverência, enquanto no porão disfarçado de prisão nazista, os judeus que acabara de prender se amontoavam em celas, esperando que ele decidisse seu destino.

O PROBLEMA DOS JUDEUS NA ÁUSTRIA

Eichmann esperou dois dias, tempo suficiente para uma ferida necrosar, antes de convocar os seis judeus que ele havia liberado, todos conduzidos pelo velho, frágil e aterrorizado Adolf Böhm. Eichmann não sabia ao certo por que tinha convocado os outros — Goldhammer, Plaschkes, Koerner, Rothenberg e Fleischmann. Talvez simplesmente para que soubessem que ele podia fazer o que quisesse.

— Vocês precisam recuar — exigiu ele. — Estão perto demais. Agora, estou no comando do problema dos judeus na Áustria. Espero a cooperação inabalável de vocês. Herr Böhm, o senhor é Adolf Böhm, que escreveu a história do Sionismo? Aprendi bastante com seus escritos. — Ele recitou de cor um trecho curto, decorado na noite anterior. — Kol hakavod — disse aos outros judeus. — Estão surpresos com o meu hebraico? Eu nasci em Sarona.

Tier ficou de orelhas em pé. Eichmann não poderia ter dito por que considerava Jerusalém sua cidade natal na primeira vez em que revelou isso, mas, para sua surpresa, foi um bom método para ganhar a confiança daqueles judeus ingênuos.

— Eu soube, Böhm, que um segundo volume do seu trabalho foi lançado recentemente, certo? Quem sabe você não poderia fazer o favor de trazer um exemplar para mim? Agora, não há futuro para os judeus na Áustria. O que vocês recomendam que seja feito para agilizar a emigração de vocês?

Böhm olhou para ele com a boca aberta, horrorizado.

— Você quer que eu...

— Você não sabe como ajudar o seu povo, Herr Böhm?

— Eu...É que...Eu...Não é minha...

Eichmann tocou o pequeno sino de prata na mesa e disse:

— Vocês estão velhos demais para os meus objetivos.

* * *

— E você, quem é? — perguntou Eichmann a outro judeu em custódia. Esse era o quarto prisioneiro que ele entrevistava desde que dispensara Böhm e os líderes que não havia prendido. Era difícil imaginar como esses judeus tinham obtido sucesso em alguma coisa.

O judeu, perplexo, balbuciou:

— Josef Löwenherz.

Löwenherz. Diretor da IKG. Um homem ficava mesmo diferente depois de alguns dias em uma cela gelada. Eichmann passou os dedos no sino de prata — que pertencia a Löwenherz. O judeu olhou para o sino, mas não falou nada.

— Não há futuro para os judeus na Áustria. — A fala estava ficando cansativa. — O que você recomenda que seja feito para agilizar a emigração de vocês?

— Para... agilizar a emigração? — murmurou Löwenherz. — Se... Se eu puder dizer algo... Não que eu saiba o que é melhor... Bem, parece que os judeus ricos estão relutantes em deixar suas vidas confortáveis, e os pobres não possuem os recursos para partir.

Eichmann colocou a mão na cabeça de Tier. É impressionante como é fácil despertar terror com gestos tão simples. Nos primeiros dez dias após os alemães chegarem à Áustria, cem judeus suicidaram-se pulando de janelas, ingerindo veneno ou atirando em si próprios.

— Então, você está sugerindo que nós tornemos a vida dos judeus ricos menos confortável? — perguntou Eichmann ao homem.

— Não, eu... Eu entendo, Herr Eichmann, senhor, que existam... O que quero dizer é que muitos recebem um dos vários papéis necessários para se obter um visto para deixar o Reich, mas ele expira antes de obterem o restante dos documentos. Recibos do pagamento de contas, de impostos e tarifas. Veja bem, nós... Todo o processo tem de começar outra vez.

— Isso é um problema, não uma solução.

— Sim. Sim, mas talvez... Novamente, não que eu saiba o que é melhor, mas será que vocês não deveriam unir todos os escritórios responsáveis pelas licenças e pagamentos necessários em um único local? Isso talvez permita que nós... aqueles que conseguiriam permissão para emigrar... possamos seguir com o visto em mãos para a sala ao lado, e pagar para... para resolver...

— O que nos livraria dos judeus ricos e nos deixaria somente com a escória pobre?

— Eu... Nós somos uma comunidade. Sempre foi nossa intenção que os judeus mais ricos ajudassem a pagar...

— Sim, um imposto — interrompeu Eichmann. — Um imposto para os judeus ricos bancarem a emigração dos judeus pobres.

— Um imposto? Bem, eu quis dizer...

— Um imposto a ser pago pelo visto de saída, e tudo em um mesmo prédio. Herr Löwenherz, vou ver se consigo agilizar sua soltura depois que escrever esse plano para mim.

— O senhor quer que eu escreva um plano de emigração para os judeus de Viena?

— Um plano de emigração para os judeus de toda a Áustria.

— Quantas pessoas, senhor?

— Quantas pessoas? Quantas pessoas? Você não ouviu o que eu disse? Não há espaço no Reich para vocês judeus!

Eichmann tocou a sineta e um assistente levou Löwenherz embora.

— Vamos mandar que todos os judeus da Áustria se realoquem para o gueto de Leopoldstadt, Tier, para ser mais fácil — disse Eichmann. — Mas não faz sentido anunciar isso agora. — Ele ligou para a recepção. — Uma lista dos líderes judeus que prendemos. — E falou para as orelhas levantadas de Tier: — Talvez libertemos alguns. Recompensar e punir, Tier. Recompensar e punir.

THE VIENNA INDEPENDENT

ÁUSTRIA VOTA EM MASSA PARA ENTRAR NO REICH ALEMÃO

A humilhação final da Áustria

Por Käthe Perger

VIENA, 11 de abril de 1938 — Membros do primeiro Grande Reichstag Alemão foram eleitos por 49.326.791 votos na Áustria e na Alemanha ontem. No último insulto à nossa nação, que um dia fora orgulhosa e unida, 99,73% dos austríacos votaram a favor da nossa própria subordinação ao Führer, entre as opções "sim" e "não". Em Viena, 1.219.331 pessoas votaram "sim", enquanto míseros 4.939 votaram "não". A conquista dá a Hitler o domínio da Europa central em um mundo que jamais saberá se os nazistas eram ou não maioria.

Outras nações, incluindo a Inglaterra e os Estados Unidos, apressaram-se para reconhecer a conquista. Com quase nenhum protesto em casa ou mundo afora, o Departamento dos Estados Unidos fechou sua legação austríaca antes que a Alemanha a revogasse.

NA RODA-GIGANTE

Stephan olhou no relógio outra vez enquanto esperava com Papa e Walter do lado de fora do consulado britânico. Walter sacudia seu Peter Rabbit e duas mulheres logo à frente olhavam com reprovação.

— Minha irmã foi embora antes de a Inglaterra decretar a necessidade desse novo visto — dizia a mulher mais bonita. — Ela está trabalhando como doméstica, mas está na Inglaterra.

— Papa, preciso encontrar Dieter e Žofie — afirmou Stephan.

Seu pai olhou para a fila, que se estendia interminável na frente deles, embora tivessem chegado antes de o consulado abrir.

— Não é no parque não, é?

Stephan continuou em silêncio, vendo Walter sacudir seu coelho.

— Leve Walter com você, então. Volte em duas horas. E não se sujem.

— O Peter fica aqui, Wal — disse Stephan.

Walter entregou o coelho para o pai, sem pensar na falta de dignidade de um homem adulto na fila com um bicho de pelúcia, mas não havia dignidade em Viena naqueles dias.

— O senhor pode solicitar o visto para os seus filhos. Eles não precisam estar aqui — falou a mulher mais bonita.

— A mãe deles quer que alguém veja como eles são inteligentes e bondosos — respondeu Papa, com um tom de voz que Stephan chamava de "Eu, Herman Neuman da Chocolates Neuman". Mas, diante da tristeza nos olhos da mulher, ele falou: — Desculpe. Eu não quis... Só estou... Na embaixada americana, esperei até quase dez horas da noite para ouvir que eles recebem seis mil pessoas por dia em busca de vistos que não serão concedidos em anos. Mas me disseram que a britânica ainda concede vistos educacionais ilimitados.

— Para alunos admitidos em universidades. Seu filho foi aceito em Oxford?

Para hesitou e disse:

— Meu Stephan é autor de peças de teatro. Ele pretende estudar com Stefan Zweig. — Suas palavras eram verdadeiras, mas a impressão que causaram foi de uma mentira tão grande quanto o silêncio de Stephan sobre o parque.

STEPHAN, COM WALTER a tiracolo, avistou a trança longa quase batendo na cintura de Žofie-Helene, na fila da roda-gigante, com as gôndolas movendo-se em círculo lentamente, conforme a fila aumentava. Em todo lugar no Prater Park, crianças usavam uniformes de Pequeno Hitler: shorts pretos, camisetas de algodão cáqui, meias brancas na altura do joelho e braçadeiras vermelhas com suásticas pretas. Até Dieter, na fila com Žofie, tinha um broche de suástica em seu casaco.

— Walter, eu não sabia que você vinha! — exclamou Žofie-Helene.

— Nem eu! — respondeu Walter. — Stephan prometeu para o Papa que nós *não viríamos* para o parque!

Žofie despenteou o cabelo de Walter e disse para a pessoa atrás na fila:

— Você não se importa, não é? Eu não sabia que o irmãozinho dele vinha também. — E depois, para Stephan: — Nós falamos para eles que estávamos guardando lugar para você na fila.

— Vamos ficar esperando. Walter detesta roda-gigante — disse Stephan.

— Não detesto nada! — contestou Walter.

— Tudo bem. Eu detesto roda-gigante — assumiu Stephan.

— Stephan, você já andou nesse negócio umas cem vezes — comentou Dieter.

— Quando ando em roda-gigante, parece que deixei meu estômago no chão.

— Isso é só a mudança da força centrípeta — retrucou Žofie-Helene. — No topo, você se sente quase como se não pesasse nada, e no chão, você se sente duas vezes mais pesado. Eu levo o Walter.

— O Wall fica comigo — disse Stephan. Tinha chegado a vez deles, e a atendente estava abrindo a porta da gôndola. — Vão em frente. Nós vamos esperar — insistiu ele, segurando firme a mão de Walter para que ele não reclamasse.

Dieter entrou na gôndola e Žofie foi em seguida, e as outras pessoas que estavam atrás deles na fila encheram o carrinho. Stephan os observou subir, Dieter colocando os braços ao redor de Žofie com aquele broche de suástica horroroso quase tocando a manga dela, enquanto os dois acenavam para ele.

— Eu queria andar de roda-gigante — choramingou Walter.

— Eu sei — falou Stephan. — Eu também queria.

STEPHAN FICOU OBSERVANDO ŽOFIE-HELENE se sentar em um dos bancos de madeira longos. Ela deu um tapinha no lugar ao lado e disse:

— Vem, Walter. Sente-se aqui comigo. — Mas Stephan segurou a mão do irmão.

Žofie se levantou e se virou, tudo em um só movimento, como se tivesse uma aranha imensa no seu pé, e olhou atentamente a placa de metal brilhante: *"Nur Führer Arier". Reservado para os arianos.*

— Meu deus! A mamãe diz que é deplorável como os nazistas tratam os judeus. Diz que nós todos devemos nos unir a eles.

— É claro que Stephan está unido aos judeus — disse Dieter. — É um deles.

— Não seja cretino, Dieter — falou Žofie-Helene.

— Mas é verdade. Agora ele se senta atrás de uma linha amarela na escola, na última fileira, com os outros judeus.

— Não se senta nada.

— Com duas fileiras de mesas vazias entre eles e nós.

Ela olhou para Stephan, que não podia negar.

— Você... você é judeu, Stephan? Não parece.

Stephan puxou Walter para perto.

— Como você acha que um judeu é?

— Mas... Por que você não vai embora de Viena? A mamãe disse que todos os judeus que podem estão indo embora, todos que têm dinheiro, e você... Bem, você é rico.

— Meu pai não pode abandonar a fábrica. Sem nossos negócios, não temos dinheiro nenhum.

— Você pode ir estudar nos Estados Unidos. Ou… O Stefan Zweig não está na Inglaterra? Você pode ir estudar escrita com Stefan Zweig.

— Não pode, não — respondeu Dieter.

— Por que não? — indagou Žofie.

— Nós não podemos deixar minha mãe — disse Stephan.

— Então, vá quando sua mãe se recuperar — concluiu Žofie.

Stephan aproximou-se de Žofie-Helene e sussurrou, para que Walter não conseguisse ouvir:

— Ninguém se recupera de câncer nos ossos.

Mal tinha dito as palavras e já se arrependera; ele nunca falava sobre a doença de Mutti, ainda mais se pudesse magoar alguém. Por que ele queria magoar Žofie? Ele se sentiu sujo, indigno dela. Ele se sentiu o judeu sujo que seus professores agora diziam que ele era — não o sr. Kruge, que ensinava literatura, mas os outros.

Stephan recuou, querendo e ao mesmo tempo não querendo se desculpar, querendo perguntar a Žofie o que ela planejara fazer no parque com Dieter. Queria colocar nela a culpa por ter mentido para o pai, embora também não fosse o certo; a culpa tinha sido dele, idiotice dele deixar que Dieter o convencesse a ir. Então, ele ficou ali parado, olhando para ela, e ela olhando para ele, e a raiva dele refletia no rosto dela como outra coisa.

Da alameda larga veio um som de comemoração e, ao fundo, uma batida pesada: *tum, tum, tum*. Pés marchando.

— Vamos, Walter — disse ele, com medo.

— Você prometeu…

— Nós precisamos voltar e encontrar o Papa.

— Vou contar para ele que você me trouxe no parque.

— Walter! — exclamou Stephan.

Ele abaixou o braço para segurar a mão do irmão, mas Walter fugiu e subiu em Žofie com tanta força que a empurrou para trás no encosto do banco, parando mais ou menos em seu colo.

— O Papa disse duas horas — resmungou Walter. — Não se passaram duas horas.

Stephan tentou pegar seu irmão do colo de Žofie, mas ela o abraçou e pediu:

— Stephan...

A fila de soldados já estava formada.

— Agora, Walter. Neste minuto.

Walter começou a chorar, mas Žofie, ouvindo o pânico na voz de Stephan ou vendo os soldados com os próprios olhos, ou ambos, soltou o menino. Stephan tentou colocá-lo em seus ombros, mas Walter se contorceu, Stephan perdeu a firmeza e o pobre menino caiu no chão.

— Walter! — exclamou Žofie, levantando-se para ajudá-lo. — Walter, você está bem?

E a tropa estava marchando em formação, indo na direção deles.

— Dê o seu broche para o Stephan, Deet! — mandou Žofie, sentando-se de volta no banco com Walter, tentando parecer calma. — Rápido!

Dieter só olhou para ela.

A tropa parou na frente deles, e o líder perguntou:

— Algum problema por aqui?

— Não, não. Está tudo bem, senhor — respondeu Žofie.

O líder da tropa olhou para Žofie, Walter e Dieter no banco, e para Stephan de pé. Stephan sentiu o vazio no seu casaco, a falta de um broche de suástica como o de Dieter, o novo "broche de segurança de Viena".

— Nós não estamos com ele — declarou Dieter.

— Ele é judeu? — questionou o homem.

— Sim — respondeu Dieter.

Ao mesmo tempo em que Žofie respondeu:

— Não.

O homem grudou seu rosto no de Žofie, tão perto que Stephan não podia fazer nada para segurá-lo e tirá-lo dali. Walter, ainda nos braços dela, começou a chorar de verdade, não aquelas lágrimas forçadas para conseguir as coisas, mas em terror absoluto.

— E esse pequeno, é irmão do outro, um judeuzinho assustado sentado no banco em que os judeus estão proibidos? — O soldado zombou.

— Ele não é meu irmão — respondeu Stephan.

Žofie, com a voz firme, retrucou:

— É meu. Ele é meu irmão, senhor.

Stephan lambeu os lábios, com a boca insuportavelmente seca.

O líder da tropa virou-se para o resto dos homens e disse:

— Acho que esse jovem judeu veio para o parque em busca de exercício, não acham?

Stephan não sabia se o homem falava dele ou de Walter. Sentiu uma pequena gota de urina, mas de alguma forma deu um jeito de parar antes de se molhar todo.

— Então você vai nos mostrar se sabe marchar — mandou o homem, claramente falando com ele agora.

Uma multidão se juntou ao redor.

— Não estou sendo claro? — perguntou o homem.

Stephan, engolindo seco, marchou para a frente, com medo de se distanciar de seu irmão, mas sem ter escolha. Ele fez um círculo marchando com os joelhos esticados e retornou para o mais perto possível de Walter.

— De novo — exigiu o homem. — Com certeza você consegue fazer melhor do que isso. Você vai cantar. É mais fácil quando canta. "Eu sou um judeu, está vendo o meu nariz?" Conhece essa música?

Stephan lançou um olhar rápido e suplicante para Žofie. O homem pegou seu cassetete.

Stephan marchou para a frente, para longe deles, e o homem gritou para ele:

— Tem que cantar!

Mesmo assim, ele marchou em silêncio, incapaz de aguentar uma humilhação maior do que aquela a que Žofie e Walter assistiam.

Quando virou-se na direção deles, viu a longa trança de Žofie pendurada em suas costas; ela segurando com firmeza a pequenina mão de Walter.

Seu irmãozinho, chorando em silêncio agora, olhava para ele enquanto Žofie o conduzia para longe.

O soldado líder colocou-se no caminho de Stephan, segurou seu pé enquanto ele marchava e o ergueu. Stephan caiu de costas no chão, sem ar. A multidão crescente o vaiou. Dieter também.

— Eu disse que você vai cantar — mandou o soldado.

Stephan levantou-se do chão, ajeitou os óculos e começou a marchar novamente, dessa vez cantando a música humilhante, agora que Žofie e Walter não estavam mais por perto para ouvir.

O soldado andou com ele por quase dois quilômetros pela alameda, seguido por uma multidão de vaias.

Quando Stephan ficou tão cansado a ponto de não conseguir mais levantar a perna o suficiente para agradar o soldado, o homem novamente ergueu seu pé, fazendo com que ele caísse de costas no chão.

De novo.

Mais uma vez.

Stephan tinha certeza de que se caísse outra vez, quebraria as costelas. Mas cada vez que caía, via a cara de Dieter no meio da multidão, vaiando, e levantava novamente.

Ele marchou por toda a extensão da alameda, cinco quilômetros de subida, virou-se e começou o longo caminho de volta.

Na metade do trajeto, talvez mais, talvez menos, Stephan olhou do chão, com suas lentes embaçadas, e não mais conseguiu encontrar a cara de Dieter na multidão. No soldado que cuspia, tentou invocar os lábios de Dieter enrolando as falas do roteiro que Stephan havia escrito tão meticulosamente, a boca de Dieter chamando-o de judeu, a mão de Dieter no lindo cabelo de Žofie enquanto a beijava no palco do Burgtheater. Mas não sobrava mais raiva alguma, nada para oferecer contra o soldado que batia nele e o chutava enquanto, ao longe, a roda-gigante cursava sua enorme volta em direção ao céu.

DESAPEGO

Truus chegou à unidade de quarentena de Zeeburg, onde as crianças já estavam reunidas no refeitório — com exceção de sete delas, incluindo Adele Weiss, que obtiveram resultado positivo para difteria e estavam realmente de quarentena. O caso de Adele era leve, dissera o médico na manhã anterior. Ela tinha placas acinzentadas nas amígdalas e tosse, sintomas que confirmavam a doença, mas seu pescoço estava menos inchado do que o das outras crianças, sua respiração não estava tão prejudicada e ela ainda não havia desenvolvido lesões pelo corpo.

E aquela era uma manhã de boas notícias: dali a algumas horas, as crianças saudáveis entrariam em uma balsa para a Inglaterra, onde Helen Bentwich tinha arrumado lares adotivos que aguardavam por cada uma delas.

Enquanto Truus se apressava, foi surpreendida por algo que veio voando de uma janela e se espatifou em seus pés. Aquilo era... Ela examinou mais de perto, a bile subindo pela garganta, mas essa era a boa notícia, os enjoos matinais. Aquela bola cinza era um bolinho? Ela não sabia o que a incomodava mais: que as crianças recebessem uma comida tão duvidosa ali que acabava sendo lançada pela janela, ou que houvesse tão pouco entretenimento que lançar comida pela janela fosse a diversão delas. Esse bolinho — ou seja lá o que fosse — veio da unidade de difteria, de onde as crianças nem sequer podiam sair para caminhar pelo canal e se deparar com a possível ameaça de verem uma balsa empurrada na água por homens.

Dentro do refeitório, Truus contou a novidade para as crianças, que comemoraram e correram para as tendas, para arrumarem suas coisas. *Era sim* um dia de boas notícias, ela pensou enquanto apressava as últimas crianças e dizia:

— Tem um lar para você e para o Jonah, Sheryl. Agora, apressem-se e arrumem suas coisas.

— Eu não posso abandoná-lo — retrucou a menina.
— Abandonar quem, meu amor?
— O Jonah.
— É claro que você não vai abandoná-lo. — Ela segurou a mãozinha dela com a metade de seu anel. — Tem uma casa para vocês dois na Inglaterra. Agora corra. Não vou deixar que ele vá embora sem você, mas vocês precisam ter tempo para me devolver meu anel.
— O Jonah está doente — afirmou a menina, e lágrimas silenciosas escorreram em suas bochechas.
— Doente? Mas ele tinha tomado a vacina.
A menina ficou ali, chorando.
— Ah, meu amor, espero que seja só uma... — Ela pegou a criança no colo e fez uma oração. Certamente, não poderia ser mais um caso de difteria.

Segurando a mão da pequena Sheryl, Truus entrou com ela na sala da enfermeira-chefe. Sim, o irmão da menina tinha acordado no meio da noite com calafrios e a garganta inflamada. Não estava tossindo e ainda não demonstrava sintoma algum, além das amígdalas acinzentadas. Eles consideraram deixar a irmã de quarentena também, já que os dois eram inseparáveis. Mas valia a pena expor uma criança saudável à doença?

— Não, claro que não — respondeu Truus, já pensando nas consequências desse diagnóstico pouco antes de as crianças partirem.

Ela teria de contar a Helen Bentwich. Teria que rezar para que Helen aceitasse crianças que, talvez, em alguns dias, apresentassem sinais de doenças recentes. Helen era uma mulher sensata. O médico havia reiterado que era extremamente improvável que, a essa altura, o resto das crianças também ficasse doente, garantia que Truus estendeu também para a criança que carregava nos braços. Todas elas tinham sido vacinadas ao chegarem. Algumas ficaram doentes porque não era sempre possível prevenir a exposição antes de a vacina fazer efeito. Helen entenderia que o risco relativamente baixo de uma criança doente chegar à Inglaterra era um preço que valia a pena se pagar para tirar todas as outras daquele lugar abandonado e alocá-las em lares.

Afinal, era difteria, e não varíola ou poliomielite. E Helen era uma mulher que nunca dizia "não" quando podia dizer "sim".

Truus encostou em seu anel no polegar da menina, afastando a lembrança daquelas crianças americanas que morreram devido à vacinas vencidas em 1901 e em 1919, e colocando em seu lugar a história dos trenós no Alasca, na Grande Corrida da Misericórdia: vinte trenós e cento e cinquenta cachorros que percorreram 1.084 quilômetros em cinco dias levando antitoxina da difteria, o que salvou a pequena cidade de Nome. Esse anel não era um presságio; ela só havia ficado grávida novamente depois que entregou a joia a essas crianças — ou só então havia percebido, o que dava no mesmo. Se o anel fosse para Inglaterra com eles, provavelmente ela jamais o veria de novo, mas talvez isso fosse uma bênção. Talvez o anel fosse uma maldição para ela, mas não para esses dois irmãos.

— Você precisa confiar em mim, Sheryl: eu vou garantir que o Jonah encontre você na Inglaterra assim que ele melhorar — disse ela para a menina. — Vá e fique amiga da família, assim, quando ele chegar, você poderá apresentá-los, está bem?

A menina assentiu. Uma criança tão pequena tendo que enfrentar tanta coisa.

Uma assistente levou Sheryl até sua tenda. Truus gostaria de tê-la levado por conta própria, mas precisava visitar as crianças doentes, para explicar que elas não estavam sendo deixadas para trás, que havia lares para elas na Inglaterra também, assim que melhorassem.

— Elas estão melhorando? — perguntou à enfermeira-chefe.

A mulher abriu a porta da unidade: berços e camas brancas enfileirados nas paredes do cômodo, todos arrumados com lençóis brancos limpos. Uma janela estava aberta de um lado, de onde aquele bolinho havia feito sua saída veloz. Uma das meninas mais velhas estava sentada em uma cama, moldando monstros com o que parecia ser os restos de seu almoço. Dois meninos no meio do cômodo brincavam de um jogo inventado, cujo objetivo pelo visto era pegar meia dúzia de coisas jogadas para cima ao mesmo tempo. As outras, as pobrezinhas que estavam com o pescoço inchado, dormiam, liam livros ou remendavam meias. Remendar meias — era esse o entretenimento das crianças de quarentena. Pelo amor de Deus! Truus pensou que era um bom sinal que alguma criança da unidade tivesse pensado em lançar um bolinho janela afora.

— Acho que foi uma noite difícil — disse a enfermeira.

Truus se preparou, pressentindo o que vinha adiante e rapidamente contando: a menina e os dois meninos, Adele no... Onde estava o berço de Adele?

— Acho uma bênção essas crianças serem órfãs e não terem pais para receberem notícia ruim — disse a enfermeira.

— Era uma órfã — disse Truus, arrasada, mas também com uma sensação de alívio que sabia que não deveria sentir. Se a criança não tinha pais para receberem a notícia, é porque deveria ser outra garotinha. — A pequenina Madeline, pobrezinha?

Naquela noite, Truus segurou as lágrimas, sem querer partir o coração de Joop com a notícia. Ele teria trazido a pequena Adele Weiss para casa. Eles teriam formado uma família — essa palavra que eles não mais falavam em voz alta. Ela queria contar a ele sobre Adele e também sobre essa outra criança, a que crescia dentro dela. Mas não conseguia, não agora, não até que ela tivesse mais certeza, e certamente não essa noite. Hoje ela só poderia abraçar seu marido e tentar não pensar na pequena flor que ele amara no momento em que a segurara em seus braços, a preciosa Adele, que eles teriam amado juntos, que jamais seria substituída.

AMIZADES QUE VÊM E VÃO

Stephan datilografava na biblioteca quando Walter adentrou, anunciando:

— Žofie está aqui de novo! Ela pediu para dizer que quer muito te ver.

Stephan ergueu o rosto e viu seu irmão no espelho diante da mesa ao lado de seu próprio reflexo, seu olho já não mais tão feio, agora com um tom amarelo-laranja misturado ao roxo; o lábio, que havia sido cortado, não mais inchado, mas com uma cicatriz que, segundo o médico, era para sempre. Na verdade, ele teve sorte. Um casal de idosos o encontrara inconsciente no chão do parque. Eles o acordaram, o ajudaram a entrar em um carro, onde a mulher mandou que ele deitasse no banco de trás para não ser visto, e o levaram para casa.

— Diga a Žofie que eu não estou em casa, Wall.

— De novo? — perguntou Walter.

Stephan olhou para um diálogo na folha de sua máquina de escrever: *Às vezes, falo coisas erradas só para ver se alguém vai reparar. Quase ninguém repara.*

Walter saiu, deixando a porta aberta para que Stephan pudesse ouvir cada um de seus passos lentos descendo a escada de mármore até o hall de entrada. Sua voz de criança ecoou pelo corredor:

— Stephan pediu para eu dizer para você que ele não está em casa.

Žofie-Helene não pediu para Walter tentar de novo dessa vez, nem para dizer que ela só queria vê-lo, saber se ele estava bem. Ela simplesmente falou:

— Entregue isso a ele, por favor, Walter?

Stephan aguardou o barulho da porta se fechando antes de retornar com os dedos para as letras da máquina. Ele olhou para o papel, mas as palavras não mais surgiam.

LEITURA

Walter, com Peter Rabbit na mão, subiu na cadeira de rodas chique da Mutti no elevador, abriu um dos doze livretos idênticos que Žofie-Helene havia trazido para Stephan e começou a tentar ler para Peter. Só que ele não sabia ler. Queria pedir a Stephan que lesse para ele, mas o irmão estava de mau humor.

UM ATO DE BONDADE

Truus sentou-se a uma mesa na janela de um café na praça Roggenmarkt, em Münster, na Alemanha; estava começando a se sentir um pouco exposta. O fim da tarde, quando os judeus tinham permissão para fazer compras após os alemães arianos terem comprado o que queriam, era uma hora estranha para uma holandesa cristã embromar na rua bebendo chá gelado. Recha Freier passou, finalmente, com um aspecto ao mesmo tempo maior e ainda mais raquítico do que Truus se lembrava, com um lenço preto cobrindo a cabeça e um casaco liso que não favorecia muito seu rosto e sobrancelha masculinos. Ela passou sem nem olhar para o café, mas ergueu a mão, sem luva, para ajeitar o lenço desarrumado.

Truus esperou até que Recha estivesse bem distante, levantou-se, assentiu em agradecimento à garçonete e traçou o mesmo caminho. Recha virou na St. Paulus-Dom, onde Truus, seguindo as instruções passadas a ela em Amsterdã, tinha deixado seu carro. Ela havia esperado seis semanas por esse encontro. Seis semanas desde que Adele Weiss tinha morrido.

Recha passou a catedral e entrou em um prédio mais para baixo do quarteirão. Truus esperou os dez minutos seguintes em uma loja da redondeza, perguntando sobre cachecóis. Somente depois de sua compra ser embrulhada, ela deu a volta no prédio em que Recha havia entrado, novamente seguindo as instruções.

Quando a porta se fechou atrás de Truus, Recha disse, sem cumprimentá-la:

— Só tem três.

Um calafrio atípico percorreu o corpo de Truus, que pode ter sido simplesmente o dia frio fora de época, mas ela achava que era da gravidez. Seguiu a voz de Recha e a encontrou escondida em uma pequena alcova, na qual as duas entradas, de frente e de fundos, eram visíveis.

— Nós fizemos negociações para elas irem para Inglaterra no mês que vem — declarou Recha. — A mulher que está ajudando o menino se comprometeu a arrumar uma casa, mas precisa de tempo.

A mulher seria Helen Bentwich, e o menino, filho de Recha, Shalhevet. Como ela havia encontrado forças para enviar seu próprio filho para a Inglaterra com a intenção de que ele seguisse de lá para a Palestina, tão longe? Truus precisava levar essas três crianças para a segurança da Holanda e abrigá-las até que pudessem ser enviadas para Inglaterra.

— Está bem. Vou dar um jeito, mas eu... Escute, uma criança do último grupo morreu de difteria, contraiu na unidade de quarentena — disse Truus, sem desperdiçar nem um minuto antes que fossem interrompidas. — Não foi uma das órfãs, mas a pequena A... — *Mas a pequena Adele Weiss*, ela quase falou, mesmo tendo ensaiado com tanto cuidado uma forma de comunicar a situação sem usar nomes. Edelweiss. A flor rara e linda, mas de vida curta.

— Era a filha de uma das ajudantes de resgate. Ela colocou a bebê dela no meu colo por segurança e...

E Truus, em sua arrogância, levara a criança, pensando que a estava salvando, e se tivesse entregado a criança de volta à sua mãe, Adele Weiss ainda estaria viva.

— Tenho certeza de que você entende que preciso contar a ela pessoalmente — concluiu.

Recha permaneceu quieta, deixando Truus com a memória do pequeno rostinho deitado no berço na tenda de quarentena, ainda com o dedo na boca, e o pequenino caixão.

— Preciso contar à mãe pessoalmente — repetiu ela, com a voz doce.

— Você pretende fazer um ato de bondade. Eu entendo — respondeu Recha. — Mas não será bondade colocar a mãe em risco para se livrar da sua culpa. Nós todos precisamos carregar nossos fardos. Sinto muito que esse seja o seu, mas não há o que fazer. Agora, o padre está à espera da sua confissão, o pecado de... — Recha hesitou e respirou fundo. — O pecado de amar uma das crianças mais do que às outras.

Recha bateu duas vezes na parede do lado delas. Na pausa seguinte, ela bateu mais uma vez e entrou por uma porta escondida. Truus tentou imaginar aquilo: ter tantas crianças a ponto de uma poder conquistar mais seu coração do que qualquer outra, a ponto de enviar uma para um local seguro enquanto as outras permanecem ao seu lado.

Ela saiu pela porta da frente, seguiu pelo quarteirão e entrou na catedral, com a luz filtrada pelo vidro escuro e desenhado e pela pedra gelada, com o cheiro constante de incenso e vela queimada, bancos de madeira e apoios de couro para os joelhos; a improvável sobrevivência da fé.

A CONFISSÃO

A pequena porta de madeira do confessionário se abriu e revelou, por trás de uma tela, a sombra de um homem com mais sobrancelha do que cabelo e uma cruz pesada pendurada em um colar grosso no pescoço. Truus percebeu-se com vontade de chorar, naquele lugar apertado e escuro, como se a simples presença do homem sugerisse uma possibilidade de aliviar seu fardo.

Após um longo silêncio, o padre começou:

— Perdoe-me, padre, pois eu pequei.

E Truus continuou:

— O pecado de... amar uma das crianças menos do que as outras.

Ela amara alguma das crianças que carregara menos do que qualquer outra? Menos que essa criança que carregava no ventre agora?

Ela amara Adele Weiss menos?

Olhou pela tela, percebendo o silêncio do padre.

— Mais do que as outras — corrigiu. — Desculpe. Amar uma criança mais do que as outras.

Ele olhou para ela, claramente confuso entre o engano e sua tristeza óbvia.

— Tenho certeza, minha cara — respondeu ele —, de que Deus considera sua alma digna de qualquer perdão que você possa precisar.

Ele esperou um momento, para que a mulher recuperasse a compostura, antes de abrir a porta atrás dele, deixando entrar luz suficiente para revelar seu nariz protuberante, lábios finos e olhos reconfortantes. Uma criança juntou-se a ele no cubículo e espiou pela tela ali dentro, olhando para Truus. Era uma menina de uns sete anos, com cílios retos, como os de Joop, sobre os olhos grandes e marrons, que carregavam mais medo do que qualquer criança da sua idade deveria sentir na vida.

— Essa é Genna Cantor — apresentou o padre.

A menina continuou olhando para Truus.

— Genna é a mais velha — completou o padre. — Ela vai apresentar as outras crianças, não vai, Genna?

A menina assentiu, séria.

Uma outra menina entrou, tão parecida com Genna que as duas poderiam ser gêmeas.

— Essa é Gisse. Ela tem seis anos — disse Genna.

— Genna e Gisse — repetiu Truus. — Vocês são irmãs?

Genna assentiu.

— Nossa irmã mais velha, Gerta, está na Inglaterra, e Grina também é nossa irmã, apesar de ter ido encontrar Deus antes de nós nascermos.

As palavras ditas com tanta certeza, sobre a existência de um Deus do qual Truus lutava com tanta força para não duvidar.

Um bebê, então, foi entregue a elas, com seus dedinhos perfeitos passando no rosto da irmã.

— Essa é Nanelle — apresentou Genna. — Ela é a mais nova.

Nanelle — um nome impossivelmente parecido com o que Truus e Joop haviam escolhido na primeira gravidez; se aquele primeiro bebê fosse menino, teria o nome em homenagem ao pai de Joop, mas se fosse menina, se chamaria Anneliese, e eles a chamariam de Nel. Talvez aquela criança tenha sido a mais amada, a única para quem haviam ousado escolher um nome.

— Nanelle — repetiu Truus para Genna. — Seu pai e sua mãe não tinham mais opções de nomes com G?

— Ela se chama Galianel — respondeu Genna. — Mas nós a chamamos de Nanelle.

— Está bem. Genna, Gisse e Nanelle, eu sou a Tante Truus.

Tante Truus, o nome que assumira quando entrara para o serviço social, após cinco anos de casada, quando começou a pensar que talvez nunca fosse existir uma Nel.

— Vocês conseguem se lembrar disso? — perguntou para as meninas.

— Tante Truus.

— Tante Truus — repetiu Genna.

Truus assentiu para Gisse repetir também. Era mais fácil pedir a uma criança para repetir um nome improvável do que para ela mentir.

— Tante Truus — repetiu Gisse.

— Nanelle ainda não fala — explicou Genna.

— Não? — perguntou Truus, e pensou "Graças a Deus". Era impossível guiar as palavras de um bebê.

— Ela diz "gaga" — comentou Gisse —, mas não sabemos quem de nós duas ela está chamando!

As duas irmãs riram juntas. Que bom. Isso daria certo, de algum jeito.

— Então, eu sou a Tante Truus e vou levá-las para Amsterdã. Vou pedir que vocês façam coisas engraçadas no caminho, mas quero que lembrem o tempo todo que, se alguém perguntar, eu sou a Tante Truus e vocês estão indo passar uns dias comigo em Amsterdã. Conseguem se lembrar disso?

As duas meninas assentiram.

— Então vamos lá — concluiu Truus. — Qual das duas é melhor em faz de conta?

FAZ DE CONTA

Estava um frio de rachar quando Truus chegou à pequena cabine de madeira, mas o frio, a escuridão e a hora do jantar eram a melhor combinação para evitar uma inspeção minuciosa. Ela diminuiu a velocidade do carro, na esperança de que os dois guardas que fumavam um cigarro dentro da cabine concluíssem o que os soldados preguiçosos costumam concluir: que uma mulher solteira dirigindo um carro com placa holandesa atravessaria a fronteira com um aceno, sem causar nenhum transtorno. Mas quando seus faróis iluminaram um portão fechado com uma corrente e uma enorme suástica de pano com franjas brancas penduradas na parte de baixo, um dos soldados saiu da cabine.

Truus, com seu passaporte já em uma das mãos enluvadas ajeitou as pregas de sua saia longa. Abaixou a janela, sentindo o ar frio da noite, cumprimentou o guarda e lhe entregou seu passaporte. Voltou com as mãos ao volante, já observando o homem, que apontava sua lanterna para o documento dela. O colarinho sob seu casaco estava limpo e passado, e suas botas estavam polidas, e mesmo a essa hora da noite, seu queixo não tinha barba por fazer. Era provável que fosse um soldado novo, pois vestia somente o casaco designado para essa época do ano, sem pensar que aquela noite fria exigia algo mais quente. Era jovem demais para ser casado, assim como seu colega, imaginou Truus, e provavelmente idealista demais para ser subornado. Bem, dessa vez ela só tinha o anel verdadeiro da sua mãe — já havia usado todas as cópias falsas e não teve tempo para mandar fazer mais —, e mesmo assim era um risco muito grande tentar subornar um nazista na presença de outro. Eles teriam que confiar um no outro, e confiança genuína era algo raro naqueles dias.

— A senhora está indo para casa, Frau Wijsmuller? — perguntou o guarda.

Respeitoso. Bem, isso podia ajudar.

Ela sentiu a dureza do pedal do acelerador e da embreagem sob seus pés, o calor subindo pelas pernas. Era pouco provável que um guarda de fronteira respeitoso pedisse que ela saísse do carro.

— Para minha casa, em Amsterdã. Sim, sargento.

Ele apontou a lanterna lentamente para interior do carro, para o casaco no banco ao lado dela e para o banco de trás, vazio. Truus tentou não demonstrar nenhuma expressão além de respeito. Ele passou a lanterna pela janela de trás, examinando o chão do carro. Deu a volta e repetiu a inspeção do chão do outro lado, e depois por baixo do carro. Minuciosamente. Que tipo de Deus faria com que ela tivesse que passar por essa inspeção meticulosa?

Ele voltou para a janela de Truus.

— Seu casaco?

Cuidadosamente, ela levantou o casaco ao seu lado e o abriu, mostrando que era só isso, só um casaco.

— A senhora se importa se eu checar embaixo dos bancos?

Ela colocou o casaco de volta no banco ao seu lado, movendo-o com lentidão e cuidado.

— Claro que você precisa conferir todos os lugares, mas espero que não precise bagunçar as coisas do porta-mala. Estão muito bem embaladas — disse ela.

O guarda assentiu para seu camarada na cabine. O companheiro saiu, com relutância, pegou sua arma e juntou-se a ele, mirando o porta-malas enquanto o outro abria a porta. Truus assistiu a tudo pelo espelho, até que a lanterna refletiu no retrovisor e tornou-se impossível adivinhar o que os soldados estavam fazendo. Ela soltou as mãos do volante e passou a mão sobre a saia.

— Quietas, meninas — sussurrou. — Continuem escondidas. — E agradeceu naquele instante pelas garotas serem pequenas. Tão pequenas e tão terrivelmente magrinhas.

O guarda retornou à janela do carro, e Truus pôde ver pelo espelho seu companheiro de pé com a arma em uma das mãos mãos e um cobertor cuidadosamente dobrado na outra. Truus retornou suas mãos cobertas por luvas amarelas ao volante.

— Frau Wijsmuller, a senhora poderia nos dizer por que viaja com tantos cobertores? — perguntou o guarda, e soou mais como um garoto do que como um homem, um pobre jovem obrigado a ficar acordado durante a noite fria para proibir pessoas de deixar um país que não as queria, um país no qual foram criadas para acreditar, da mesma forma que Truus imaginava que um filho seu acreditaria na Holanda. Só um garoto jovem e idealista fazendo seu trabalho.

— Você e seu colega gostariam de ficar com alguns? Não me lembro de uma noite de maio tão fria como essa.

Ele chamou seu companheiro, que pegou dois cobertores e os guardou na cabine.

— Obrigado, Frau Wijsmuller. É *mesmo* uma noite fria. A senhora deveria vestir seu casaco.

Truus assentiu, mas deixou o casaco no banco ao lado e o pé no acelerador, enquanto observou o outro guarda voltar em direção ao porta-malas.

— A senhora não se importa se esvaziarmos o porta-malas?

Ele seguiu em direção à parte de trás do carro e começou a retirar os cobertores, um por um, enquanto o outro mantinha sua arma cuidadosamente apontada para o porta-malas. Truus olhou para a frente, para a corrente gelada prateada, para a bandeira de suástica vermelha e preta, para a improvável franja branca.

A COISA MAIS FÁCIL DO MUNDO

— Stephan, sua mãe fez uma pergunta para você — disse o pai. Stephan olhou para Mutti, sorrindo do outro lado da mesa arrumada com peças de prata, porcelana e de cristais novos que seu pai havia comprado para substituir os que haviam sido quebrados na noite do Anschluss. A carne no prato de sua mãe estava intocada, os bolinhos cortados, mas intactos, a salada de repolho espalhada para parecer que havia sido mais comida do que realmente fora. Mas ela tinha vindo para a mesa essa noite, quando era tão comum que só estivesse ali através da fotografia na parede: Mutti mais jovem do que Stephan era agora, e quando Klimt ainda pintava em um estilo mais tradicional; sua mãe sem estar toda fantasiada de ouro, mas com uma blusa branca com manga bufante e um chapéu alto no topo da cabeça, de um jeito que ela não costumava usar, mas que enfatizava suas sobrancelhas pretas perfeitas e seus olhos verdes enormes. Mutti achava que o foco de Stephan estava em seus escritos, e ele deixaria que ela pensasse isso. Ela faria de tudo para que essa nova vida parecesse normal, ele também.

— Como foi o ensaio da sua peça? — repetiu sua mãe.

— Nós não vamos mais fazer a peça — respondeu ele. Ao ver a expressão de preocupação nos olhos cansados da mãe, completou: — Žofie está muito ocupada com a matemática.

— Ela trouxe um monte de exemplares de um livro para o Stephan, mas ele não quis ler nem para o Peter — disse Walter.

A peça horrível dele. Ela havia colocado naquela máquina de Linótipo do escritório da sua mãe, ou talvez tivesse feito à mão mesmo, mas como resultado ele tinha várias peças horríveis, em vez de apenas uma.

— Eu não acho que... — começou Papa.

— Amizades vêm e vão, mesmo nos melhores momentos da vida — interrompeu Mutti. — Da mesma maneira, Stephan, nós encontramos um professor para ensinar inglês durante o verão. Ele só tem disponível uma hora por dia, portanto vai ter que dar aula para vocês dois ao mesmo tempo.

— Vou estudar inglês com o Stephan? — perguntou Walter. — E o Peter também?

Stephan descansou o garfo no prato, como aprendera a fazer, e com uma alegria forçada, disse:

— Quando tivermos provas, Wall, você não pode cobrir suas respostas. Assim eu poderei copiá-las!

Walter sussurrou para o seu coelho:

— Peter, você não pode cobrir suas respostas, para que nós possamos copiá-las!

Mutti segurou a mão do coelho de pelúcia, embora semanas antes Walter tivesse sido proibido de levar Peter Rabbit para a mesa.

— Vocês precisam competir para ver quem vai se sair melhor antes de irem estudar fora! — brincou ela. — Estou apostando meu dinheiro em você, Peter.

— Ruchele, mesmo se tivéssemos vistos para os meninos não acho que eles queiram deixar a mãe deles... — falou Papa.

— Você não pode ignorar Hitler desfilando pela Mariahilfer Strasse na sua limusine Mercedes de seis rodas, Herman. Não pode ignorar nossos quatro milhões de vizinhos votando a favor da união com a Alemanha.

— O plebiscito não foi legitimado — contestou Papa.

— Você está vendo alguém se pronunciar contra isso?

STEPHAN TERMINOU SEU *Germknödel* e estava disfarçadamente raspando o último pedaço do recheio de ameixas e semente de papoula com os dedos quando a tia Lisl entrou em casa com uma mala nas mãos. Por que Rolf não tinha segurado a mala para ela?

— Michael está pedindo o divórcio! — exclamou ela.

— Lisl? — retrucou Mutti.

— Ele não pode ficar casado com uma judia. Não é bom para a empresa dele. Ele me expulsou de casa. Não pode ficar casado com uma judia, mas mesmo assim pretende ficar com a minha fortuna.

— Ele não *teria* uma empresa se não fosse o seu dinheiro — falou Papa.

— Ele transferiu tudo para o nome dele! Também pretende ficar com a minha parte da fábrica de chocolates.

— Ele não pode simplesmente chegar e pegar a metade da minha empresa — contestou Papa. — Está no seu nome, Lisl.

— Fique calma, Lisl — pediu Mutti. — Sente-se. Você comeu alguma coisa? Herman, chame a Helga e peça a ela para trazer algo para Lisl comer, e talvez um conhaque.

— Michael não pode fazer uma transferência, a não ser que seja lançada no livro de ações — explicou Papa para a tia Lisl, ignorando Mutti. — E eu simplesmente não vou aprovar.

— Ele já está com os documentos, Herman — insistiu a tia Lisl. — Ele disse que se eu recusar, ele vai mandar prendê-lo e enviá-lo para um campo de concentração. Disse que é a coisa mais fácil do mundo, entregar um judeu.

CRISÁLIDA

Truus parou o carro em um mercadinho logo depois da fronteira.

— Estamos na Holanda — disse ela, levantando seu casaco de maneira menos cuidadosa dessa vez.

Gisse, enrolada como uma bola no chão debaixo da saia longa de Truus, foi para o banco do carona.

— Eu fiquei quietinha — disse ela com sinceridade.

— Você foi perfeita, Gisse — falou Truus enquanto abaixava para pegar a bebê do colo de Genna, que estava encaixada por baixo da sua saia e encostada na porta, do seu lado. — Todas vocês foram perfeitas.

Ela abriu a porta do carro com cuidado para que Genna não caísse, e a menina engatinhou para fora, deu a volta até a porta do carona e sentou-se ao lado de suas irmãs. Truus se ajeitou e vestiu o casaco, preocupada agora com as complicações, a falta de vistos holandeses de entrada no país. A loja estava fechada, mas ela foi até a cabine telefônica na beira da estrada e ligou para Klara van Lange, para que ela soubesse que estava com três crianças. Quatro, pensou, mas uma delas iria com Truus aonde quer que ela fosse.

THE VIENNA INDEPENDENT

ENCONTRO MUNDIAL SOBRE OS REFUGIADOS

Paris aceita a proposta dos Estados Unidos para um encontro em Évian-les-Bains

Por Käthe Perger

11 de maio de 1938 — O governo dos Estados Unidos propôs a reunião de um comitê internacional para facilitar a emigração dos refugiados da Alemanha e da Áustria. O encontro ocorrerá em Évian-les-Bains, na França, com início no dia 6 de julho.

A Europa inteira está contando os minutos, à espera de que os Estados Unidos liderem os esforços no que diz respeito aos refugiados judeus e que sugiram novas ações. As expectativas são altas para que, como líderes, os norte-americanos abram a conferência oferecendo uma grande solução. Espera-se que mais de trinta nações compareçam.

Acredita-se que a maioria dos judeus alemães deixariam o Reich hoje, se pudessem, mas as barreiras para imigração estão rapidamente se tornando intransponíveis. Cotas fixas de imigração deixam os judeus em listas de espera por anos. Os refugiados na maioria das nações, inclusive nos Estados Unidos — onde o Departamento de Estado recusou-se a permitir que até as cotas limitadas impostas pela Lei de Imigração Johnson-Reed, de 1924, fossem preenchidas, devido à situação econômica complicada —, são obrigados a garantir que jamais solicitarão assistência pública.

Enquanto imigrantes precisam chegar com dinheiro para se sustentarem durante uma vida inteira, no dia 26 de abril os alemães aprovaram a Ordem de Divulgação de Bens dos Judeus, solicitando que todos os judeus que possuam bens acima de 5.000 reichmarks submetam uma declaração de riqueza até o fim de junho. Imóveis. Itens pessoais. Contas ou poupanças no banco. Ações. Apólices de seguro. Pagamentos de pensão. Cada colher de prata e vestido de noiva precisa ser listado. Os alemães alegam que muitos judeus já foram embora levando riquezas que pertencem ao Reich. Agora, eles exigem que todas as propriedades de qualquer judeu que queira emigrar sejam confiscadas...

EXPECTATIVAS

Era o calor, imaginou Truus — tão sufocante para o início de junho quanto o frio da noite em que ela havia levado embora, às escondidas, as três irmãs da Alemanha, um mês antes. Sentou-se à mesa de café de manhã em frente a Joop, tentando esconder o pior enjoo matinal que já tivera. Ela queria fazer *broodje kroket* para ele antes de partir, um bom e nutritivo café da manhã, mas quando acordou, sabia que não conseguiria suportar o cheiro de fritura. Fez, então, *wentelteefjes*, usando o delicioso *suikerbrood* doce e canelado, que seria o café da manhã do dia seguinte. "French toast", uma amiga lhe havia contado que se chamava assim nos Estados Unidos, onde era servido em hotéis luxuosos, mas não era tão bom quanto o de Truus, garantiu ela. Era tão aveludado para o estômago que podia ser que Truus comesse todos os dias até o bebê nascer.

A barriga logo iria aparecer; ela teria que contar para Joop. Se ligasse um pouco mais para moda, talvez as silhuetas da saia-lápis que estavam em voga já tivessem revelado seu volume. Mas as mulheres eram sempre mais atentas às mudanças do corpo do que os homens, e Joop estava bastante distraído com seu trabalho no banco, com o clima de dificuldade financeira pairando sobre todas as dificuldades do mundo. Talvez ela ainda tivesse uma ou duas semanas até ter mais certeza, antes de criar expectativas nele.

— A Itália e a Suíça recusaram o convite para a Conferência de Évian — contou Joop, ainda lendo o jornal. — A Romênia pediu para ser tratada como uma produtora de refugiados.

— Ontem ouvi que o presidente Roosevelt vai enviar um cara qualquer como seu representante — comentou Truus.

— Myron C. Taylor — afirmou Joop, olhando para ela. — Um ex-executivo americano da siderúrgica Steel Corporation. Roosevelt está dando a ele poderes de embaixador, como se isso fizesse com que ele... Truus, você não parece bem. Gostaria que considerasse me deixar ir à Alemanha em seu lugar dessa vez. Eu...

— Eu sei, Joop. Sei que você iria no meu lugar, que preferiria isso, inclusive. Você é um homem tão bom! Mas uma mulher viajando com crianças levanta muito menos suspeita do que um homem.

— E será que a sra. Van Lange não poderia ir?

Klara também estava grávida, mas Truus não tinha intenção alguma de admitir que uma mulher grávida não deveria resgatar crianças. Ela disse somente:

— A sra. Van Lange é bastante esperta, mas ainda não está pronta para ir sozinha. — Embora Klara a surpreendesse com frequência com sua competência.

— Não está pronta porque ficou perigoso demais, e essa é justamente a razão para que eu vá no seu lugar — retrucou Joop.

Truus pegou em uma mesma garfada um pouco de pão e fruta, evitando o creme. Até os *wentelteefjes* pareciam demais para o seu estômago frágil.

— Joop, falo isso com todo meu amor: você é um péssimo mentiroso.

— Essa leva de crianças não têm visto de saída?

Ele sabia que ela trazia crianças para a Holanda sem vistos de entrada holandeses, mas isso era muito menos arriscado do que retirá-las da Alemanha sem vistos de saída.

— Recha está organizando tudo na fronteira alemã — respondeu ela.

— Então, por que eu precisaria mentir?

Truus levantou-se para lavar a louça e fugir da pergunta do marido. Ao se movimentar, uma cólica forte a pegou tão desprevenida que ela teve que colocar o prato que segurava de volta na mesa. Sentiu o jorro quente subir, e o engoliu de volta.

— Truus!

Joop levantou-se e foi até o outro lado da mesa, e os pratos se espatifaram no chão.

Por um instante, ela achou que a pequena poça vermelha era somente a compota de morangos. Pensou em garantir para ele que era seu período menstrual, para poupá-lo, mas a dor fez com que ela se encolhesse, e um novo jorro de sangue desceu por suas meias, manchando seu vestido.

O VALOR DO CHOCOLATE

Stephan estava escondido dentro da adega de cacau, aliviando-se do calor do verão e montando sua peça nova, quando ouviu uma comoção no andar de cima. Tentou ignorar — aquele era o momento de colocar sua ideia no papel, e as ideias têm o hábito de desaparecer se não são imediatamente transformadas em palavras. Já era difícil transformá-las quando estavam escritas em seu diário, mas se nem sequer chegassem a esse primeiro estágio, não chegariam mais a lugar nenhum.

Ele focou as palavras que tinha acabado de escrever: *um garoto que costumava se sentar na primeira fileira da sala agora se senta na última, atrás de uma linha amarela. Ele sabe a resposta da pergunta da professora, mas levantar o dedo só desperta humilhação. Não importa quão certas estejam, suas respostas serão consideradas erradas.*

Ele não sabia por que precisava revisitar esse sentimento, uma vez que estava de férias durante o verão. Por Walter, ele supunha. O pobre Walter tinha chorado todas as manhãs das últimas semanas de aula. Peter tinha que ir junto, ele insistia; se o deixasse em casa, o coelho não iria aprender nada.

Acima de Stephan, a porta da adega de cacau se abriu e coturnos pretos lustrados marcharam escada abaixo — uma visão com que ele quase já havia se acostumado nas ruas de Viena, mas jamais imaginara ver dentro da Chocolates Neuman. Ele fechou seu diário e o guardou debaixo da blusa.

Enquanto os nazistas começaram a conferir as caixas de cacau — só havia quatro homens, mas a sensação era de invasão —, Stephan subiu discretamente para o andar de cima e viu outros homens mexendo nas máquinas de secagem, no misturador e nas bancadas de pedra, enquanto os chocolatiers ficavam só olhando, nervosos. Os homens que trabalhavam para o seu pai também eram judeus? Stephan nem sequer sabia; eles trabalhavam para o Papa porque faziam um excelente chocolate.

Agachado, passou pelo elevador e entrou na escada, aliviado por encontrá-la vazia.

Mesmo antes de chegar ao último andar, ouviu a voz de seu pai:

— Meu pai construiu essa empresa do zero!

Stephan infiltrou-se na sala de seu pai e encontrou o tio Michael e ele em uma discussão calorosa:

— Você precisa entender que ninguém se importa com isso agora, Herman — falava o tio Michael em uma voz surpreendentemente delicada, tão baixa que Stephan precisava se esforçar para ouvir. — Você é judeu. Se não vendê-la para mim antes de esses homens terminarem o inventário e relatarem o valor, eles vão confiscar a Chocolates Neuman para o Reich. E ainda o obrigarão a pagar os impostos, com um dinheiro que você não mais terá. Juro que é isso que vai acontecer, é isso que eles estão fazendo. Mas eu posso cuidar de você e da sua irmã…

— Divorciando-se dela e roubando a fábrica de nós?

— Não estou me divorciando dela de verdade, Herman. Só estou fazendo isso diante dos olhos da lei, para salvar a nós dois. — O tio Michael entregou uma caneta ao Papa. — Você precisa confiar em mim. Assine a escritura de compra e venda antes que seja tarde demais. Vou ouvir tudo o que tiver para me dizer sobre os negócios. Vou cuidar de você, da Ruchele e dos garotos, assim como cuidarei da Lisl. Ela é minha mulher e vocês são a minha família, sejam as nossas relações reconhecidas ou não pelo estado. Mas você precisa me deixar ajudar. Precisa confiar em mim.

OS LENÇÓIS BRANCOS DA MORTE

Truus estava deitada na cama do hospital, com um ventilador de teto girando naquele dia úmido de julho e um rádio que Joop havia trazido para ela, o único alívio daqueles lençóis brancos naquela cama de ferro, aquelas paredes brancas e aquela enfermeira vestida de branco que vinha regularmente medir a sua temperatura.

— Seu marido não virá visitá-la esta noite? — perguntou a enfermeira. Onde *estava* Joop?

A hemorragia havia sido contida antes de Truus sangrar até morrer, mas uma infecção a deixara fraca demais até para se sentar. Sem o rádio, ela ficaria abandonada sem nada para fazer, além de ouvir o barulho dos outros bebês recém-nascidos levados para suas novas mães, e preocupar-se com as crianças alemãs cujas vidas dependiam que ela não definhasse em uma cama de hospital. Os lençóis brancos da morte dobrados e organizados nos cantos dos hospitais, como se algodão limpo e quarado pudesse salvar a vida de alguém.

NA FRONTEIRA

Joop viu a bandeira de suástica no portão fechado com corrente desaparecer na escuridão quando apagou os faróis do carro. Puxou a maçaneta gelada de metal da porta, movendo-se lentamente com uma arma apontada para sua têmpora pela janela aberta. Uma gota de suor escorreu de sua testa, mas ele não ousou enxugá-la. Bem devagar, abriu a porta do carro. O guarda magro deu um passo para o lado para manter a arma apontada para ele. Joop colocou as pernas para fora e fincou os pés no chão. Levantou-se cuidadosamente. Esperou. Não estava com nenhuma criança, e portanto não tinha motivos para temer.

Ele fora no lugar de Truus para tentar persuadir Recha Freier a deixar que ele levasse as crianças com quem Truus teria cruzado a fronteira se não estivesse hospitalizada. Fora sem sequer contar a Truus; ela fazia tudo soar tão simples que ele não imaginara que não poderia resgatar as crianças sozinho. Parecia ser a única coisa que talvez aliviasse sua dor de perder o bebê, saber que outras crianças sobreviveriam.

Ele tremeu quando, com a arma do guarda magrinho ainda apontada para sua cabeça, um outro guarda mais robusto o revistou: peito, cintura, partes íntimas.

— Você estava na Alemanha a trabalho, pelos seus negócios bancários, como disse; portanto, não vai se importar de vir conosco enquanto confirmamos essa informação — falou o guarda robusto da fronteira.

Joop arriscou uma resposta silenciosa e pacífica:

— Temo que o banqueiro com quem me reuni já estará em casa há tempos, devido ao horário tão tarde.

— Vamos, portanto, mover o seu carro para que ele não bloqueie a estrada a noite inteira — disse o guarda que segurava a arma.

UMA DISTRAÇÃO

O rádio era, ao mesmo tempo, uma bênção e uma maldição: as notícias eram cada vez mais desanimadoras. Truus ouvia uma reportagem sobre a conferência mundial de refugiados, um certo discurso decorado dito com uma voz familiar: "Minha esperança é convencer essa prezada assembleia sobre a necessidade de que o mundo inteiro se una para fornecer algum alívio aos judeus perseguidos do Reich…", quando a voz de Joop interrompeu.

— Você precisa descansar, Truus.

— Joop!

Ele desligou o rádio, sentou-se cuidadosamente na beira da cama e deu um beijo delicado em sua testa. Ela o abraçou forte.

— Ah, Joop, graças a Deus você está em casa!

— Klara contou para você, não foi? — perguntou Joop. — Eu liguei para ela do primeiro telefone público que encontrei quando cheguei à Alemanha. Disse que viria direto para cá.

— Ela veio no minuto em que soube, para me contar pessoalmente. Mas saber que você estava em segurança não é a mesma coisa do que ver e comprovar isso. O que *aconteceu*, Joop? Klara falou que você tinha toda a sua documentação e que não estava trazendo nenhuma criança, mas que mesmo assim a Gestapo ficou fazendo perguntas?

— Desculpe, Truus. Eu sou um fracasso total. Não consegui convencer Recha Freier nem a me encontrar, muito menos a colocar crianças sob os meus cuidados.

Recha já havia se arriscado demais; era pedir muito que lidasse com alguém que não conhecia. Talvez Klara van Lange tivesse obtido mais sucesso, mas Joop não havia pedido para ela ir. Ele queria fazer isso sozinho, pela esposa.

— É pelas crianças que Recha teme, Joop — explicou ela. — Com tanta coisa dando errado… — A morte de Adele Weiss, e Recha sendo a pessoa que teve que contar para a mãe dela. Truus não deveria ser autorizada a encostar em crianças. Deus claramente não queria que ela o fizesse. Mas ela não podia pensar nisso agora.

— Pelo menos você tentou, Joop. Obrigada por fazer isso.

— E se Recha me conhecesse, Truus? E se ela confiasse em mim para trazer aquelas crianças...

Joop puxou uma cadeira para o lado da cama e segurou a mão dela. Se ele ouviu o barulho dos bebês em algum lugar naquela ala, não demonstrou. Ela também tentou não demonstrar, tentou barrar o som de bebês famintos aquietando-se quando, imaginava ela, acomodavam-se nos seios da mãe.

— Era aquele homem bacana, Norman Bentwich, que conhecemos em Londres, falando no rádio — disse ela, sem querer falar sobre bebês ou sobre o perigo que Joop correra. — Você se lembra do Norman?

— E da Helen — completou Joop. — Gostei dos dois.

— Ele falou em nome dos britânicos em Évian-les-Bains, onde diversas delegações expressaram empatia, mas nenhuma sequer se ofereceu para receber os refugiados.

Joop respirou fundo.

— Está bem, Truus. Vou ligar o rádio de volta, mas você precisa prometer que não vai se aborrecer.

Ela piscou rapidamente para evitar que as lágrimas caíssem, esforçando-se para não ouvir os murmurinhos dos bebês. Aquilo era real ou imaginário? Como Joop fazia para não ouvir, se era real? Era essa cama branca horrível, esse quarto branco horrível, esses dias intermináveis de branquidão que estavam fazendo com que ela imaginasse coisas.

— É uma distração, para pensar em outras coisas — explicou ela. — Mesmo que sejam coisas terríveis.

Joop apertou sua mão, na qual agora ela usava uma aliança e o anel de rubi, pois as duas argolas do terceiro anel ainda estavam com os irmãos alemães, ambos agora na Inglaterra.

— Podemos tentar de novo, mas eu não preciso de um filho. De verdade, não preciso — disse ele.

Os dois ficaram em silêncio, fazendo de tudo para não admitirem o próprio sofrimento e assim piorarem a dor um do outro. Ele a beijou novamente e, então, ligou o rádio.

O ANDAR DOS EMPREGADOS

— Eu li sua peça, Stephan — disse o professor particular de inglês. — É muito boa. Digo, a peça. O inglês precisa melhorar um pouco.

Os três estavam na biblioteca: Stephan, Walter e o professor particular. Quatro, se contarmos Peter Rabbit.

— Peter vai ter que fazer o papel da menina — reclamou Walter com o professor.

— Está bem, Wall, eu posso fazer o papel da menina, se seu coelho ficar incomodado — ofereceu Stephan.

— Žofie-Helene fazia a menina, mas agora ela passa o tempo todo fazendo cálculos — contou Walter ao professor.

Enquanto o professor lia o roteiro, Stephan ouvia atentamente os murmúrios de Mutti e da tia Lisl na entrada da casa. A tia Lisl dizia que o tio Michael tinha feito um acordo para que a família permanecesse no palácio, ocupando o andar de cima.

— Somente os nossos quartos, ou a ala dos quartos de hóspede também?

— O andar dos empregados — respondeu a tia Lisl. — Sei que não parece muita coisa, Ruche, mas a maioria das pessoas está sendo obrigada a se mudar para o outro lado do canal, para Leopoldstadt, onde famílias inteiras dividem o mesmo cômodo.

Stephan olhou para o teto, para o mapa-múndi pintado, com um navio cheio de exploradores fazendo negociações. Atrás da pintura ficava o quarto dos pais, e ao lado, o quarto dele e do Walter. Os quartos dos empregados ficavam no último andar, no sótão, onde o elevador não chegava.

— Aqui, Stephan, quando você usa a palavra "impressionar", talvez você pudesse considerar usar "surpreender" — disse o professor. — Os significados não são tão diferentes, mas "impressionar" sugere uma resposta mais positiva do que acho que foi o que você quis dizer. E aqui, em "estragar", talvez uma palavra melhor seja "arruinar". Novamente, são similares, mas "estragar" deixa a possibilidade de conserto, enquanto "arruinar" é mais permanente.

— Arruinar — repetiu Stephan.

— Como as ruínas de Pompeia. Seu pai me contou que vocês já estiveram lá, não foi? Elas foram redescobertas depois de... quantos... mil e quinhentos anos? Mas Pompeia jamais será reerguida novamente.

— Arruinar — repetiu Stephan, pensando que mesmo em ruínas, algumas coisas permaneciam perfeitamente preservadas.

LISL ESTAVA SENTADA COM Ruchele na biblioteca quando os nazistas chegaram, um deles balançando um documento com uma suástica carimbada, que concedia o palácio a ele. Elas observaram pela porta, enquanto, no hall, Herman entregava um molho de chaves: do armário de louças de porcelana, do armário da prataria, da adega de vinhos, do escritório dele, da sua mesa. O grupo de soldados — alguns ainda garotos — que acompanhava o homem iniciou o processo de inventário das obras de arte, começando pelo hall com o autorretrato de Van Gogh, o pintor com uma caixa repleta de tintas e pinceis e uma tela na estrada para Tarascon; a garota lendo, de Morisot, que fazia Lisl se lembrar da amiga de Stephan, Žofie-Helene Perger; os quadros de Klimt — as bétulas da casa de veraneio do artista em Litzlberg, no lago Attersee, e a cena de Malcesine no Lago de Garda — e o Kokoschka, com a imagem de Lisl.

Enquanto os homens riam dos traços vermelhos, que eram as bochechas de Lisl, Ruchele disse, com uma voz reconfortante:

— Eles não têm a menor ideia do que estão vendo, nenhuma apreciação.

— Não — concordou Lisl. — Nenhuma.

Michael havia prometido a ela que requereria a posse de seu retrato, e do Klimt de Ruchele também. Como faria isso, ela não tinha ideia, mas escolheu acreditar que ele conseguiria.

Ter esperança.

"Até o dia em que Deus condescender revelar o futuro dos homens, toda a sabedoria da humanidade está contida nestas duas ideias: aguardar e ter esperança", Alexandre Dumas havia escrito em *O conde de Monte Cristo*, um livro sobre o qual ela e Michael conversaram no dia em que se conheceram.

Outros homens foram enviados para inventariar cada móvel, joia, prataria e porcelana; cada jogo de roupa (de mesa, de cama e de banho); cada relógio; os conteúdos de todas as escrivaninhas e cômodas; e as roupas que Lisl tinha trazido quando saiu da casa em que morava com Michael — um palácio que eles haviam comprado com o dinheiro dela, e que agora pertencia somente a ele. Eles inventariaram as cartas de Ruchele e de Herman, e também as peças de Stephan. Inventariaram até os brinquedos de Walter: um conjunto de trem elétrico; um carrinho vermelho de borracha, modelo Ferrari-Maserati; quarenta e oito soldadinhos de metal de uma caixa com cinquenta que Herman havia trazido para ele de Londres no ano anterior.

Um Peter Coelho de pelúcia, muito amado, pensou Lisl. Mas Peter estava seguro nos braços do seu sobrinho.

No rádio, que ainda não havia entrado no inventário, na biblioteca de Herman que ainda seria vasculhada, o resultado da Conferência de Évian era anunciado pelos nazistas: as delegações de trinta e dois países, após nove encontros, não tinham nada a oferecer além de inúmeras desculpas esfarrapadas para fechar suas fronteiras para os refugiados do Reich — "um resultado espantoso de países que tinham criticado a Alemanha pelo tratamento dado aos judeus".

— Dois mil judeus já cometeram suicídio desde que a Alemanha tomou a Áustria, Lisl. Que diferença faria um a mais? — sussurrou Ruchele.

— Não, Ruche — Lisl insistiu. — Você me prometeu. Você prometeu para o Herman. Não...

— Mas eu estou morrendo — explicou sua cunhada, com doçura. — Eu vou morrer. Não há nada que possa ser feito. Se eu não estivesse mais aqui, Herman levaria os meninos. Iria embora de Viena. Encontraria uma forma de viver em algum lugar fora do alcance de Hitler.

— Não — insistiu Lisl, mas um pedacinho sem esperança em seu coração pensou *sim*.

Se Ruchele morresse, seu irmão e seus sobrinhos deixariam Viena, e ela iria com eles. Michael havia dito que ela deveria ir embora da Áustria, que ele poderia ajudar a tirá-la do país com dinheiro suficiente para continuar sua vida. Mas como ela poderia abandonar todas as pessoas que amava nesse mundo?

Herman e Stephan já estavam levando a vitrola para o elevador, quando um nazista impediu a entrada dos dois. Eles a carregaram pela escada principal acima e pelos degraus estreitos dos empregados, "ajudados" por Walter e seu coelho. Era a velha vitrola que tinham na biblioteca, não a vitrola elétrica que usavam para tocar música durante os bailes e encontros que dispensavam contratação de um quarteto. Eles poderiam ficar somente com a vitrola velha e alguns poucos discos.

Lisl seguiu seu irmão pelas escadas, sussurrando:

— Acho que é melhor levar Ruchele agora, Herman. Ela ficará arrasada de vê-los colocando as mãos em seus livros.

Eles colocaram a vitrola na saleta de teto rebaixado que unia os dois quartos de serviço e acenderam os abajures, para deixar o cômodo um pouco mais alegre. Pelo menos, teriam eletricidade, pois o andar dos empregados não tinha um circuito independente, e os nazistas que ocupariam os andares principais não ficariam sem energia.

Eles voltaram e encontraram os nazistas começando a fazer o inventário de cada um dos livros da biblioteca de Herman, mas se aquela intrusão o machucara, ele aguentou estoicamente — seu irmão, que se orgulhava dos livros, para quem o chocolate era um negócio e a literatura, um prazer. Lisl refletiu se ele havia tido a coragem de destruir os livros de autores que haviam sido proibidos: Erich Remarque e Ernest Hemingway, Thomas Mann, H.G. Wells, Stefan Zweig, que Stephan tanto amava.

Herman retirou seu casaco e ergueu, com facilidade, Ruchele de sua cadeira de rodas, como se ela tivesse o peso de uma pena. Ele a colocou no sofá da biblioteca, um dos poucos móveis que permitiram levar lá para cima.

Enquanto ele e Stephan subiam com a cadeira de rodas pesada, Lisl cuidadosamente dobrou o cobertor de Ruchele — um cashmere clarinho que era a única coisa que Ruchele conseguia suportar em sua pele seca e translúcida. Um soldado observava cada mínimo movimento que Lisl fazia. Sim, era um cobertor caro, e não, ela não permitiria que fosse tirado de sua cunhada à beira da morte, só para ser amontoado em um guarda-móveis na Baváriá, sem utilidade alguma.

Herman voltou para pegar Ruchele. Ele a levantou do sofá e começou a subir os degraus.

Ruchele olhou por trás do nazista que vasculhava os andares principais. Lisl, assentindo para o soldado, o seguiu, com o cobertor nas mãos. Sua cunhada dificilmente voltaria a descer aquela escada.

No topo da escada de serviço, Herman colocou Ruchele em sua cadeira de rodas. Walter subiu no colo da mãe — estava evidente que a mulher sentia dor, mas ela despenteou o cabelo dele como se estivesse perfeitamente confortável. Lisl desdobrou o cobertor que havia dobrado com cuidado e o colocou sobre Ruchele, e Stephan segurou nos pegadores e empurrou sua mãe para os quartos.

A cadeira de rodas não passava pela porta.

Antes que Lisl sugerisse tentar retirar os pegadores de cobre da cadeira, Herman pegou uma vara de espalhar brasa na lareira e bateu no batente da porta.

Fuligem voou da vara conforme ela entrava na madeira.

O batente cedeu, mas permaneceu afixado na parede, agora cheio de fuligem.

Herman bateu com a vara novamente, e a manga da camisa rasgou quando o acessório de ferro fundido atingiu a madeira. Ele bateu novamente. Outra vez. E mais uma vez. Descontava sua raiva em cada batida, a madeira ia quebrando e se abrindo, e alguns pedaços voavam para todo canto com a fuligem, batendo de volta na sua camisa e entrando em seu cabelo, sujando o chão ao redor dele e pousando até no cobertor de Ruchele e no coelhinho de Walter. A área inteira ao redor deles tinha fuligem e pedaços de madeira, e o batente estava completamente esmurrado, mas mesmo assim permanecia intacto.

Lisl assistia àquilo em silêncio — como todo mundo — quando Herman desabou no chão ao lado da cadeira de rodas de Ruchele, aos prantos. Foi isso o que aterrorizou Lisl mais do que qualquer outra coisa: ver seu irmão mais velho, quem ela nunca tinha visto perder a compostura, mesmo quando criança, agora sentado no chão, a manga da camisa rasgada, coberto de fuligem e nacos de madeira, aos prantos.

Ruchele encostou na cabeça de Herman da mesma maneira amorosa como tinha feito com Walter.

— Está tudo bem, meu amor — disse ela. — Vai ficar tudo bem de alguma forma.

Stephan — o querido e amável Stephan — pegou a vara e gentilmente a firmou como uma cunha no batente esmurrado. A madeira se soltou da parede. Stephan repetiu o movimento para cima e para baixo na lateral do batente, até que ele pudesse ser removido. Entrou no quarto e retirou o batente de dentro do pequeno cômodo também.

Lisl tirou cuidadosamente o cobertor de Ruchele e o sacudiu na escada, para que os pedaços de madeira e a fuligem caíssem nos nazistas trabalhando lá embaixo.

Stephan retornou à cadeira de rodas de sua mãe, segurou os pegadores e a empurrou para o quarto.

— Wall, você e Peter poderiam pegar um copo de água para Mutti? — perguntou ele.

Depois que o irmão saiu, Stephan questionou:

— Papa, vamos pegar o sofá da Mutti para ela?

E quando Walter e seu coelhinho de pelúcia voltaram com um copo de água até a metade e um longo rastro de respingos pelo chão de madeira, Ruchele já estava no sofá, com seu cobertor sobre as pernas.

Stephan desapareceu e voltou um minuto depois com o rádio. Lisl não fazia ideia de como ele havia conseguido aquilo; os judeus agora eram proibidos de ouvir rádio. Ele encostou a porta e colocou um dos livros de seu pai embaixo para mantê-la fechada, abafando o som da vida inteira deles sendo inventariada em um livro de registro nazista, para ser espalhada pelos museus de arte do Reich ou vendida para financiar a fúria de Hitler; ou, como as coisas que possuíam eram de grande valor e elegância, para serem enviadas para a Alemanha, para o próprio Hitler.

ALTA

— Sua esposa ainda precisa de muito descanso, sr. Wijsmuller — aconselhou o médico. — Nada de viagens. Nada de estresse. Ela precisa se recuperar do...

— Doutor — interrompeu Truus. — Estou aqui no quarto com vocês e sou perfeitamente capaz de ouvir as recomendações para minha recuperação.

Joop colocou a mão sobre a de Truus — um gesto com o intuito de confortá-la, Truus sabia, mas que também servia para calá-la, e era muito irritante.

— Os dias no hospital são terrivelmente longos, doutor — disse ele. — Estamos felizes em ir para casa.

Depois de o médico sair do quarto, Joop começou a esticar as roupas que ele trouxera para Truus vestir quando fosse embora: um vestido folgado na cintura, nada que pudesse apertá-la de maneira desconfortável.

— Truus, você não pode... — disse ele gentilmente.

— Sou perfeitamente capaz de entender o que o médico disse, Joop.

— E você vai obedecer às recomendações dele?

Truus virou-se de costas para ele, de maneira recatada, e retirou o avental hospitalar. Ela sentiu o calor do marido conforme Joop se aproximou e segurou com delicadeza a trança que descia pelas suas costas. Ele a enrolou até o seu pescoço e a prendeu em seu cabelo.

— E você vai obedecer às recomendações dele? — repetiu ele.

Ela colocou o vestido, aliviada por ser largo, e virou-se para ele.

— Sou perfeitamente capaz de entender o que ele disse — repetiu ela.

Ele a abraçou e ergueu o seu queixo.

— Não sei se você é uma boa mentirosa, mas é muito boa em fugir de respostas e guardar verdades para si.

— Eu jamais mentiria para você, Joop. Quando foi que eu...

— Recha está providenciando os vistos de saída?

— Não foi exatamente isso o que eu disse, Joop. Falei que...

— Quando respondeu a minha pergunta sobre os vistos, você disse que Recha estava providenciando tudo. Não foi uma mentira, mas me deixou acreditando em algo que não era verdade. — Ele beijou a testa dela com gentileza, duas vezes. — Mas isso não importa, Truus. Você sabe que não importa.

Truus sentiu as lágrimas escorrerem, apesar de todos os seus esforços.

— Já tentamos tantas vezes, Joop. Eu não queria nutrir suas esperanças até ter certeza.

Ele enxugou uma lágrima que escorria pela sua bochecha.

— Você é tudo o que eu preciso, Truus — disse ele. — Você é tudo o que vou sempre precisar.

— Sou uma mulher que não pode trazer uma criança para um mundo que só valoriza isso!

Ele a puxou para mais perto, encostou a bochecha dela em seu peito, em seu coração firme e calmo.

— Não é, não — disse ele, acariciando seu cabelo, como se ela fosse a criança que eles haviam perdido. — Você é uma mulher fazendo um trabalho importante, em um mundo que precisa desesperadamente disso. Só que precisa cuidar de si mesma primeiro. Não pode ajudar outras pessoas se não estiver bem.

ANTIGOS AMIGOS

Em um quiosque de pães no Naschmarkt, Otto Perger virou-se ao ouvir o sussurro baixinho de uma voz familiar. Stephan Neuman, aguardando pacientemente em um quiosque de carnes, a duas barracas de distância, advertia seu irmão. O nariz do garotinho estava pressionado a uma caixa de chocolate no quiosque entre eles, onde Otto tinha acabado de comprar alguns chocolates para Johanna e Žofie-Helene.

Otto observou Stephan e sentiu saudades dele. Muitos clientes chegavam e partiam, mas ele sempre ficava alegre ao ver Stephan aparecer na porta da barbearia, mesmo antes de o garoto e sua neta virarem amigos próximos. Agora, é claro, o garoto não aparecia mais, e Otto não poderia atendê-lo, mesmo se quisesse. E agora, é claro, Žofie-Helene não o via mais.

Ele observou o vendedor ignorar Stephan e servir um belo pedaço de carne para uma mulher que havia chegado depois dele. Era o que muitos adultos faziam, atender clientes mais velhos e deixar as crianças esperando. Mas quando o atendente finalmente serviu Stephan, ele cobrou o dobro do preço por um único pedaço acinzentado e horrível.

— Mas você acabou de cobrar... — reclamou Stephan.

— Você quer ou não quer a carne? — perguntou o vendedor. — Não faz diferença para mim.

O garoto pareceu derrotado. Foi isso o que Otto pensou ao ver o vendedor olhar para o dinheiro de Stephan como se não fosse a moeda do Reich. Ele viu a expressão do garoto e entendeu por que ele havia se recusado a encontrar Žofie-Helene diversas vezes nos dias após a humilhação no Prater Park, que Žofie-Helene contara para sua mãe, que contara para Otto. O pobre garoto não suportava encarar Žofie depois que ela havia presenciado sua humilhação; ele não conseguia parar de pensar que, de alguma forma, aquela humilhação fora culpa dele mesmo.

— Mas por que não podemos levar chocolates? — perguntou o menino mais novo. — Nós comíamos chocolate o tempo todo! Na fábrica do papai, nós...

Stephan pegou na mão de seu irmão e gentilmente fez com que se calasse, puxando-o para perto de si enquanto o vendedor terminava de embalar a carne.

— Vamos levar chocolates em uma outra hora, Wall.

— Stephan! — exclamou Otto, juntando-se a eles, como se tivesse acabado de vê-los. — Há quanto tempo não nos vemos. Imagino que você esteja precisando de um corte de cabelo.

Ele agachou na altura do garotinho e entregou a ele um chocolate.

— Você é exatamente quem eu estava procurando, Walter. O vendedor me deu uma segunda barra de graça, e eu já estou velho demais para comer duas barras sozinho!

Ele enfiou sorrateiramente a outra barra de chocolate na bolsa de Stephan quando apertaram as mãos. O garoto estava inacreditavelmente magro e parecendo mais velho. Otto queria garantir que Stephan comeria o doce sozinho; contudo, sabia que ele daria para o irmão caçula. Otto queria poder comprar uma caixa inteira de chocolate para eles, porém havia tantas coisas que eles precisavam mais do que doces, e não seria bom para nenhum dos dois se alguém o visse ajudando-os.

Ele deu uma olhada em volta: o vendedor de carne estava atendendo outro cliente. Ninguém prestava atenção neles. Ele voltou-se para os meninos, percebendo uma cicatriz nos lábios de Stephan. De onde vinha aquilo? Não estava ali da última vez em que Otto cortara o seu cabelo.

— Acho que eu lhe devo um corte, daquele dia em que, como Žofie percebeu, eu não cortei seu cabelo — disse ele.

— E nem me cobrou por isso, Herr Perger.

— Não? Ah, a memória de uma mente velha não é a mesma que de uma mente jovem.

O cabelo do rapaz estava arrumado. Talvez ele estivesse indo a uma barbearia judia, ou quem sabe seus pais estivessem cortando. Otto não sabia por que tinha convidado o garoto para cortar o cabelo. Sabia que Stephan não poderia ir à barbearia, e sabia que Stephan também sabia disso. Talvez para que o garoto soubesse que ele gostaria que as coisas fossem diferentes.

— Bem, a verdade é que eu adoraria ouvir sobre sua peça nova, e imagino que a Žofie-Helene também. Ela gosta de ser a estrela do show, você sabe — disse Otto.

— Não há mais locais para ensaiarmos, só o Centro Judaico.

— Eu... Sim — falou Otto.

O garoto que um dia havia levado seus amigos para ensaiar na sala da sua casa agora estava confinado em alguns quartos de serviço, sem empregados, pois arianos com menos de quarenta e cinco anos não podiam mais trabalhar para judeus, mesmo se a família pudesse pagar.

Žofie-Helene correu ao encontro de Otto, com a alegre Johanna no colo, dizendo:

— Diga que o senhor comprou os chocolates, vovô. Johanna está... Ah!

Ah, como eu senti saudades de você, Holmes, Otto pensou, embora ele não soubesse dizer qual dos dois era Sherlock e qual era o dr. Watson.

Stephan simplesmente disse:

— Žofie-Helene.

Seguiu-se um silêncio constrangedor até que os dois falaram ao mesmo tempo, Žofie-Helene dizendo:

— Os americanos fizeram um filme do livro do Zweig, *Maria Antonieta*.

E Stephan:

— Como vão as suas teorias?

— O Professor Gödel foi embora para os Estados Unidos — respondeu Žofie-Helene, melancólica.

— Ah. Ele é judeu? — perguntou Stephan, com certo ar de acusação.

Otto não poderia culpar o garoto.

— Ele... Hitler aboliu a Privatdozent — respondeu Žofie-Helene. — Então, o Professor Gödel teve que se inscrever para outra posição sob essa nova ordem, e a universidade negou. Acho que eles não gostavam das relações dele com o círculo de Viena.

— Não era judeu, mas muito amigo dos judeus — retrucou Stephan.

— Algo que muitas pessoas em Viena estão tentando evitar nos dias de hoje.

Žofie-Helene o observou atentamente, pelas lentes embaçadas, sem abaixar a cabeça:

— Eu não tinha percebido — disse ela. — Até aquele dia no parque, eu não tinha percebido. Eu não entendia.

— Nós temos que ir. — Stephan pegou a mão do irmão e foram embora.

Otto assistiu à sua neta observando os dois rapazes indo embora e depois o espaço vazio que eles deixaram.

Então, o barbeiro virou-se para o vendedor de chocolates e disse:

— Parece que vou precisar de mais duas barras.

— SARA —

Lisl parou em frente à entrada de serviço do Palácio Albert Rothschild, no número 22 da Prinz-Eugen-Strasse, com o guarda-chuva protegendo-a de uma chuva tardia no fim de outubro, que transformou-se na primeira neve do inverno. Ela fechou seu casaco de pele, pensando nas tantas vezes que havia sido conduzida por um motorista por essa entrada em formato de U até a casa que tomava um quarteirão inteiro, para entrar pela porta principal em um mundo de tapeçarias e espelhos e pinturas, lustres de quinhentos cristais, a inesquecível escada de mármore tão bem cuidada por um servente cuja tarefa única era poli-la. Ela comera na sala de jantar de prata de Rothschild. Dançara músicas que vinham de dois orquestriões construídos em um vão do salão revestido de ouro, que juntos soavam como uma orquestra inteira. Ela havia se deliciado com a coleção de arte tanto dali quanto a do ainda mais deslumbrante Palácio Nathaniel Rothschild, em Theresianumgasse. Agora, uma faixa se alastrava pelos portões entre a rua e o jardim principal, e declarava o "Zentralstelle for Jüdische Auswanderung", o Escritório Central para Emigração dos Judeus; o barão Albert von Rothschild fora obrigado a consentir a apropriação de todos os seus bens austríacos, incluindo os cinco palácios Rothschild e toda a arte dentro deles, para ganhar a soltura de seu irmão de Dachau e a saída deles em segurança da Áustria. E agora, Lisl estava na fila de inscrições, na esperança de ganhar permissão para sair do único país que ela havia chamado de lar.

Enquanto aguardava, um carro chique entrou. Dois soldados nazistas apressaram-se para abrir o pesado portão de ferro retorcido. O carro parou no jardim pavimentado, onde um funcionário esperava com um guarda-chuva aberto, molhando-se inteiro enquanto segurava-o acima da porta de trás do carro.

Adolf Eichmann saiu do carro. Atravessou o jardim caminhando, protegido pelo guarda-chuva mantido sobre ele pelo funcionário cada vez mais encharcado, e entrou no palácio. O carro permaneceu ali, com a porta de trás aberta, e um segundo funcionário tomou o lugar do primeiro, segurando outro guarda-chuva enquanto esperava na chuva alguém mais sair. Depois de um tempo, o pastor alemão enorme de Eichmann pulou do carro, sacudindo-se inteiro. O funcionário segurou o guarda-chuva sobre o cão, que seguiu o caminho trilhado por Eichmann pelo jardim até o palácio.

LISL FECHOU SEU GUARDA-CHUVA e entrou pela entrada de serviço, aliviada por sair da chuva, mesmo ainda não tendo chegado sua vez. Ela seguiu lentamente para um salão onde costumava tomar chá. O mobiliário e as peças de arte haviam sido removidos, substituídos por uma mesa de escritório controlada por um funcionário cercado de pilhas de casacos de pele, joias, cristais, prataria e outros itens valiosos.

Quando Lisl chegou à frente da fila, o funcionário disse, com a voz branda:

— Suas coisas.

Lisl hesitou, e entregou a ele o casaco de pele que usava e as poucas joias que Michael tinha dado para ela levar.

O funcionário jogou as coisas nas respectivas pilhas.

— Seu guarda-chuva — disse ele.

— Meu guarda-chuva? Mas como eu vou chegar em casa nessa chuva, sem nem um casaco?

Ao ver a expressão de impaciência do funcionário, ela entregou o guarda-chuva, sorrindo educadamente, embora estivesse fervendo de raiva por precisar da permissão desse pequeno nazista para fazer qualquer coisa. Michael tinha dito a ela para se comportar da melhor forma possível. Os nazistas costumavam negar permissões mesmo quando a pessoa havia cumprido todas as exigências deles. Ela não queria ficar sem nada além de uma passagem só de ida para um campo de concentração.

O funcionário olhou para a próxima pessoa na fila; já tinha encerrado com ela.

Ela entrou na fila seguinte, lembrando que em algum lugar ali — será que era no segundo andar? —, uma pequena escada de madeira levava ao observatório particular dos Rothschild, onde uma vez ela havia espiado pelo telescópio para ver os anéis de Saturno. Eram tão nítidos, como se o planeta fosse um brinquedo em uma mesa na frente dela. Como o mundo havia diminuído para algo tão pequeno? Morando no porão, no quarto dos empregados, com Herman, Ruchele e os meninos. Indo ao supermercado todas as tardes, quando era permitido que os judeus comprassem o que quer que os outros habitantes de Viena tivessem deixado para trás. Ela estava agradecida, é claro; mas pelos esforços de Michael, ela e a família Herman poderiam ser transferidos para um lugarzinho sujo qualquer em Leopoldstadt. Eles não tinham nem cozinha no palácio, mas Cook, que havia permanecido para servir os nazistas, dava um jeito de fazer refeições com os escassos recursos que Lisl trazia, e Helga levava para eles pela escada dos fundos — não mais em uma bandeja de prata, mas eles não poderiam estar mais gratos pela lealdade dos empregados.

Enquanto Lisl esperava na fila, viu, em um pequeno corredor, um funcionário secando delicadamente as patas do pastor alemão de Eichmann. A paciência do cão era recompensada com um pedaço de carne que poderia fazer um jantar completo para a família de Lisl e Herman.

Outro funcionário, em outra mesa de escritório, disse para Lisl, quando chegou sua vez:

— Seu passaporte.

O funcionariozinho nojento molhou um carimbo em uma tinta vermelha e o pressionou no canto do passaporte.

Quando o rapaz tirou o carimbo — o passaporte de Lisl agora estava marcado com um J vermelho de três centímetros de altura, de "Judeu"; não interessando que seu casamento havia sido na igreja católica e toda a sociedade de Viena tenha comparecido , Eichmann e seu cão com as patas secas entraram no salão. Um outro nazista o seguiu, e os dois homens viram quando o funcionário pressionou outro carimbo sobre seu nome do meio, Elizabeth. Elizabeth, nome que soava mais britânico do que judeu. Talvez o motivo de seus pais o terem escolhido. Quando o homem levantou o carimbo, o nome estava encoberto por "—Sara—" em tinta roxa. Sara, uma mulher tão bonita que seu marido tinha medo que homens mais poderosos a roubassem dele. Sara, a altruísta, que, acreditando-se estéril, enviou sua empregada egípcia para a cama do marido. Sara, a mulher que depois de ser visitada por Deus aos cem anos de idade, carregou um filho no ventre. Lisl não conhecia nada sobre a história de Sara até agosto, quando os nazistas começaram com essa prática de carimbar os passaportes das mulheres judias com esse nome, e os dos homens com "Israel".

O homem que estava com Eichmann disse para ele:

— Está vendo? Está funcionando como uma fábrica automática, Obersturmführer Eichmann. De um lado, entra um judeu que ainda tem dinheiro, uma fábrica, uma loja, ou uma conta no banco. Ele passa pelo palácio inteiro, de ponta a ponta. Quando sai do outro lado, não tem nem dinheiro, nem direitos. Tem somente um passaporte, no qual está escrito: você precisa sair desse país em duas semanas. Se fracassar, irá para um campo de concentração.

O funcionário devolveu o passaporte de Lisl.

Eichmann olhou para ela do jeito que os homens costumavam fazer, mas falou:

— Não pense que você vai atravessar a fronteira escondida agora. Os suíços não querem vocês, judeus, assim como nós não queremos.

Mas Lisl não precisaria atravessar a fronteira escondida. Ela havia insistido durante meses que não abandonaria Herman, que não abandonaria Ruchele, mas no dia 23 de setembro, Hitler havia ocupado a Sudetenland da Checoslováquia, sem objeção de nenhum outro país do mundo, e na manhã seguinte, ela dera permissão para Michael começar a providenciar a passagem dela para Shanghai. Levou mais de um mês, e ele teve de pagar uma pequena fortuna para garantir um leito para ela em um navio, que partiria em dois dias. Ela ainda não havia contado para Herman. Não sabia como dizer ao irmão que planejava fugir. Mas estava passando pelo processo agora: movendo-se de um salão para outro.

Tinha sorte, relembrou a si ao passar para o salão seguinte. Seus bens haviam sido transferidos para Michael, que os protegeria até que o mundo se ajeitasse. Ela só precisava se privar dessas pequenas coisas: seu casaco de pele menos valioso, algumas joias cuidadosamente escolhidas, o guarda-chuva que poderia tê-la mantido seca, seu nome, sua dignidade.

A INVASÃO

Ainda nem tinha amanhecido, e estava frio para o início de novembro. Eichmann vestia seu sobretudo. Ele preferia comandar essas invasões durante o dia, com público para espalhar a mensagem de que todas as pessoas em Viena deveriam temer Adolf Eichmann. Mas não arriscaria a possibilidade de protesto contra a prisão de uma mulher ariana — mãe e viúva, apesar de fazer parte da Lügenpresse, a imprensa mentirosa. Sim, o *Vienna Independent*.

Os soldados finalmente arrombaram a porta e adentraram a casa. Começaram a arrancar as gavetas dos arquivos e escrivaninhas e espalhar o conteúdo pelo chão, procurando algum material comprometedor. Reviraram mesas e cadeiras, quebraram janelas e escreveram "Adoradores de Judeus" nas paredes e do lado de fora do prédio, com a tinta escorrendo das letras, demonstrando o trabalho malfeito. Ele deixou que os soldados se divertissem. Também havia sido indisciplinado na juventude — todas aquelas brigas em Linz antes de se mudar para a Alemanha. E a fúria jovem podia ser usada como uma vantagem. O que poderia ser mais assustador do que rapazes jovens imbuídos de uma raiva desenfreada, livre do fardo de qualquer sentido?

Um dos jovens de Hitler, um garoto grande e com cara de idiota, apontou uma pistola para o Linótipo. Ele atirou uma vez e depois outra; os tiros ricocheteavam no metal duro.

— Pare com isso, seu idiota — comandou Eichmann, mas o garoto tinha se entregue ao desejo.

— Dieterrotzni! — gritou um garoto mais velho.

O mais novo virou-se, ainda com a pistola apontada. O mais velho pegou a arma da mão dele, dizendo:

—Você quase me matou, seu fedelho.

O menino se encolheu, e depois levantou uma cadeira de metal e começou a batê-la na máquina.

UM É SEMPRE MELHOR QUE ZERO

Žofie-Helene estava na mesa tomando café da manhã com a mãe, o avô e Jojo, quando o barulho de botas marchando ecoou pela escada do prédio. A mãe levantou-se em silêncio, foi para o quarto e ergueu o pequeno tapete nos pés da cama. Junto com o tapete, vieram as tábuas do piso, disfarçado com uma dobradiça invisível. Ela entrou naquele espaço estreito entre o chão e o teto do apartamento de baixo.

— Vocês não sabem onde a mãe de vocês está, entenderam? — disse o vovô para Žofie e Jojo, enquanto a mãe fechava o esconderijo. — Ela está viajando, trabalhando em uma reportagem, lembram? Como treinamos.

Uma batida na porta do apartamento, e Žofie olhou assustada para a xícara de café e a tigela de cereais da mãe.

Seu avô abriu a porta e deparou-se com um grupo de nazistas.

— O que posso fazer por vocês, senhores? — perguntou.

Johanna se sentou, apavorada, na mesa, que agora só tinha dois lugares arrumados. Žofie ficou de pé, enchendo a pia com água, e bolhas de sabão cobriam a sua tigela e a da mãe, ainda cheia de cereais, e a xícara de café.

— Käthe Perger — falou um homem em seu sobretudo.

O pastor alemão que tinha vindo com ele sentou-se na porta, imóvel.

— Desculpe, mas Käthe não está, Obersturmführer Eichmann. Posso ajudá-lo? — perguntou o vovô calmamente.

Johanna começou a chamar pela mãe, chorando. Žofie correu para acalmá-la, as mãos pingando água com sabão pelo chão.

Os nazistas invadiram o apartamento, abrindo armários e procurando debaixo das camas, enquanto Eichmann interrogava o vovô, que continuava insistindo que a mulher não estava ali.

No quarto da mamãe, um nazista pisou no tapete.

— Vovô Perger — disse Žofie.

Otto olhou para ela. Nunca, em toda a sua vida, ela o havia chamado de Vovô Perger, embora fosse realmente seu nome. Ela piscou para ele, na esperança de que ele visse o nazista tão perto de sua mãe e fizesse algo para impedir que o homem levantasse o tapete.

— Estou lhe dizendo, ela está viajando, trabalhando em uma reportagem! — gritou vovô para Eichmann, tão alto e desrespeitoso que até o cachorro se virou. — Ela é jornalista, uma das fiéis à verdade. Vocês não se importam com seu país o suficiente para quererem saber a verdade do que acontece aqui?

Eichmann colocou uma arma na cabeça do vovô. Ele ficou completamente imóvel, assim como Žofie-Helene. Até Jojo ficou parada.

— Nós não somos judeus — afirmou o vovô, bem baixinho. — Somos austríacos. Membros leais ao Reich. Sou veterano de guerra.

Eichmann abaixou a arma.

— Ah, o pai do marido morto — concluiu.

Ele se virou e viu todos o olhando. Parecia gostar daquilo, do poder de fazer o que quisesse enquanto todo mundo olhava.

Encontrou os olhos de Žofie-Helene e a encarou. Ela sabia que era para desviar o olhar, mas não conseguiria fazê-lo, mesmo se quisesse.

Ele se aproximou dela acariciando a pistola. Chegou perto e encostou no braço de Johanna, esfregando-o também.

— E você deve ser a filha que estuda na universidade? — perguntou para Žofie.

— Sou muito talentosa em matemática — respondeu Žofie.

O homem soltou uma risada que saiu na forma de um irregular eneágono, com ângulos retos e linhas inclinadas. Tentou apertar a bochecha de Johanna, que virou o rosto, afundando-o no peito da irmã. Žofie desejou ser tão pequena quanto Jojo, para esconder-se em alguém mais forte. Ela nunca tinha sentido tanta saudade do pai.

Eichmann tocou no cabelo de Johanna com uma delicadeza que Žofie não achou que pudesse vir dele.

— Você será tão bonita quanto a sua irmã mais velha — disse ele para a menina com o rosto escondido —, e o que faltar de inteligência você provavelmente compensará com a modéstia que sua irmã não tem. — Ele se aproximou um pouco mais de Žofie, parando a uma distância desconfortável, e acrescentou: — Você vai dar um recado meu para a sua mãe. Diga a ela que o Herr Rothschild está feliz de nos ver usando seu pequeno palácio na Prinz-Eugen-Strasse. Ele garantiu para nós que os judeus estão tão interessados em sair de Viena quanto nós estamos em ajudá-los nisso, e portanto ele está contente que sua casa seja utilizada como centro para emigração. Rothschild diz ter mais casas do que precisa. Embora aprecie a preocupação da sua mãe, ele gostaria de assegurar a ela que mais notícias sobre esse assunto não o beneficiarão, e tampouco a ela. E nem a você ou à sua irmã. Você consegue se lembrar disso?

— Herr Rothschild está feliz por vocês estarem usando seu pequeno palácio na Prinz-Eugen-Strasse — repete Žofie. — Ele garante que os judeus estão tão interessados em sair de Viena quanto vocês estão em ajudá-los nisso, e está contente que sua casa seja utilizada como centro para emigração dos judeus. Ele diz ter mais casas do que precisa. Embora aprecie a preocupação da mamãe, gostaria de assegurar a ela que mais notícias sobre esse assunto não o beneficiarão, nem a ela, a Johanna ou a mim.

O homem deu uma risada horrível novamente, e então se virou para a porta e disse:

— Tier, acho que encontramos um par para você.

— Žozo, eu não gosto desse homem — reclamou Johanna, enquanto Otto olhava pela janela, confirmando que os nazistas tinham ido embora.

Eles entraram em seus carros, enquanto um garoto segurava a porta para o cachorro, e viraram a esquina. Otto continuou olhando, até ter certeza de que não voltariam.

Finalmente, fechou a cortina, apagou a luz e levantou o tapete do quarto. Käthe saiu do esconderijo e, sem dizer uma palavra, abraçou Žofie e Jojo.

— Käthe — afirmou Otto — você *precisa* parar de escrever. Precisa mesmo...

— Estão arrancando tudo dessas pessoas, Otto — interrompeu Käthe. — Elas estão sendo deixadas sem nada além de um visto de saída e a esperança de que alguém do outro lado do oceano possa pagar para enviá-las para Shanghai, o único lugar que restou com as portas abertas.

— Eu posso sustentar você e as meninas — insistiu Otto. — Posso deixar meu apartamento e me mudar para cá. Seria mais fácil e eu me sentiria…

— Alguém precisa enfrentar os errados, Otto — retrucou Käthe.

— Você não pode ganhar essa guerra sozinha, Käthe! Você é uma só!

Žofie-Helene disse, baixinho:

— Mas um é sempre melhor do que zero, vovô, mesmo o zero sendo mais interessante matematicamente.

Otto e Käthe olharam para ela, surpresos.

Käthe beijou a cabeça da filha.

— Um é sempre melhor do que zero. Sim, é isso mesmo — disse ela. — Seu pai lhe ensinou direitinho.

KRISTALLNACHT

Mais uma das lâmpadas do pequeno quarto gelado queimou e deixou tudo escuro, enquanto Stephan contemplava seu último peão, com medo de olhar para o outro lado do tabuleiro e ver seu pai tentando ignorar o caos que se instaurava do lado de fora. Eles haviam feito tudo que podiam para arrumar a porta do quarto, prendendo a moldura de madeira com os pregos tortos que haviam sido recuperados e preenchendo os buracos com pedaços de jornal velho. Mas, ainda assim, o barulho dos passos fortes das botas lá embaixo, nos andares principais, chegava até eles pela porta quebrada, enquanto o lado de fora adentrava — o barulho e o frio — pela única janela fina da sala de estar dos empregados.

Ele levantou os olhos e viu Mutti sentada em sua cadeira de rodas, encolhida debaixo de um cobertor; estava assim desde que o barulho começara, não muito depois das quatro da manhã.

— Mutti — chamou ele. — Por que não me deixa levá-la para o sofá ou para a cama?

— Agora não, Stephan — respondeu ela.

Stephan levantou-se da mesa, retirou as luvas e as colocou ao lado do tabuleiro de xadrez. Jogou mais um pedaço de carvão na brasa, em uma vã tentativa de deixar o ar mais aquecido. O quarto dos pais, o quarto de serviço ao lado, não estava mais quente, pois eles haviam removido o batente da porta para abrir caminho para a cadeira de Mutti. Não havia carvão suficiente para iluminar os três braseiros, nem sequer para manter um único levemente aceso.

— Vou conferir se fechamos a janela do quarto do Walter — disse ele.

— *Nosso* quarto — corrigiu Walter.

Embora seu irmãozinho também não amasse as novas acomodações, assim como Stephan, ele estava entusiasmado que agora os dois dividiam um quarto.

— Você já conferiu — disse o papai.

Mas Stephan já estava no quartinho, do qual o batente da porta também havia sido removido. Olhou novamente pela janela, para rapazes desordeiros quebrando vitrines de lojas, como haviam feito durante o dia inteiro, em plena luz do dia, e ninguém os impedira. Um homem do outro lado da rua era arrastado para fora de seu prédio. Stephan achou que era Herr Kline, ex-dono da banca de jornal, embora não pudesse ter certeza, com a multidão ao redor dele. Eles o colocaram dentro de um caminhão aberto, já repleto de homens.

Stephan sentiu, mais do que viu, Walter aparecer ao seu lado.

— Oi, Wall — disse ele, pegando o irmão no colo antes que o pequeno visse o que estava acontecendo.

Voltou para a saleta com sua janela escura, para a mesa e o tabuleiro de xadrez, onde sem muita consideração, ele movera seu último peão remanescente um quadrado adiante, para ameaçar a torre do pai. Seu pai deslizou a rainha na diagonal, capturando o peão de Stephan e sua última chance de substituir sua rainha perdida. Ele tinha que se entregar. Sabia que estava derrotado, e seu pai o havia ensinado que quando se percebe como um jogo vai terminar, ganhando ou perdendo, é preciso finalizá-lo; o xadrez não é uma questão de ganhar ou perder, mas de aprendizado, e quando se visualiza como uma partida vai terminar, não há mais nada a aprender. Mas terminar o jogo seria retornar ao caos do lado de fora e às botas marchando na escada do palácio. Aquilo deixava Stephan nervoso, o som de todos aqueles nazistas em cômodos que eram da sua família. Ele diria que ficaria acostumado com aquilo, mas essa noite tinha tanta coisa acontecendo, tantas vozes chegando ao andar dos empregados.

— Herman, Stephan, subam para o terraço, rápido! — sussurrou a mãe, preocupada, justo quando ele percebeu os passos de botas não só nos andares principais, mas vindo em direção a eles.

Stephan abriu a janela, escalou até a borda e, utilizando a cariátide ao lado da janela como suporte para os pés, subiu para o terraço. Ele recuou para ajudar o pai. Seu pai hesitou, perdendo o equilíbrio.

— Papa! — sussurrou ele, empurrando-o de volta para o pequeno quarto de serviço, para que ele não caísse. — Papa, aqui, segure a minha mão —

disse, mais calmo, incentivando o pai a recuperar o equilíbrio e tentar sair pela janela novamente.

— Vai! — disse o pai. — Vai, filho!

— Mas Papa...

— Vai, filho!

— Mas para onde?

— Não sabemos, e por isso não podemos dizer. Mas corra! Não volte até ter certeza de que está tudo bem, você precisa prometer. Não coloque sua mãe em risco.

— Eu... Esconda-se, Papa!

— Vai!

— Coloque "Ave Maria" para tocar quando estiver seguro para eu voltar. Está na vitrola.

— Talvez nunca fique seguro — afirmou o pai, fechando a janela e deixando um pedaço aberto, sem perceber.

— Herman! — advertiu Mutti.

Stephan, pendurado de cabeça para baixo na beira do terraço, assistiu pela janela a seu pai entrar no armário. Walter fechou a porta — Walter, que era novo demais para entender o que estava acontecendo e mesmo assim, apesar de todas as tentativas de esconder tudo dele, já entendia o que se passava.

Após um segundo, seu pai abriu o armário e puxou Walter para dentro também.

Enquanto Mutti ia com a sua cadeira de rodas até lá — por sorte, ela ainda estava na cadeira — e fechava a porta do armário, Stephan se esticou e abriu um pouco mais a janela. Se os nazistas o seguissem no terraço, talvez ele conseguisse escapar. Se abrissem o armário, seu pai estava condenado.

Condenado. Stephan tocou em seu lábio inferior, no calombo onde o corte havia cicatrizado com imperfeição. Sim, ele sabia do que esses homens eram capazes.

Ele esperou, ouvindo a batida na porta, a invasão no apartamento e a pergunta:

— Seu marido, onde está?

Ele duvidava de que os nazistas fossem levar uma criança tão pequena quanto Walter; não iam querer esse problema. Mas, cada vez mais, aqueles homens superavam suas expectativas. De toda forma, ele não poderia ajudar Mutti se também fosse levado, e ela não sobreviveria sem ajuda.

    Ele correu em silêncio para o outro lado do terraço, em direção à árvore que ficava perto da janela do seu antigo quarto, e olhou para baixo, pelo meio dos três galhos. Ali mesmo na calçada, um soldado fazia a patrulha com uma fera terrível disfarçada de cão. Mas não era culpa do cachorro. Ele só estava tentando agradar seu dono. Era isso o que os cães faziam.

UMA NOITE FORA DE CASA

Truus sentou-se com Klara van Lange à mesa da recepção da casa dos Groenveld, na Jan Luijkenstraat, onde elas promoviam um evento beneficente para o Comitê das Crianças Refugiadas da Holanda, o tipo de reunião pequena que se costumava fazer naqueles dias — embora menos frequentes agora que o tempo tinha mudado e que uma festa do lado de fora era inviável. As caixas de doação estavam atrás delas, no hall de entrada, lotadas de roupas. O último casal havia chegado. Os preparativos para o jantar pareciam correr bem, deixando a sra. Groenveld livre para ficar ao lado da mesa da recepção, cumprimentando os convidados. Truus viu quando o filho mais novo dos Groenveld foi levado de volta para cama pelo pai, nessa casa para onde, com muita frequência, ela trazia crianças da Alemanha. Dentro de alguma gaveta ou de algum armário estaria o pente que elas haviam usado para tirar os piolhos do pequeno Benjamin (qual era mesmo o sobrenome dele?) antes de decidirem finalmente raspar sua cabeça. De fato, não havia mais nada que pudesse ser feito.

O sr. Groenveld juntou-se à sua mulher, a Truus e a Klara, que agora estava nitidamente grávida. O médico começou a contar a elas sobre um garoto chamado Willy Alberti, que os Groenveld tinham ouvido cantar em algum lugar.

Joop aproximou-se também, enquanto ouviam sobre as conquistas do filho mais velho da família no esporte *fierljeppen*, como se a habilidade para saltar um rio usando uma vara fosse algo que demandasse muito treino. Mas todos estavam rindo da história que a sra. Groenveld contava sobre um rapaz que acabou dentro da água na última competição — o que, aparentemente, era a parte divertida de assistir ao esporte.

Joop, atrás de Truus, ria à beça, e Truus também. Fazia bem para a alma rir com os amigos.

Quando a história terminou, Joop, conhecido pela sua dança animada e nada elegante, disse a Truus:

— Minha esposa, correndo o risco de me tornar o entretenimento da noite, será que você dançaria comigo? Prometo não tentar saltar dentro da água, e peço desculpas com antecedência pelos seus dedos do pé.

Estava tocando uma valsa, e Truus amava dançar valsa.

— Vá, Truus — incentivou Klara. — Você passou a noite toda trabalhando enquanto todo mundo estava se divertindo.

PAPA

Stephan deitou no terraço, olhando e ouvindo, chocado demais para sentir frio. Na cidade inteira, fogueiras subiam aos céus, prédios estavam em chamas, e mesmo assim nenhum barulho de sirene, nenhum caminhão de bombeiro. Como aquilo era possível? A alguns quarteirões, na direção do antigo bairro judeu, uma chama surgiu e, com ela, uma animação tão alta que Stephan ouvia mesmo de tão longe.

Na rua de baixo, um caminhão aguardava com a traseira lotada de homens e rapazes em silêncio. Rolf, que agora abria as portas do palácio para as visitas dos nazistas e, em caso de mau tempo, segurava o guarda-chuva para eles, reverenciou um soldado nazista que subiu no caminhão. Pareceu levar uma eternidade para três nazistas saírem pelas portas que Rolf segurava abertas. Papa não estava junto.

Os nazistas juntaram-se ao motorista, acendendo cigarros e rindo.

Novamente, Rolf abriu a porta.

Papa foi o primeiro a sair dessa vez, seguido por um nazista que segurava uma pistola Luger apontada para sua cabeça.

O soldado com o cachorro abriu a porta de trás do caminhão, e dois homens na carroceria estenderam a mão para ajudar Papa a subir no veículo.

Papai virou-se para os soldados:

— Mas vocês não estão entendendo — disse ele. — Minha mulher está doente. Ela está morrendo. Não consegue...

Um soldado ergueu um cassetete bem alto e bateu com força no ombro do Papa, que caiu na calçada. O cachorro latia raivoso para ele, e o soldado bateu o cassetete com força na perna do Papa, e novamente em seu braço, e depois na sua barriga.

— Levante-se, a não ser que queira ver o que é morrer de verdade — mandou o soldado.

O mundo inteiro pareceu tomado pelo silêncio. Os soldados, os homens e os rapazes no caminhão, e até o cachorro, ficaram suspensos naquele instante, enquanto Papa estava deitado no chão, imóvel.

Você precisa fazer o que eles mandam, Papa, Stephan pensou com toda a força que tinha, como se pudesse induzir seu pai a fazer aquilo somente com a força do pensamento. Não pode desistir como eu fiz no parque. Só percebendo no momento em que pensou nisso. Sentiu vergonha de seu próprio desejo de desistir. Será que ele estaria vivo se aquele casal de idosos não o tivesse ajudado?

Papa rolou no chão e ficou de lado, gritando de dor. O cachorro, latindo com muita raiva agora, lançou-se na direção dele, e só foi freado pela extensão de sua coleira.

Papa conseguiu se ajoelhar e lentamente arrastou-se em direção à carroceria do caminhão. Quando estava perto, dois homens lá dentro estenderam a mão novamente e cada um segurou um braço do Papa. Eles o ergueram e o seguraram daquele jeito. Um terceiro homem se aproximou, colocou os braços ao redor da cintura do Papa e o colocou dentro do veículo, enquanto os outros abriam espaço para ele respirar. Papa deitou com o rosto para cima, imóvel na carroceria.

Stephan lutou contra a vontade de ir até a beira do terraço, para que seu pai pudesse vê-lo, para gritar que ele não podia confrontá-los, ele tinha apenas que sobreviver.

Os soldados bateram a porta do caminhão, aprisionando seu pai, que desapareceu da vista de Stephan no meio dos homens e rapazes. O motorista entrou de volta e ligou o caminhão.

Stephan assistiu em silêncio ao caminhão partir rumo ao arco enorme da Ringstrasse, ao canal e ao rio. Ele aparecia e sumia por trás dos bondes e caminhões e lojas, e, por fim, sumiu completamente. O garoto observou o vazio do caos deixado em seu rastro, as chamas por toda a cidade e as multidões em comemoração; o silêncio impossível dos caminhões de bombeiro.

À ESPERA

Stephan andou de volta pelo terraço até a janela da saleta do andar de serviço e agachou-se, tentando não fazer nenhum barulho e não jogar nenhuma pedra do chão. Ouviu atentamente, em meio ao caos da noite, para saber o que estava acontecendo lá dentro.

— Peter e eu podemos pegar — ouviu Walter dizer.

Ele agachou na beira do terraço para espiar pela janela. Mutti estava empurrando sua cadeira até a vitrola, onde o pobre Walter segurava a patinha de pelúcia de Peter em uma das mãos enquanto tentava ajeitar a mesa onde a vitrola estava. Stephan estava se esticando para alcançar a janela quando a porta do corredor se abriu novamente. Walter abraçou com força seu coelho, para protegê-lo, enquanto Stephan ergueu-se de volta e sumiu de vista.

— Wall — chamou uma voz. — Frau Neuman.

Wall? Stephan ouviu mais atentamente.

Alguém começou a reorganizar o tabuleiro de xadrez e suas peças, como se fosse sentar para jogar.

— Nós não sabemos onde ele está — disse Mutti.

— E você, Walter? — A mesma voz perguntou. A voz de Dieter. — Você sabe onde Stephan está?

— Ele também não sabe — insistiu Mutti.

— Eu posso ajudá-lo — afirmou Dieter. — Ele é meu amigo. Eu quero ajudá-lo.

Stephan queria acreditar nele, queria que alguém lhe ajudasse, queria não estar do lado de fora sozinho nessa noite assustadora. Não havia mais nenhuma voz além das de Dieter e de Mutti. Talvez Dieter tivesse voltado simplesmente para ajudar. Mas junto às memórias de explorar a cidade de bicicleta com Dieter, ensaiar peças, procurar por Stefan Zweig em cafés pela cidade, estava o rosto do amigo vaiando com os outros garotos no

Prater Park, enquanto os nazistas chutavam Stephan e mandavam que ele marchasse.

Dieter sabia, assim como todo mundo, que Stephan podia escapar pela janela e descer pela árvore para sair durante a noite. Stephan hesitou, dividido entre a certeza de que Dieter sairia pela janela à sua procura — para ajudá-lo? Ou para colocá-lo no caminhão? — e o medo de deixar Mutti e Walter nas mãos de Dieter, para ele fazer sabe-se lá o quê com eles.

— Nem Peter sabe onde o Stephan está — confirmou Walter.

Stephan enxugou seu rosto e olhou para o horizonte; as chamas se espalhavam por toda a cidade. Ele não era páreo para a força de Dieter, e se fosse encontrado, Mutti e Walter seriam descobertos mentindo.

Ele mapeou em sua mente o caminho mais fácil para chegar aos túneis subterrâneos. Não havia outro lugar para ir. Se conseguisse descer da árvore sem ser pego, poderia entrar pela loja a uns vinte e cinco passos dali, na Ringstrasse. Vinte e cinco passos perigosos, no meio das multidões baderneiras. Ou ele poderia seguir pela rua de trás até o bueiro entre a casa e a Michaelerplatz, um caminho mais longo para percorrer, mas talvez mais fácil de não ser visto. Ou ele podia simplesmente confiar em Dieter. Havia mais alguma opção?

A NOTÍCIA

— Truus?

A mulher tirou os olhos do rádio e olhou para a mesa estreita, em choque. Joop estava de pijama, iluminado pela luz da lua que entrava pela janela.

— Eu não queria acordar você — disse ela.

Tinha deixado as luzes apagadas e o rádio tão baixo que mal conseguia ouvir, mesmo com a orelha grudada nele.

— Volte para cama, Truus. Você precisa descansar.

Truus assentiu, mas não se mexeu da cadeira. Era inaceitável. Eles haviam tido uma noite tão agradável na casa dos Groenveld que quando chegaram em casa, ligaram o rádio e dançaram descalços pelo apartamento, juntos, como de costume antes de fazer amor. Mas não havia música nenhuma. Havia somente as terríveis notícias da Alemanha, todo o Reich estava em chamas por conta do assassinato de um diplomata de baixo escalão em Paris por um garoto polonês, triste por seus pais terem sido pegos na fronteira, entre um alemão querendo enviá-los para casa e um polonês recusando-se a aceitá-los.

— Toda a polícia está nas ruas de Berlim desde as oito da noite, assim como centenas de guardas do Exército. Com certeza o caos já terminou — disse Joop.

— Estão dizendo que até as mulheres estão sendo espancadas — afirmou ela. — Estão dizendo que as gangues estão com gana de destruição, que estão perseguindo os judeus pelas ruas, dia e noite. Você consegue imaginar isso? Enquanto nós estávamos rindo no jantar. Enquanto estávamos dançando valsa, sem nenhuma ideia do que acontecia no mundo.

Joop balançou a cabeça.

— Se o povo alemão não se rebelar agora, ficará arruinado.

— Goebbles falou pela segunda vez hoje, mas as palavras dele não estão tendo impacto algum.

— Ele está falando em código — retrucou Joop. — Eu disse isso ontem, não disse? Quando ouvimos o que ele falou naquele encontro em Munique. No mesmo discurso em que anunciou a morte de vom Rath, ele colocou a culpa em uma conspiração judia e disse que o partido não vai organizar manifestações, mas também não vai impedi-las.

— Mas não faz sentido — falou ela. — Por que essa morte em Paris despertou rebeliões por todo o Reich?

— É isso o que estou dizendo, Truus. Não é uma causa. É uma desculpa. Quando Goebbles disse que não impediria manifestações, ele estava *incitando* essa violência. É o que os nazistas fazem tão bem. Eles inventam uma crise, como fizeram com o incêndio no Reichstag em 1933, que depois usam para aumentar o controle militar. Eles querem que todos os alemães vejam o estrago que podem causar em um estalar de dedos. Querem que todos os alemães saibam a violência que podem usar contra qualquer um, pela ofensa mais descabida possível. O que pode ser melhor para silenciar os cidadãos que se opõem ao regime do que a perspectiva de que a resistência vai prejudicar suas famílias e sua vida?

— Mas agora não são só os nazistas. Estão dizendo que multidões de cidadãos comuns alemães estão enchendo as ruas para olhar os destroços e *comemorar*. "Como turistas em um parque de diversões", Joop. Onde estão os cidadãos decentes da Alemanha? Por que eles não estão protestando contra isso? Onde estão os líderes do mundo?

— Você deposita mais fé nos políticos do que eles merecem. Eles se acovardam com a menor ameaça ao seu próprio poder, embora seja claro que ninguém além de Hitler tenha poder na Alemanha agora. — Ele deu um beijo na cabeça da esposa. — De verdade, Truus, você deveria voltar para cama.

Ela o observou sair pelo corredor, dirigir-se para a cama confortável deles, na casa confortável deles, em um país que estava livre do terror. Ele estava certo. Não havia nada que se pudesse fazer agora, durante a noite. Ela deveria segui-lo de volta para cama e tentar dormir um pouco. Mas como conseguiria dormir?

Joop apareceu novamente, vestindo seu robe, trazendo o dela e dizendo:

— Está bem, então. Vá em frente e aumente esse rádio. Você quer que eu acenda a luz?

Enquanto ele a ajudava a vestir seu robe, ela se arrepiou com o pensamento de que poderia perdê-lo, de que os nazistas não precisavam de um motivo real para prender quem quisessem.

Ele aumentou o volume do rádio, puxou a cadeira para o lado dela e segurou sua mão. Ficaram sentados, ouvindo juntos sob a luz da lua.

— Joop — disse ela. — Eu pensei em pegar emprestado o carro da sra. Kramarsky durante o dia, só para ir até a fronteira.

— Está perigoso demais agora, Truus.

— Você viu aquelas crianças.

— Você colocaria sua vida em risco. Geertruida, o médico disse...

— Você quer que eu fique sentada agora, Joop? Justamente quando é tão importante se levantar?

Joop respirou fundo e voltou para a cozinha para servir um café: o som da porta do armário se abrindo, a água da pia, os grãos de café caindo no metal da cafeteira, enquanto a voz do rádio continuava. Ele voltou com duas xícaras esfumaçando, e disse:

— Você vai só pegar as crianças que já tiverem conseguido sair da Alemanha, como faz normalmente?

Truus aceitou uma xícara de café, hesitando conforme ele se sentava novamente com ela. Ela bebeu um gole daquela bebida forte e quente.

— Os pais enviam seus filhos em trens para Emmerich am Rhein — respondeu ela. — Existe uma fazenda lá na fronteira... É perigoso demais para o fazendeiro e sua mulher receberem as crianças, mas...

— Eles ligam para você?

Truus assentiu.

— O comitê liga para mim.

— Você é a pessoa que atravessa a fronteira para buscá-las? Você entra na Alemanha para buscar crianças sem nenhuma documentação?

Truus assentiu novamente.

— Ah, Truus.

Inconscientemente, ela encostou os lábios em seu anel de rubi, depois olhou para ele, um pouco surpresa ao perceber que o anel que Joop lhe dera na primeira vez em que ficara grávida não estava lá, e sim com os irmãos refugiados.

— Eu sei, mas… Joop, eu…Eu nunca contei nada para você, mas… A pequena Adele…

— Você trouxe a Adele em um trem com outras trinta crianças, Truus. Você e a sra. Van Lange. Você tinha a documentação delas…

— Sim, mas… — Ela pegou a mão dele, esforçando-se para não chorar. — Ela não resistiu.

— O que está dizendo? Não entendi.

Ela olhou para as mãos entrelaçadas deles naquela mesa firme, a palma da mão dele enorme, seus dedos fortes e escuros contra a pele clara dela.

— Adele… Eu… Difteria.

— Não. Não, Adele está na Inglaterra. Os Bentwich…

— Ela tinha uma mãe, Joop — sussurrou ela com lágrimas escorrendo, mas com o olhar nele. Ele agora também abrindo caminho para o próprio sofrimento, para a dor por essa criança que nunca havia sido deles. — Eu deveria tê-la devolvido para os braços da mãe — desejou ela. — Eu deveria tê-la colocado nos seus braços.

A "AVE MARIA"

Ruchele segurou Walter perto dela enquanto o garoto nazista voltava da janela e assumia a tarefa de restabelecer a ordem nos cômodos. Ele levantou a mesa de canto do chão e depois a vitrola. Colocou o disco de volta no tocador.

— A senhora gostaria que eu a ligasse novamente, Frau Neuman? — perguntou ele.

— Não! — gritou Ruchele.

Vendo a expressão de surpresa do garoto, ela disse, um pouco mais calma:

— Não, por favor. Acho que não suportaria ouvir música. — Dieter, ela quase completou, mas se ela o chamasse pelo apelido, será que ele ficaria ofendido? Se ela o chamasse de Oficial, será que quebraria o feitiço da culpa, que certamente era o que o mantinha ali, ajudando-os, apesar da posição arriscada em que isso o colocava perante seus novos amigos? — Obrigada — completou ela.

— Vou colocar mais um carvão aqui — afirmou ele.

Ele abriu a caixa de carvão. Só restavam alguns pedaços. Enquanto olhava com tristeza para ela, viu as luvas de Stephan, que haviam sido derrubadas da mesa. Ele pegou as luvas do chão e disse:

— Se você souber aonde ele foi, eu posso encontrá-lo. Posso dizer a ele que é seguro voltar. Está muito frio lá fora. Ele levou pelo menos um casaco?

Ela engoliu a vontade de aceitar a ajuda dele, sabendo que não poderia esperar bondade de mais ninguém.

— Você tem certeza de que não quer ouvir música? — perguntou ele. — Poderia acalmá-la.

Ruchele, cuidadosa para não olhar na direção da pequena janela suja, agora completamente fechada, disse:

— Obrigada. Muito obrigada, mas não. Walter pode fazer isso para nós, se quisermos ouvir música. Será que você poderia abrir a janela só um pouquinho, para entrar um pouco de ar fresco?

O garoto abriu uma fresta da janela, fez uma reverência e deixou Ruchele apertando seu filho mais novo, ouvindo se o silêncio do lado de fora da porta era o amigo de Stephan voltando para se juntar aos seus camaradas, ou se era o garoto sorrateiramente esperando no corredor o retorno de Stephan.

O relógio marcou quinze minutos, e depois trinta.

— Walter — pediu Ruchele. — Você pode espiar do lado de fora da porta para ver se o garoto está ali?

— Dieter fedelho — disse Walter, não em sua voz normal, mas imitando a de Peter Rabbit.

Ele abriu uma fresta da porta e espiou, depois abriu um pouco mais e olhou do lado de fora.

— Tudo certo, então — falou Ruchele para ele.

— Eu posso ligar, Mutti — afirmou Walter. — Eu posso ligar.

— A vitrola?

— Para Stephan — disse Walter.

— Para Stephan — repetiu Ruchele.

O menino foi até a pequena vitrola e ligou a música — uma tarefa que ele sempre amara fazer, mas não havia alegria alguma em seu rosto naquele momento, somente uma concentração profunda enquanto colocava a agulha no lugar. A música começou. O disco estava quebrado, mas ainda assim, as primeiras notas de "Ave Maria" ressoaram no cômodo frio.

— Venha para o meu colo para me aquecer — pediu ela a ele. — E o Peter também.

Assim ele fez, e os dois ficaram sentados, esperando. Walter descia do colo dela toda vez que o disco chegava ao fim, para levantar a agulha e colocá-la no início de novo; e "Ave Maria" recomeçava.

LUTANDO CONTRA O FOGO

Stephan chegou dentro da câmara de grãos de cacau do Papa (agora, câmara de grãos de cacau do tio Michael), com as mãos no bolso do casaco, para ter a ilusão de aquecimento. Quanto tempo ele havia ficado no túnel subterrâneo? Com certeza já devia ter amanhecido, o caos da noite já devia ter acabado, apesar de não ouvir o barulho dos trabalhadores chegando à fábrica de chocolates no andar de cima. Ele pegou a lanterna no último andar da escada e desceu até a caverna mais abaixo, ignorando as lembranças de Žofie ali, enquanto trilhava seu caminho rumo à saída da caverna mais profunda em direção ao pequeno túnel, e subia a escada circular. Quando chegou ao topo, empurrou um dos triângulos de metal, o suficiente só para espiar. Ainda estava escuro. Ainda havia gente por toda parte.

Ele voltou para o túnel e apressou-se até um dos bueiros fechados com grade, onde poderia ver com mais facilidade, sem ser visto. Mesmo antes de subir os degraus de metal na parede do túnel, ele ouviu a multidão.

Lá no topo, enquanto ele olhava para fora pela grade, como se fossem as barras de uma prisão, os baderneiros estavam ainda mais loucos de raiva. *O que a noite tem a ver com o sono?* Delinquentes, era como Stephan gostaria de chamá-los, mas eram as mesmas pessoas para quem, havia pouco tempo, ele teria pedido desculpas enquanto corria pela Ringstrasse.

Essa multidão estava reunida na porta de uma das sinagogas, como se estivesse vendo a árvore de Natal iluminada na Rathausplatz. Mas não havia nenhuma banca de castanhas nem tenda de ponche. Somente pessoas reunidas, celebrando com cada chama, e bombeiros, completamente imóveis na frente de Stephan. Ele observava pela grade de metal, incapaz de entender por que eles não estavam lutando contra o fogo.

Um grupo da Tropa de Assalto arrastava um senhor deficiente de seu apartamento, enquanto sua mulher ia atrás, implorando para largarem seu marido e dizendo que ele não podia machucar ninguém. Os bombeiros viraram-se para ver, mas não se mexeram para ajudar o pobre casal. Ninguém se moveu em solidariedade.

— Ele é um homem bom — apelava a mulher. — Vocês precisam saber, ele é um homem bom.

Um dos militares da Tropa ergueu um machado. Stephan não conseguia acreditar, mesmo depois de ver o homem bater com o machado na mulher. O homem urrou ao ver sua esposa cair no chão e o sangue jorrando do braço dela.

Outro nazista colocou uma pistola na têmpora dele e disse:

— Agora você está pronto para identificar seus amigos judeus para nós?

O homem não podia fazer nada além de implorar.

— Ignaz! Ignaz, não. Ignaz, não — gritava sua mulher, enquanto sangrava até a morte.

O nazista apertou o gatilho. O tiro mal fez barulho no meio da multidão, e o homem desabou no chão, em cima da grade.

— Eu deveria acabar com você, mas há judeus demais em Viena para eu desperdiçar duas balas só com um — disse o nazista enquanto chutava o homem com seu coturno.

Algo escorreu da orelha do homem, e Stephan sentiu o vômito subir pela garganta, mas estava com medo demais para se mexer e ser descoberto.

Outro militar da Tropa falou:

— Tome cuidado, ou vai ter miolos de judeu nas suas botas.

O grupo todo começou a rir.

Os bombeiros voltaram a assistir ao fogo, e um deles disse:

— Temos que fazer algo, antes que o fogo se espalhe para o outro prédio e fique fora de controle.

— A multidão vai nos matar se interferirmos — falou o seu companheiro.

A multidão comemorou o barulho de algo desabando — a viga de um telhado, Stephan pensou, embora estivesse fora do seu campo de visão. Tudo o que via pela grade, por trás da cabeça do homem, era faísca e fogo se espalhando em direção ao céu escuro e nebuloso. Uma faísca parou no telhado de um prédio ao lado da sinagoga. Só nesse momento os bombeiros partiram para ação, e se limitaram a impedir que o fogo se alastrasse, enquanto a sinagoga continuava em chamas.

* * *

DE VOLTA AO TÚNEL, debaixo de seu próprio bairro, Stephan espiou pela loja na Ringstrasse a janela do andar de serviço do palácio, na esperança de ouvir a "Ave Maria". Mas só havia Rolf fazendo vigília na porta para os nazistas.

Ele voltou pelo túnel subterrâneo para a câmara de chocolate. Estava tão cansado, com tanto frio. Foi pela sombra e em silêncio até a sala do seu pai. Esticou-se no sofá da sala do pai, para onde, no início da doença da Mutti, ele ia muitas vezes depois da escola, tão cansado quanto naquele momento. Dormia nesse sofá ao som reconfortante de Papa trabalhando em sua mesa e acordava horas depois ao sentir o toque suave de um cobertor que o pai colocava sobre ele. E Papa, trabalhando em sua mesa e sorrindo para ele, dizia: "Mesmo uma alma submersa em sono profundo trabalha pesado e ajuda a fazer algo pelo mundo."

Ele imaginou onde Papa estaria agora, para onde o caminhão o havia levado.

Esperaria o tio Michael ali. O tio Michael o ajudaria a pensar no que fazer.

SEM SAÍDA

Stephan acordou na escuridão, ao som da voz de uma mulher se aproximando, uma voz familiar. Ele rolou em silêncio para baixo do sofá no momento em que a porta se abriu.

A mulher ria.

— É verdade, Michael, eu não conseguiria.

Era a tia Lisl?

— Por que não? — perguntou o tio Michael em tom sarcástico, não muito diferente do tom que tanto usava quando queria perguntar se Stephan já tinha beijado Žofie-Helene.

Stephan ficou ali ouvindo e prendendo a respiração, enquanto seu tio levantou a mulher e a deitou no sofá, que afundou um pouco sobre ele. Os pés de seu tio arrancaram os sapatos a poucos centímetros do rosto de Stephan.

— Michael — disse a mulher, e Stephan reconheceu a voz de Anita, a secretária de seu pai, com cuja imagem Stephan havia se satisfeito algumas vezes.

— Você não fez isso com Herman também? — perguntou o tio. — Depois que Ruchele ficou doente?

— Michael! — exclamou a mulher novamente, com certa objeção em sua voz.

A respiração dela ficou mais forte conforme as calças do tio Michael caíram no chão ao redor de seus pés, e o fecho do cinto tilintou no chão de madeira, tão perto de Stephan que ele quase fez barulho. Mas o barulho veio mesmo de Anita, quando a sombra do tio Michael se afastava da calça arreada e o sofá em cima de Stephan envergava ainda mais sob o peso extra de seu tio.

O suspiro da mulher transformou-se em gemido, como acontecera tantas vezes na escuridão do quarto de Stephan, na sua imaginação. O sofá acima dele começou a se mexer, devagar no princípio, e depois mais rápido, e mais rápido, até que seu tio arfou, em silêncio:

— Lisl — embora a tia Lisl agora estivesse em Shanghai.

E mesmo assim, Stephan não podia fazer nada além de ficar deitado ali, absolutamente imóvel, tentando não ligar para sua própria imaginação vergonhosa, afastando o terrível pensamento de seu pai com Anita nesse mesmo sofá, onde Stephan tantas vezes encontrou refúgio.

ABANDONADO

Walter acordou assustado no silêncio e à meia-luz do amanhecer. Desceu do colo da Mutti, mexeu na vitrola para recomeçar a música e resgatou Peter Rabbit do chão.

NADA ALÉM DE UM NOME

Stephan observou o palácio, escondido nas sombras perto da banca de jornal, que passara a vender exemplares de *Der Stürmer* com uma caricatura de um homem de nariz grande e barba preta levantando o rabo de um boi em um pedestal do Banco Mundial com sacos cheios de dinheiro ao seu redor. O caos havia cessado na manhã sombria, e os baderneiros certamente dormiam e descansavam da fúria enlouquecida. Mesmo assim, ele se movia com cautela e resguardo, imaginando onde estaria Herr Kline e se estaria junto com Papa, até ver Walter saindo do palácio.

Stephan o seguiu por meio quarteirão, escorando-se em prédios e com seu boné virado para baixo, aliviado por ver seu irmão indo para escola. Nos degraus largos de pedra, Walter foi rejeitado pelos outros garotos, mas pelo menos não o jogaram no chão e riram da sua cara; pelo menos não o cercaram gritando "Judeu. Judeu. Judeu". Stephan só observou e ouviu. Sabia que não havia nada que pudesse fazer para ajudar Walter e que deveria se afastar para que não acabasse indo defender seu irmão. Isso não seria bom para nenhum dos dois.

Um policial da Gestapo no topo da escada parou Walter na porta.

— Mas é a minha escola — contestou Walter.

— Nada de judeus.

Confuso, Walter olhou para o homem com sinceridade.

— Nós celebramos o Natal da mesma forma que vocês — disse ele, palavras que sua mãe provavelmente teria dito.

— Me diga o seu nome, garoto — exigiu o policial da Gestapo.

— Walter Neuman. E o seu, senhor? — perguntou Walter educadamente.

— Neuman, o judeu da fábrica de chocolates — disse o policial com repúdio.

Walter deu um passo para trás, e depois mais um, como se fosse um animal feroz. Com uma dignidade surpreendente, ele se virou e desceu a escada com paciência. Stephan, sentindo-se envergonhado de sua própria covardia, voltou para a sombra de um prédio até seu irmão chegar à esquina.

— Wall — sussurrou ele.

O rosto de Walter acendeu como os lustres da entrada principal do palácio que um dia fora a casa deles, e que voltaria a ser, Stephan dizia para si mesmo. Ele abraçou Walter, tirando-o do campo de visão do nazista, e disse:

— Está tudo bem. Está tudo bem. — Seu irmão nunca tivera um cheiro tão bom e doce.

— Nós tocamos a música, mas você não voltou para casa — afirmou Walter. — Dieter colocou a vitrola de volta na mesa e, depois que ele saiu, nós tocamos a música.

— Dieter fez isso?

— Ele disse para não contar para ninguém — respondeu Walter. — Aquele homem disse que eu não posso ir para escola. A Mutti gostaria que eu fosse.

Ele puxou novamente o irmão para perto, esse menino que era tão pequeno dois dias antes.

— Ela gostaria, Wall. Você é um bom menino.

— Você acha que a Mutti iria acordar se nós levássemos algo para ela comer?

— Há quanto tempo ela está dormindo? — perguntou Stephan, tentando não deixar transparecer a preocupação em sua voz. E se ela não estivesse dormindo?

— Ela não conseguia se deitar, e eu não sou forte suficiente para ajudá-la a sair da cadeira de rodas. Pedi a Rolf para deitá-la hoje de manhã. Ele ficou rabugento.

— Não se preocupe com Rolf, Wall. Ele é sempre rabugento.

— Ele está pior agora.

— Todos nós estamos. Escute, Walter, quero que você faça uma coisa. Quero que volte para casa para ficar com a Mutti. Não diga a Rolf nem a ninguém que você me viu. Sussurre para a Mutti que eu estou bem, que eu não posso voltar durante o dia, mas vou voltar hoje à noite. Vou escalar a árvore e entrar pela janela. Diga a ela que vou conseguir um visto para o Papa. Que vou conseguir visto para todos nós.

— Você sabe onde o Papa está?

— Estou descobrindo.

— O que é um visto? — perguntou seu irmão.

— Só diga isso a Mutti — pediu ele.

— Quero que *você* diga isso para ela.

— Shhh! — sussurrou Stephan, olhando ao redor, nervoso.

— Quero ir com você — falou seu irmão, baixinho.

— Está bem. Está bem. Sua ajuda pode ser bem-vinda hoje. Mas primeiro preciso que você vá dizer a Mutti que eu estou bem. Não admita para mais ninguém que você me viu, mas conte para a Mutti. Se mais alguém perguntar, diga que você esqueceu algo que precisa para a escola.

— Meu lápis novo? Eu estava guardando para você, Stephan, caso precisasse para escrever uma peça nova.

— Seu lápis novo — concordou Stephan, abraçando seu irmãozinho generoso e pensando em todos os lápis que havia esquecido em todas as mesas dos cafés da cidade, onde pedia café e bolo sem nem pestanejar.

Observou sorrateiramente enquanto Walter passava por Rolf e entrava no palácio. Continuou olhando, como se pudesse fazer algo caso seu irmão fosse questionado. Ele mal respirou durante todo o tempo, com medo de que Walter não voltasse; de que os nazistas no palácio saíssem para prendê-lo; de que Walter voltasse para dizer a ele que não pôde contar a Mutti porque ela não estava acordando.

Quando Walter reapareceu, olhando para o céu como um garotinho a caminho da escola novamente, com seu lápis novo na mão, Stephan puxou seu irmão.

— Eu sussurrei para Mutti, e ela acordou, e depois sorriu — confirmou Walter.

Quando eles chegaram ao consulado americano, a fila era imensa, mas Stephan não podia correr o risco de levar Walter para casa e voltar. Só ficar na fila já era arriscado, mas não havia alternativa.

— Muito bem, Wall — disse Stephan. — Vamos brincar de dicionário.
— Peter Rabbit é melhor do que eu em inglês — respondeu Walter.
— Mas você também é incrível, Wall — garantiu Stephan a ele. — Vamos, comece.

Estava escuro do lado de fora das janelas do consulado quando Stephan, com Walter dormindo em seu colo, sentou-se a uma mesa de frente para um americano com cabeça de cuia e óculos de haste fina. Mutti estaria preocupada a essa hora, mas não tinha jeito; eles não poderiam desperdiçar todo aquele tempo que tinham esperado na fila só porque o horário da escola já tinha acabado, ou porque estava tarde, ou porque era hora do jantar.

— Eu gostaria de solicitar um visto para o meu pai, por favor.
O empregado do consulado franziu a testa para ele.
— Não é para você nem para o seu...
— Meu pai já solicitou para nós.
Paciência, ele falou para si mesmo. Paciência. Não queria soar tão ríspido.
— Desculpe — falou. — Desculpe.
— E sua mãe? — perguntou o homem.
— Não, eu... Ela está doente.
— Esse processo demora. Talvez ela esteja melh...
— Não estará. Ela não vai melhorar. É por isso que ainda não fomos embora, porque o Papa não quer deixar a Mutti. Mas agora ele não tem escolha.
O homem retirou os óculos e olhou para Stephan.
— Sinto muito. Eu realmente sinto muito. Eu...
— O meu pai precisa de um visto imediatamente. Nós podemos esperar, mas ele foi enviado para um campo de concentração. Nós achamos que ele foi enviado. E se tiver um visto, talvez eles permitam que ele saia da Áustria.
— Entendo. Vocês têm família nos Estados Unidos? Alguém que possa dar a vocês uma carta de suporte financeiro? O processo é muito mais rápido se tiverem alguém da família para assegurá-los. Caso contrário, pode demorar anos.
— Mas meu pai não pode partir se não tiver para onde ir.

— Eu sinto muito, de verdade. Nós estamos nos esforçando, trabalhando até às dez da noite, mas... Vou pegar os seus dados. Se encontrar alguém para assegurá-los, volte aqui e eu anexarei à sua documentação. Pode ser qualquer pessoa.

— Mas eu não conheço ninguém nos Estados Unidos — retrucou Stephan.

— Não precisa ser da família — explicou o homem. — As pessoas... Nós temos listas telefônicas aqui de Nova York, de Boston, de Chicago... do país inteiro. Você pode usá-las quando quiser. Pode anotar os endereços das pessoas que constam das listas e escrever para elas.

— Para desconhecidos?

— É o que as pessoas fazem.

THE VIENNA INDEPENDENT

VIOLÊNCIA NAZISTA CONTRA OS JUDEUS

Sinagogas queimadas, comércio de judeus vandalizados, centenas de pessoas presas

Por Käthe Perger

11 de novembro de 1938 — Cerca de trinta mil homens na Alemanha, na Áustria e na Checoslováquia foram presos nas últimas vinte e quatro horas simplesmente por serem judeus. Muitos foram severamente espancados, e muitos, declarados mortos. Aparentemente, os homens foram transportados para campos de concentração, embora ainda não se saiba detalhes.

Mulheres também foram presas, apesar de em número menor, e há indicativos de que as mulheres presas aqui em Viena estejam sendo mantidas em algum lugar dentro da cidade.

Mais de 250 sinagogas por todo o Reich foram queimadas. Todos os comércios dos judeus foram fechados, e muitos foram completamente destruídos...

OS GÊMEOS

Truus bateu pela segunda vez na porta de uma casa próxima ao rio Alster, em Hamburgo. Tinha viajado em um trem noturno, em resposta à uma carta desesperada recebida pelo comitê. Uma família judia holandesa havia escrito a respeito de dois bebês ameaçados pela Gestapo nessa linda casa desse lindo bairro. Como o sr. Tenkink tinha conseguido arrumar vistos de entrada holandeses para esses gêmeos no meio desse caos, ela não sabia. Imaginou que a família dessas crianças deveria ter bons contatos, mas não tão bons a ponto de conseguirem vistos de saída alemães também. Como eles sairiam da Alemanha estava nas mãos de Truss.

Ela bateu a aldrava de bronze pela terceira vez. A porta foi aberta por uma enfermeira sonolenta de pijama. Truus apresentou-se e explicou por que estava ali.

— Pelos bebês? — perguntou a enfermeira.

Será que estava no endereço errado?

— A madame não recebe ninguém antes das dez da manhã, e certamente os bebês são pequenos demais para receberem suas próprias visitas — explicou a enfermeira.

Truus colocou o salto da sua bota no umbral da porta antes que a mulher a fechasse.

— Eu vim de Amsterdã a pedido de parentes da sua chefe, para resgatar as crianças.

— Para resgatá-las?

— É melhor você chamar sua chefe para mim.

Truus encarou a enfermeira até ela abrir a porta.

* * *

— Eu estava bastante apavorada quando entrei em contato com a minha tia —explicou a mãe dos gêmeos para Truus quando, finalmente, sentaram-se na biblioteca. — Se exagerei, foi por conta de um medo real.

Truus deixou que o silêncio ficasse constrangedor. Ela, então, levantou-se e pegou na estante dois livros que tinha visto enquanto esperava — livros de Stefan Zweig e Ernest Hemingway — e colocou-os na frente da mulher.

— Se está tão apavorada, deveria começar pelo menos tomando o cuidado de esconder as coisas que instigariam a ira da Gestapo — falou Truus.

— Ah, mas são somente livros — retrucou a mulher.

Truus ajeitou a saia de seu tailleur risca de giz, tentando conter a raiva.

— As crianças não foram maltratadas pela Gestapo?

— Não — respondeu a mãe, sem se desculpar.

— Você talvez devesse se perguntar se elas estão seguras com uma mãe que, em um momento de medo, inventa para os filhos dela um horror que outras crianças estão, de fato, vivendo, e desperdiça recursos que poderiam salvar vidas.

— Você não deve ter filhos, senão entenderia! Nenhum de nós está seguro aqui — lamentou a mulher.

Sua compostura evaporou, e no lugar estava a mesma expressão que Truus vira no rosto da mãe de Adele na estação de trem; a mesma expressão que havia sentido em seu próprio coração culpado.

Truus virou-se para o espaço vazio da estante, de costas para a mulher

— Você precisa entender a posição em que me colocou — disse ela com delicadeza. — Eu vim para cá em um trem noturno, com permissão para levar dois bebês agredidos, em um chamado de emergência. Se eu aparecer em Haia com duas crianças perfeitamente saudáveis, que não sofreram nenhuma lesão, vou perder minha credibilidade. E se isso acontecer, será o fim da minha habilidade de ajudar qualquer outra criança.

— Desculpe — disse a mãe. — Me desculpe. Eu não imaginei...

— Nós nunca imaginamos, não é mesmo? — Ainda pensando em Adele ou em seu próprio bebê, que acabara de perder; ainda pensando no que poderia ter feito para salvar todos os bebês que tinha perdido antes mesmo de nascerem. — Sinto muito, mas não posso ajudá-la. Sinto mesmo — completou. — É possível que sua enfermeira consiga levar seus bebês em segurança para a Suíça. As pessoas raramente interrogam uma enfermeira cruzando a fronteira com crianças que não sejam seus filhos. Eles não imaginam que uma mãe esteja tão desesperada a ponto de entregar os filhos aos cuidados de outra pessoa, com a possibilidade de nunca mais vê-los de novo.

Novamente do lado de fora, Truus procurou em sua bolsa o endereço do cônsul-geral holandês em Hamburgo. Ela não precisava mais da ajuda desse tal de Barão de Aartsen para sair com os bebês da Alemanha, mas já estava ali, vestida em seu tailleur e sapatos azuis, com suas luvas amarelas e um chapéu exuberante, pois até a Gestapo ficava intimidada por uma mulher com um chapéu exuberante. E talvez conseguisse alguma coisa dessa viagem apresentando-se ao homem. Quem sabe ele pudesse se mostrar útil em algum momento do caminho.

— Você finalmente está aqui? — perguntou o barão, sem muitos cumprimentos nem apresentações, quando ela apareceu em seu escritório.

As palavras dele a ressabiaram tanto que ela se virou para ver se tinha alguém atrás. Mas era somente os dois, Truus e esse aristocrata de cara simpática e cabelo prematuramente grisalho.

— Eu estava esperando você — afirmou ele.

Truus encostou uma das mãos no chapéu, como se seu equilíbrio estivesse naquela aba. Não havia forma segura de avisar a ele que estava vindo buscar dois bebês, nem motivo para tal. Ela recebera o endereço dele e a indicação de contatá-lo caso tivesse problemas ao atravessar a fronteira com os bebês, sem nenhuma garantia de que ele poderia ajudá-la, se necessário.

— Mas como você sabia que eu estava vindo? — perguntou ela.

— Já era hora de uma mulher bondosa da Holanda vir nos ajudar por aqui, não era? Venha comigo.

Truus, escondendo sua surpresa, caminhou ao lado dele conversando amigavelmente, enquanto ele a levava até a chancelaria. Ali, a sala de espera estava lotada de mães judias com seus filhos, todas aguardando para solicitar a documentação holandesa.

Ele chamou a atenção das mães, a maioria já virada para ele.

— Essa é Geertruida Wijsmuller — apresentou ele. — Ela veio da Holanda para buscar os seus pequenos.

Ele escolheu seis crianças, com tanta certeza como se estivesse esperando Truus chegar para levá-los: cinco meninos e uma menina, entre onze e treze anos, a idade que Truus mais gostava — grandes o suficiente para enxergar o mundo com inteligência, mas não para ter ideais e esperança. O barão já tinha organizado a documentação com a Gestapo, permitindo que eles viajassem, ou seja lá o que dizia. Ele também tinha, inexplicavelmente, sete passagens de primeira classe no trem para Amsterdã.

— Vocês partem às 2h45 — afirmou ele, olhando seu relógio.

— Você tem os vistos para eles entrarem na Holanda? — perguntou Truus.

— Se tivesse, não precisaria de você, sra. Wijsmuller, não é verdade? Creio que a senhora tenha que trocar de trem em Osnabrück, mudar para um trem que vem de Berlim e vai para Deventer, mas haverá um vagão reservado para vocês.

Truus achou um absurdo gastar tanto dinheiro com passagens de primeira classe, mas o barão recusou-se a trocar por passagens mais baratas quando chegaram à estação.

— Garanto que ficará agradecida por essas providências — afirmou ele. — Está muito difícil sair da Alemanha por esses dias.

— E é mais fácil para quem viaja de primeira classe? — perguntou Truus, imaginando como ela conseguiria atravessar a fronteira com essas crianças e entrar na Holanda, se nem o cônsul-geral conseguia.

IMPLORANDO POR PAPA

Tio Michael se sentou na cadeira do Papa, virou-se de lado na mesa do Papa, com os olhos fechados e as mãos esfregando a bunda de Anita por baixo da saia, enquanto Stephan ficou imóvel, tentando apagar a memória do barulho que fizeram, com ele ali debaixo do sofá. Aquilo fora ontem? Ele tentou não pensar na imagem das coxas de Žofie-Helene naquela primeira vez no túnel subterrâneo, mas aquela memória o excitava, enquanto olhava para o rosto de Anita, o prazer na curva da sua mandíbula e seu cabelo descendo pelas costas, igual ao da Žofie. Stephan sempre escrevera suas personagens femininas para serem interpretadas por Žofie com o cabelo solto, livre das tranças ou do coque de sempre.

Anita abriu os olhos.

— Oh! — exclamou ela, encontrando os olhos de Stephan com seus próprios, azuis e surpresos.

— Está vendo, você quer mais um pouco — falou o tio Michael.

A mulher afastou as mãos do tio de Stephan e disse:

— Michael, você tem companhia.

Seu tio virou-se para ele. Por um breve instante, Stephan imaginou que ele ainda era o Tio Michael que pegava uma bala de caramelo do bolso e dizia: "Um doce para o meu filho doce" ou, conforme Stephan foi crescendo, perguntava sobre as peças que ele estava escrevendo, ou sobre a música de que gostava.

— O que está fazendo aqui? — questionou seu tio. — Você não pode...

— Eles prenderam o Papa — interrompeu Stephan, enquanto a secretária passava correndo por ele, saía e fechava a porta da sala.

— Você precisa ir embora. Não pode ser visto aqui — falou o tio Michael. Olhou pela janela. No banco, do outro lado da rua, uma longa fila de gente aguardava, embora o banco estivesse fechado. — Vou dar dinheiro para você, mas não...

— O Papa precisa de um visto — interrompeu Stephan novamente.

— Eu… O que você acha, que eu posso simplesmente ligar para um oficial e dizer que meu ex-cunhado precisa de um visto?

— Você prometeu cuidar de nós. Eu posso ficar em Viena com a Mutti, e Walter também. Mas o Papa foi preso. Ele precisa sair daqui.

— Consigo dinheiro, mas não um visto. Não posso ser pego pedindo vistos para judeus. Você entende? Você não pode ser pego aqui. Vá, e não deixe ninguém vê-lo.

Stephan permaneceu ali de pé, olhando para o tio sentado na cadeira do Papa, o Kokoschka da tia Lisl com suas bochechas arranhadas agora pendurado sobre a mesa do Papa, nessa fábrica que o avô de Stephan tinha construído do zero, enquanto a família do tio Michael estava tendo todos os privilégios. Ele queria voltar para casa e se aninhar na cama, assim como na madrugada da noite anterior, mas era perigoso demais para Mutti e Walter que ele ficasse entrando e saindo; não havia muita coisa a fazer, além de escalar a árvore, entrar pela janela bem tarde da noite, dormir algumas horas e sair antes do sol nascer.

— Vá. Vá embora. Vou mandar dinheiro para a sua mãe, mas você precisa pedir ajuda para o seu povo — disse seu tio.

— Meu povo?

— Você é judeu. Se eu for pego ajudando, serei enviado para um campo de concentração também. Você é judeu.

— Você é meu tio. Não tenho mais ninguém para quem pedir ajuda.

— Estão ajudando os judeus naquele centro comunitário judeu, aquele lugar debaixo do apartamento onde seu avô morou quando estava construindo o palácio.

— Em Leopoldstadt?

— Quando estava construindo o palácio, eu disse. Ouça o que eu digo, pelo amor de Deus. Aquele do lado de cá do canal. Agora vá, antes que alguém me veja ajudando você.

PROCURANDO PAPA

Stephan continuou perto das paredes úmidas enquanto traçava seu caminho pela escuridão debaixo da terra. Chegou às tumbas atrás do portão trancado, debaixo da Catedral de St. Stephen; tinha virado para o lado errado em algum lugar. Voltou e traçou novamente seu caminho em direção à escola Talmude. Espiou por um bueiro, bem de perto. Seguiu para outro bueiro e entreviu as ruas estreitas e antigas, prédios acabados do antigo centro da cidade onde eram o Stadttempel e os escritórios da IKG. Podia ver a porta do centro judeu, mas dois policiais da SS observavam enquanto a Juventude Hitlerista insultava mulheres e crianças, atacando-as com pedras.

Stephan deveria ajudar aquelas mães e filhos. Sabia disso. Mas simplesmente esperou até que os guardas da SS fossem embora. Esperou alguns minutos, para ter certeza de que não voltariam, antes de empurrar a grade pesada, atravessar a rua e entrar nos escritórios da IKG.

Lá dentro, no hall com chão de pedras desgastadas, uma fila de pessoas subia pela escadaria, para um labirinto de salas. Cestas diferentes intituladas A-B, C-D, e assim por todo o alfabeto, estavam espalhadas sobre mesas na parede dos fundos, todas repletas de fichas. Um silêncio alastrou-se pela multidão ao perceberem a presença de Stephan. A maioria dos garotos judeus da idade dele havia sido presa com seus pais, e ele não usava solidéu.

— Estou tentando encontrar meu pai — disse ele.

Lentamente e com calma, as pessoas foram saindo do choque. Uma colaboradora que ajudava as pessoas a preencher as fichas voltou sua atenção para a mulher que estava auxiliando, que não sabia escrever. Enquanto a colaboradora escrevia, outras pessoas faziam perguntas, mas ela manteve sua atenção focada na mulher analfabeta, que tinha esperança de encontrar um ente querido que, assim como Papa, tinha desaparecido nos motins.

— Por favor, gente, nós estamos fazendo o possível — disse a colaboradora, em meio à balbúrdia. — Herr Löwenherz também foi preso novamente. Nós ainda não sabemos onde está ninguém. Vocês podem esperar na fila aqui se precisarem de ajuda, mas seria mais fácil para todos nós se pegassem um cartão e preenchessem com os dados de quem quer que esteja desaparecido. Nome. Endereço. Como podemos encontrar vocês. Coloquem a ficha na pilha com a letra do sobrenome da pessoa desaparecida. Nós entraremos em contato assim que tivermos alguma informação.

Ninguém saiu da fila.

Stephan pegou uma ficha e, com um lápis que estava na sua bolsa — o lápis novo de Walter —, escreveu os dados do seu pai.

Uma moça mais nova dizia para uma mais velha atrás dela:

— Ele disse para irmos para Shanghai que ele nos encontraria. Foi a última coisa que ele disse: tire as crianças da Áustria. Não é necessário visto para entrar em Shanghai, basta ir. Mas não há passagens para comprar.

— Ouvi dizer que é possível conseguir vistos cubanos, se pagar — afirmou a mulher mais velha — mas os nazistas levaram tudo o que era nosso.

Stephan terminou de preencher a ficha com os dados do pai, colocou-a na cesta M-N e virou-se para ir embora, quando outra colaboradora esvaziou a cesta I-J em uma cesta maior. Uma ficha caiu no chão, despercebida, e foi pisoteada enquanto a fila se movia lentamente.

Stephan pegou de volta a ficha que havia preenchido em busca de seu pai e esperou.

A colaboradora reapareceu e esvaziou a cesta K-L na cesta grande, e desapareceu novamente. Quando surgiu outra vez, para pegar a cesta M-N, Stephan colocou a ficha de seu pai diretamente na cesta grande, nas mãos dela.

Ela olhou para ele, surpresa.

— Neuman. Herman Neuman, da Chocolates Neuman — disse ele, ouvindo a voz do pai em sua própria.

Eles eram pessoas boas. Toda a família dele. A fortuna vinha da fábrica de chocolates própria, construída com capital próprio, e mantinham as contas sempre com dinheiro no banco Rothschild.

O GAROTO COM CHOCOLATES NO BOLSO

Ninguém da equipe do jornal apareceu para trabalhar no dia seguinte do caos, com exceção de Käthe Perger e seu editor-assistente, Rick Neidhardt. O medo tomou conta de cada esquina de Viena. Qualquer um que fosse visto ajudando um vizinho judeu estava desafiando as novas leis nazistas, e a palavra "ajuda" ganhava uma definição tão abrangente que simplesmente reportar a verdade em um jornal poderia levar uma pessoa à prisão, ou coisa pior. Como Käthe poderia pedir que sua equipe continuasse trabalhando? Era melhor pedir que ficassem em fila para serem espancados e aprisionados.

— Como vamos fazer isso, só nós dois? — perguntou Rick.

Ela observou a lista de afazeres que eles haviam escrito. O único barulho que se ouvia era Rick pigarreando.

— Vamos lá, Rick — disse ela. — Por que você não...

Ela levantou os olhos e parou por um instante, surpresa com a expressão de medo no rosto de Rick olhando para longe dela, na direção da porta.

Engoliu a seco antes de reconhecer o garoto que estava de pé em sua sala. Podia jurar que tinha fechado a porta do escritório — e *estava* fechada —, mas o garoto estava de pé ali, esperando. O garoto, que agora era quase um homem.

— Está tudo bem, Rick — afirmou ela, resistindo à vontade de correr até Stephan e abraçá-lo de tanto alívio. — Ele é amigo da Žofie. — O amigo da Žofie, e não um dos amigos da Žofie, mas um é sempre melhor do que zero.

— Desculpe incomodar — gaguejou Stephan Neuman —, mas eu estou... Meu pai... Achei que você pudesse saber para onde eles levaram os homens que prenderam.

— Mas você não está...? A maioria dos rapazes foi presa também.

O garoto hesitou. Era esperto, não estava disposto a entregar seu segredo de como evitara ser preso.

— Nossa informação mais precisa é que alguns foram levados para um campo de concentração alemão fora de Munique, perto de Dachau, não muito longe daqui. Mas outros podem estar sendo transferidos para Buchenwald, ou até para locais distantes como Sachsenhausen. Estamos fazendo tudo o que está ao nosso alcance para descobrir — disse ela.

— Ouvi dizer que os nazistas podem permitir a volta do meu pai se arrumarmos a documentação para ele emigrar. Eu não sei o que fazer — lamentou o pobre garoto, com os olhos lacrimejando.

Käthe aproximou-se dele lentamente, para não assustá-lo, e colocou um braço ao redor dos seus ombros.

— Não, é claro que não sabe. Claro que não. Ninguém sabe, Stephan. Eu acho… Vou descobrir o que puder, prometo. A sua mãe consegue… — Meu Deus, a mãe do garoto estava confinada em uma cadeira de rodas, e morrendo; seria a pequena obsessão de Käthe, acompanhar os passos desse único amigo de sua filha, mesmo que a amizade não tivesse sobrevivido a esses tempos terríveis. — Não, me desculpe, é claro que não — disse ela. — E a sua tia, ela foi embora para…

— Shanghai.

— Talvez os consulados…? — sugeriu Rick.

Käthe envolveu com força o ombro do garoto, de maneira encorajadora. Voltou para sua mesa e começou a escrever endereços em um pedaço de papel.

— Comece com o suíço, o britânico, o americano.

— Passei o dia inteiro ontem na embaixada americana. Eles não podem fazer nada.

— A demora dos americanos é atroz — comentou Rick.

— Vá aos outros, então — indicou Käthe. — Solicite um visto para o seu pai, mas também para o resto da sua família. Diga a eles que seu pai foi preso. Isso será… Pode ser que eles deem uma atenção especial para a sua solicitação. Faça isso em todos os lugares, rápido. Vou descobrir tudo o que puder sobre o seu pai. Ligue para mim…

— Nós não temos mais telefone — respondeu o garoto, a voz falhando, como se acreditasse que a vergonha de tudo isso fosse dele e não dos cidadãos de Viena, que alegavam serem suas as casas dos judeus apreendidas por toda a cidade, enquanto os donos reais eram obrigados a se mudar para apartamentos minúsculos e escuros na ilha de Leopoldstadt. Como era possível o mundo deles mudar tão drasticamente em tão pouco tempo? No início do ano, a Áustria era um país livre, com seu líder e seu povo resolutos a permanecerem assim. E como ela poderia estar tão errada sobre seus vizinhos? Como ela havia fracassado em enxergar todo esse ódio por baixo da superfície, esperando pela desculpa que Hitler oferecia para botar tudo aquilo para fora?

— Tudo bem, Stephan — disse ela, enquanto Rick abria a porta da sala, tentando apressar a saída do garoto sem aparentar estar fazendo isso.

— Tudo bem. Venha me ver, então. Se eu não estiver aqui, vou deixar um bilhete na mesa sobre o que quer que tenhamos descoberto, com seu nome do lado de fora.

— Não... Nós vamos... — gaguejou Rick.

Ele olhou para fora da porta, para a máquina de Linótipo, que voltara a funcionar, mas estava toda arranhada da quebradeira recente dos nazistas. Estava ali, em silêncio, um lembrete da impossibilidade da tarefa deles, para a qual — Rick tinha razão — eles precisavam retornar. Pode-se ajudar uma pessoa, ou pode-se ajudar várias, mas não havia tempo para as duas, mesmo se fossem encarar o risco.

Käthe abriu uma gaveta de sua mesa.

— Vou colar aqui na parte de dentro. Se eu não estiver no escritório na hora em que você vier, puxe a gaveta e cheque aqui embaixo, combinado?

Stephan, desanimado, virou-se para ir embora.

— Stephan... Só por mais pouco tempo, seja discreto — pediu Käthe. — Você não está em um bairro judeu, e isso é bom; as coisas mais brutais entre eles parecem estar concentradas nos bairros judeus. — Será que fora isso o que o salvara de ser preso? — E não conte sobre isso a ninguém, pela sua própria segurança. Você entende? Não fale para a sua mãe. Não fale para Žofie-Helene. Para ninguém.

Por favor, não diga à minha filha, ela pensou enquanto via o garoto partir. Por favor, não a coloque em perigo. O que era claramente ridículo. Esse menino que tinha sido amigo de Žofie não teria como colocá-la em perigo maior do que o senso de justiça de sua mãe já fizera.

Enquanto ele saía do escritório e voltava às ruas, Rick virou-se para ela, com o medo transformando-se em uma acusação velada.

— Eu sei. Eu sei, Rick — disse ela. Eles não podiam se permitir serem distraídos por uma única vítima; tinham coisas demais para fazer. — Mas aquele menino... Era somente um garoto com chocolates no bolso poucos meses antes. Ele foi o primeiro grande amigo de Žofie, o primeiro menino que não a via como uma aberração. E por causa disso, os amigos dele também não a viram assim.

— Ele apareceu do nada, como um espectro — comentou Rick. — Você o viu ou ouviu entrando?

Käthe deu um pequeno sorriso, apesar de tudo.

— Acho que podemos culpar Žofie por ensiná-lo isso. Ela gosta de se imaginar como Sherlock Holmes.

O PODER DAS PRINCESAS

Na estação de trem de Hamburgo, enquanto Truus esperava na fila com as crianças para trocar dinheiro alemão por holandês, ela imaginou o que o barão de Aartsen planejava fazer caso ela não tivesse aparecido para vê-lo. Talvez ele mesmo tivesse levado as crianças. Mas uma coisa era uma simples holandesa ser pega atravessando a fronteira com crianças com vistos falsificados da Gestapo, e outra bem diferente era um diplomata holandês ser pego fazendo isso. É claro que era possível que os vistos fossem verdadeiros. Truus apreciava que o barão tivesse dado motivos plausíveis para fazê-la acreditar que os documentos eram reais — ou pelo menos para afirmar sinceramente que não sabia se eram falsificados.

— Eu gostaria de trocar seis reichsmarks por florins holandeses — pediu ela ao agente alfandegário quando chegou a sua vez.

— Para quem? — perguntou o agente.

— Para as crianças — respondeu Truus.

Cada alemão tinha direito de sair do país com dez reichsmarks, e o barão de Aartsen tinha pensado até nisso, dando a ela dinheiro para cada criança. Mas sua experiência dizia que era muito mais provável que o controle de fronteira alemão confiscasse reichsmarks, que eles poderiam muito bem embolsar e gastar discretamente, do que florins holandeses, cujo câmbio teria que ser registrado e explicado.

— Essas crianças são todas suas? — questionou o agente.

É claro que não eram filhos dela. Os documentos da Gestapo de cada um dos seis os identificava como judeus.

— Crianças judias não precisam de dinheiro — afirmou o agente, e, dispensando-a, seguiu para atender o próximo da fila.

Truus entrelaçou as mãos, acalmando sua raiva, antes de se afastar da janela. Não tinha nada a ganhar ao discutir com ele.

Foi até a bilheteria com as crianças.

— Preciso de uma passagem para Amsterdã para amanhã, por favor — pediu.

Na verdade, tinha todas as passagens de que precisava, mas poderia trocar a passagem extra em Amsterdã e receber o reembolso em florins, fazendo o câmbio pelo caminho inverso. Ela se sentiu orgulhosa de sua esperteza, enquanto encaminhava as crianças para dentro do trem.

EM OSNABRÜCK, ELES BALDEARAM para o trem que ia para Deventer e entraram no vagão reservado, geminado com o que levava as princesas holandesas Juliana e Beatrix de volta para casa, após uma visita à avó na região da Silésia. Como transportava as princesas, não pararia em Oldenzaal, na divisa dos países, e seguiria direto até Deventer. Por ser bem longe da fronteira, o controle holandês provavelmente não estaria presente, ou não ficaria tão atento, caso estivesse dentro do comboio. Era por isso que o barão fizera tanta questão de eles estarem ali, no trem das princesas.

Aparentemente, ele não contara com a entrada de guardas da fronteira holandesa em Bad Bentheim, dois homens que surgiram na frente do vagão de Truus para checar os vistos. Truus virou-se para as crianças e disse calma e com a voz alta o suficiente para que os guardas ouvissem:

— Vão lavar as mãos, crianças, e depois vou pentear o cabelo de vocês.

— Mas é Shabat — contestou o menino mais velho, um garoto pentelho que quase fizera todos perderem o trem porque estava resmungando porque perdeu, sabe-se lá como, o anel que ganhara do pai em seu bar mitzvah.

Vede, não desprezeis algum destes pequeninos, porque eu vos digo que os seus anjos nos céus sempre veem a face de meu Pai que está nos céus, Truus relembrava para si. Ela tentava nunca julgar severamente as crianças — elas sempre estavam em situações difíceis —, mas às vezes realmente testavam sua paciência.

De fora da janela, poderia ainda ter ou não um pequeno raio de sol por trás das nuvens.

— O Shabat já acabou — retruquei. — Agora, vá.

— Você não pode terminar com o Shabat só porque cansou dele — reclamou o garoto, e Truus imaginou que essas eram as palavras que o pai dizia quando o menino queria sair de casa para brincar, e não em uma jornada para salvar sua vida.

— Eu posso, sim, na verdade — respondeu Truus, olhando novamente para fora da janela. — Mas para a nossa sorte, o sol realmente já se pôs, meu jovem. — Poupando-me de brincar de Deus, ela pensou.

O garoto parecia em dúvida, mas direcionou seu olhar para os homens no fim do corredor do vagão.

Truus continuou, em direção aos guardas:

— Você está viajando no vagão ao lado das princesas. Talvez nós precisemos ir com esses dois cavalheiros perguntar às princesas se você terá permissão para continuar a viagem até a Holanda. Portanto, vá lavar as mãos.

Aproveitando-se da incerteza dos guardas da fronteira enquanto as crianças se encaminhavam na direção oposta, ela comentou, sem tolerar nenhuma resistência:

— Essas crianças estão indo para Amsterdã. Estão sendo aguardadas no hospital judeu de lá.

— Senhora...

— E os nomes de vocês? — perguntou, como se ela fosse a guarda, e eles, os passageiros.

Enquanto diziam seus nomes, ela pegou uma caneta e um caderninho em sua bolsa.

— Hoje é sábado, senhores — afirmou, repetindo os nomes deles para reforçar. — Haia está fechada, portanto os senhores não podem solicitar nada em nosso favor hoje, nem amanhã, pois será domingo. Mas estejam certos de que caso sejamos forçados a incomodar as princesas, o sr. Tenkink, no Ministério da Justiça, saberá de tudo no primeiro horário da manhã de segunda-feira. — Ela retirou suas luvas amarelas e segurou a caneta com firmeza. — Agora, soletrem seus nomes para mim, por favor.

Eles abriram passagem para que as crianças pudessem voltar aos seus lugares, fizeram uma reverência e saíram, desculpando-se por incomodarem. Ao fecharem a porta do vagão, Truus passou o pente na cabeça do menino mais velho com tanta delicadeza quanto imaginava que a mãe dele teria feito.

BLOOMSBURY, INGLATERRA

Helen Bentwich colocou uma folha em branco e três camadas de carbono no rolo da máquina de escrever e continuou a datilografar. Ela não era uma boa datilógrafa, mas tinha enviado Ellie para casa às três horas da manhã, depois de sua pobre assistente ter provado ser ainda pior do que ela. Pelo menos, tivera a precaução de pedir para Ellie arrumar as folhas de carbono antes de ir. Levava muito tempo montar pilhas de quatro páginas e três carbonos, mas poderia ser feito até de olhos fechados.

— Já é a hora, Helen. — A voz era de Norman, mas ainda assim ela levou um susto.

Não ouvira nada durante horas além do barulho das teclas da máquina de escrever batendo no papel, e o espaçado gongo que poderia ou não ter sido do Big Ben, a uns dois quilômetros de distância.

Fora da janela, o dia já amanhecia com seu típico tom de cinza do inverno londrino.

Norman pendurou um cabide com um casaco na maçaneta, chegou por trás dela e acariciou os seus cabelos com tanta delicadeza que ela desejou fechar os olhos e dormir. Cometeu um erro, talvez por causa da interrupção ou, quem sabe, por ser uma péssima datilógrafa. Sem tempo de sobra, ela digitou uma barra por cima do erro.

— As aparências importam — disse Norman.

Ela terminou a página e puxou os papéis da máquina, colocou cada um em uma pilha e jogou os carbonos usados na lata de lixo. A última cópia estava tão clara que quase não dava para ler, mas era o que tinha a essa altura. Colocou mais um conjunto de folhas brancas na máquina.

— Eu não sou datilógrafa, Norman — afirmou ela. — E é o conteúdo que realmente importa.

— Eu quis dizer a *sua* aparência, e não a dos planos — retrucou Norman.

Helen, batendo nas teclas o mais forte que conseguia, escreveu em letras maiúsculas na página nova em branco: MOVIMENTO EM PROL DAS CRIANÇAS ALEMÃS.

Ela se levantou e virou para cima cada uma das quatro pilhas de folhas ao lado da máquina de escrever. E então pegou as páginas com o título do rolo da máquina e colocou uma folha em cima de cada pilha.

— Dennis vai nos encontrar lá — disse ela. — Você já negociou com os acampamentos de férias?

Ela pegou o casaco do cabide que agora ele segurava.

— Não quer a blusa? — perguntou ele.

Ela girou o globo de neve com a roda-gigante. A flutuação delicada dos flocos sempre a tranquilizava. E então colocou-o de volta naquela mesa que havia sido da sua avó. Isso era algo que ela jamais seria: avó.

— Há tantas coisas que eu gostaria de fazer, Norman, se nós tivéssemos tempo — afirmou ela.

— Eu ainda acho que era você que deveria falar, Helen — disse ele. — Assim como o Visconde Samuel.

Ela sorriu e deu um beijo na bochecha dele.

— Querido, eu gostaria que o comitê colocasse tanta fé nas palavras de uma mulher quanto você e meu tio colocam.

Ela pegou as cópias do plano e dobrou as pontas, formando pilhas organizadas, e as colocou em pastas.

— Essas palavras são suas, seja lá quem as diga — disse ele.

Ela se encolheu no casaco e respondeu:

— Guarde isso para você, se quisermos ter alguma esperança de sucesso.

UMA MULHER DE VISÃO

Quando Helen Bentwich entrou na sala de jantar de Rothschild, todos os homens ao redor da mesa se levantaram: todo o Comitê Executivo do Fundo Britânico para os Judeus Alemães.

— Norman, guardamos a cabeceira da mesa para você — disse Dennis Cohen, o homem que havia ajudado Helen a formular o plano, mas tinha dormido durante a noite, enquanto ela e Ellie colocavam tudo no papel, exatamente como falaram.

Helen realmente conseguia fazer coisas de maneira mais rápida quando os homens não estavam envolvidos, sem a necessidade de conceder às sugestões deles mais consideração do que mereciam.

Rothschild perguntou a Simon Banks se ele poderia pular um assento, para abrir espaço para ela, e antes que a mulher pudesse contestar, o herdeiro da Marks & Spencer segurava a cadeira para ela.

Com Helen sentada, os homens retomaram seus assentos e Norman começou:

— A proposta explica o plano que descrevemos ao Primeiro Ministro Chamberlain, em que traremos crianças do Reich para cá em segurança, sem pedir nada ao governo além de vistos britânicos de entrada.

Helen ficou surpresa que o encontro com o primeiro-ministro para discutir esse plano tenha sido mencionado ali. Quando o Comitê das Políticas Estrangeiras reuniu-se para considerar o que poderia ser feito em relação à noite de violência na Alemanha, pareceu que a resposta a que chegaram foi "absolutamente nada"; a Secretária de Estado dos Negócios Estrangeiros, Halifax, disse que qualquer resposta britânica poderia provocar uma guerra, e o primeiro-ministro Chamberlain insistiu que a Inglaterra não estava em condições de ameaçar a Alemanha — ou foi o que Helen ouvira de Norman, que ouvira de Rothschild, que ouvira de alguém do governo. Helen assistiu da galeria ao assunto chegar ao Parlamento. A reunião transformou-se em um bate-boca, com o coronel Wedgwood questionando seus colegas:

— Nós não estamos discutindo sobre esses refugiados há cinco anos? Será que o governo não pode demonstrar o sentimento desse país tentando fazer *algo* pelas vítimas dessa opressão na Alemanha?

Um dos membros do Parlamento, Lansbury, gritou:

— Nós não somos a *Grande* Nação Britânica? É impossível dizermos ao mundo que vamos acolhê-los e encontrar um lugar onde possam recomeçar a vida?

Mas o Conde de Winton e sua secretária particular tagarelaram sobre os perigos de despertar uma reação antissemita na Inglaterra, e o primeiro ministro insistiu que até os holandeses estavam aceitando somente refugiados que garantiam passagem para outros países.

— Esse não é um problema do governo britânico, como os nobres cavalheiros percebem, mas eu não tenho dúvidas de que nós deveríamos levar em consideração qualquer forma possível de dar assistência a essas pessoas — concluiu o primeiro-ministro, deixando Helen a imaginar de quem exatamente era "esse problema", senão do governo britânico.

Mas enquanto ela ouviu pessimismo nas palavras do primeiro-ministro, Norman viu uma abertura, e logo outra delegação — judeus e quacres juntos dessa vez, liderados pelo tio de Helen e por Lionel de Rothschild — iria se reunir com Chamberlain no endereço Downing, número 10, levando o conceito do plano apresentado aqui em blocos de papel organizados.

— O primeiro-ministro Chamberlain expôs a nossa proposta integralmente para os vinte e dois membros do Gabinete ontem — contou Lionel de Rothschild. — A secretária do ministro expressou receio de que os judeus idosos sejam os que mais precisam de ajuda, e a secretária dos negócios estrangeiros bateu nessa tecla também, mas a nossa oferta de apoio financeiro é para as crianças, e o primeiro-ministro me garantiu que isso estava claro. Agora, o plano engloba o resgate de cinco mil crianças? E o que isso significa diante do número total de crianças?

— Nós achamos que cerca de sessenta ou setenta mil crianças alemãs e austríacas com menos de dezessete anos precisam ser resgatadas — respondeu Dennis Cohen.

Um longo silêncio pairou na sala enquanto a informação era digerida.

— Nós esperamos — acrescentou Norman — que o número maior seja de crianças com menos de dez anos. Confirmamos que dois acampamentos de férias em Harwich podem ser abertos para receber as crianças que não conseguirmos enviar diretamente para lares adotivos, com a ideia de que elas sejam transferidas para casas particulares o mais rápido possível. O Comitê de Ajuda para Crianças da Alemanha se encarregaria das alocações. A experiência que haviam adquirido encontrando abrigo para quase quinhentas crianças antes da violência recente...

— É uma diferença enorme — interrompeu Simon Marks interrompeu. — De quinhentas crianças, sendo metade cristã e trazidas ao longo dos anos, para cinco mil em algumas semanas.

— Eles são os melhores que temos para isso — concluiu Norman. — É claro que não têm a nossa habilidade para arrecadar dinheiro, portanto essa parte ficará conosco.

— Estamos certos de que vamos trazer somente crianças? — perguntou Neville Laski. — Ainda acredito que se trouxéssemos famílias inteiras...

— Há um medo muito grande de que, se trouxermos famílias inteiras, elas jamais vão embora — insistiu Lionel de Rothschild. — Vamos declarar publicamente que pretendemos trazer as crianças por um período temporário, até que seja seguro que elas voltem para a Alemanha. Mas o primeiro-ministro entende que precisamos estar preparados para aceitar a possibilidade de adoção permanente não oficial de crianças pequenas, assim como a residência permanente de garotas que possam ingressar no serviço doméstico ou se casar com rapazes britânicos. Ele espera que isso demande a re-emigração de rapazes mais velhos.

— A senhora... — começou Norman. Mas percebeu o olhar de Helen, ou apenas desistiu de falar, por sorte. — Muitos de nós temos discutido como financiar tamanho projeto. Já utilizamos a façanha de publicar nomes de contribuintes no *Jewish Chronicle* inúmeras vezes. Sentimos que é importante considerarmos um pedido na imprensa não judia.

— Ao público em geral? — questionou o rabino-chefe, em tom alarmante.

— Mesmo se conseguíssemos arrecadar o dinheiro, encontrar abrigo para cinco mil crianças... — respondeu Dennis Cohen.

— Estamos nos propondo a abrigar crianças judias em casas não judias? — questionou mais uma vez o rabino-chefe. — Mas e a fé dessas crianças? E suas práticas religiosas?

Todos olharam para ele, talvez tão chocados quanto Helen.

— Rabino, o senhor entende a emergência que estamos enfrentando? — perguntou ela, surpreendendo-se. — O senhor prefere cinco mil crianças judias mortas, ou parte delas dormindo em camas extras em casas de cristãos e quacres?

— É claro que nossa preferência será por casas judias, Rabino — disse Dennis Cohen, com calma —, mas eu ficarei grato por qualquer pessoa de qualquer fé que possa ajudar. O público em geral será convidado a oferecer acomodação, com os mesmos padrões do Conselho do Condado de Londres para lares adotivos de crianças britânicas.

— Nós podemos alocá-las em hospedarias ou em escolas em vez de em casas de não judeus — sugeriu o rabino-chefe.

— Onde essas crianças pequenas, já arrancadas de suas famílias, vão receber algum afeto? — questionou Helen.

— Nós vamos confiar no Reichsvertretung na Alemanha e no Kultusgemeinde em Viena para selecionar as crianças, com base na vulnerabilidade delas — respondeu Dennis Cohen.

— Os meninos mais velhos serão os mais vulneráveis, assim como as meninas mais novas, que os britânicos vão querer aceitar — alertou Helen.

— Traremos aqueles que conseguirmos, e confiaremos em Deus para isso — completou Norman.

— Confiar em Deus... — reclamou Helen; essa era uma tarefa grandiosa, tendo em vista tudo o que Ele já havia negado.

— Como o tempo urge, votemos, então, se apresentamos ou não o plano Bentwich-Cohen ao governo — concluiu Lionel de Rothschild.

COTURNOS POLIDOS

Käthe Perger ergueu os olhos, surpresa por ver um nazista com um casaco preto longo e coturnos polidos adentrar a redação do jornal com seu pastor alemão, indo em direção à porta aberta de sua sala. Um grupo de guardas da SS o seguia, muitos deles já circundando o Linótipo e pensando na melhor maneira de colocá-lo no caminhão, que, como Käthe podia ver, aguardava na rua.

O cachorro ficou completamente imóvel quanto Eichmann, agora na porta de sua sala, disse:

— Você é Käthe Perger.

Käthe encontrou seu olhar. Como suas palavras não foram em tom de pergunta, ela não sentiu a necessidade de responder.

— E sua equipe não está aqui hoje? — perguntou ele.

— Eu não tenho mais equipe, Obersturmführer Eichmann — respondeu ela.

Isso era próximo o bastante da verdade.

— Então, você virá comigo — concluiu ele.

GAVETAS VAZIAS

Mesmo com a luz baixa, Stephan viu a mesa destruída e os restos das gavetas espalhados e quebrados. Ele ajeitou uma gaveta que estava mais ou menos intacta. Não havia nada dentro. Não havia papel algum em lugar algum da sala de redação de Käthe Perger, coberta de avisos proibindo a entrada. Tudo havia sido levado como evidência.

Ao ouvir vozes se aproximando do lado de fora, ele se escondeu debaixo dos pedaços grandes de mesa, da melhor forma que conseguiu, bem no momento em que a luz de uma lanterna surgiu da porta, rodeando rapidamente a sala.

Ele ouviu os dois homens entrarem, conversando e rindo; o barulho de um fósforo sendo aceso e o cheiro de cigarro.

— Aquela vadia doida que ficava sempre se metendo na vida dos outros teve o que mereceu — disse um deles.

Stephan respirou fundo, mantendo-se tão imóvel que seu corpo inteiro doía, enquanto os dois seguiam naquela conversa entediante de quando homens tentam se convencer de que não são tão maus quanto de fato são. Finalmente foram embora, e Stephan permaneceu parado debaixo da mesa quebrada, enquanto o coração desacelerava e voltava ao normal.

Quando pareceu que eles deveriam estar adentrando algum outro local destruído, fumando outro cigarro e rindo de alguma outra infelicidade, ele saiu de baixo da mesa e rapidamente revirou os pedaços de gaveta na escuridão, passando a mão por dentro de todas elas. Ele se esforçou para ser metódico no meio do caos, separando cada pedaço de gaveta depois de examiná-lo para marcar que já havia procurado ali.

Seus dedos encostaram em uma farpa, mas não encontraram papel nenhum.

Justo quando ele estava perdendo a esperança, sentiu um pedaço de papel colado na parte de baixo de uma gaveta quase intacta, jogada no canto. Talvez não fosse nada além de uma espécie de etiqueta grudada no móvel.

Passou a mão com mais cuidado, usando sua unha para levantar a fita. Quando conseguir soltá-la, pegou sua lanterna.

Stephan congelou — vozes na janela novamente. Ele não tinha ouvido as vozes se aproximando.

Permaneceu completamente imóvel. As vozes seguiram, sumindo aos poucos.

Ele guardou o pedaço de papel, ou seja lá o que era, no fundo do bolso para não cair, e terminou a busca na escuridão, amedrontado demais para ligar a lanterna novamente. Encontrou três pedaços de papel soltos, que também guardou no fundo do bolso antes de ir embora do escritório e, o mais rápido possível, entrar no túnel subterrâneo.

Ele deveria esperar até voltar para o palácio naquela noite, mas suas pernas estavam fracas, e ele precisava saber a verdade antes de levá-la para Mutti e Walter. Agachou-se em um canto do túnel, escondendo-se atrás de uma pilha de destroços. Desdobrou o primeiro pedaço de papel que encontrou no bolso, o que estava colado na gaveta.

Ligou a lanterna. Um círculo de luz se abriu sobre as palavras.

Ele morreu a caminho de Dachau. Eu sinto muito.

O DEBATE DE WESTMINSTER

Helen Bentwich, na galeria, já exausta de ouvir o longo dia de discursos no Parlamento, às 19h30, ouviu sobre a questão dos refugiados com seriedade. Philip Noel-Baker, com sua forma passional de falar, senão prolixa, começou a montar o caso com os piores exemplos: um homem e sua família queimados até a morte; um colégio interno em Caputh completamente destruído às duas da manhã; pacientes levados das casas de Bad Soden com tuberculose, vestindo somente seus pijamas; os pacientes do hospital judeu de Nuremberg forçados a desfilar alinhados.

— Se esses atos tivessem sido os excessos espontâneos da população, esperaria-se que o governo alemão punisse os agressores e fizesse reparações às vítimas — disse ele. — Mas em vez disso, o governo alemão completou essas ações atrozes emitindo um decreto que culpava os próprios judeus pela destruição e impunha a eles uma multa de oitenta e quatro milhões de libras. E o mais sinistro de tudo é que o governo alemão começou a prender todos os homens judeus com idade entre dezesseis e sessenta anos. — Ele não iria "se estender mais nos horrores", mas a Casa precisava entender que os homens e rapazes nos campos de concentração estavam sendo obrigados a trabalhar dezessete horas por dia, com quantidades de comida que não alimentariam nem uma criança, e estavam sendo sujeitos a torturas que ele nem sequer iria especificar. Helen também não queria saber os detalhes das torturas, mas já tinha ouvido falar, e não conseguia imaginar por que os membros dessa câmara eram tão delicados que precisavam ser poupados, enquanto tomavam decisões que poderiam salvar vidas, ou não.

Eram dez horas da noite quando o Secretário de Estado, Hoare, seguiu especificamente para a proposta do Kindertransport:

— O Visconde Samuel e alguns trabalhadores judeus e de outras religiões vieram até mim com uma proposta interessante — afirmou ele. — Eles relembraram um acontecimento durante a guerra, no qual demos abrigo aqui para milhares de crianças belgas, ajudando significativamente na manutenção da vida daquela nação.

— As crianças belgas foram trazidas para cá com as suas famílias, quando tinham família — sussurrou Helen para Norman.

Norman colocou os lábios tão perto do ouvido dela que ela podia sentir sua respiração, e murmurou:

— É mais fácil persuadir um homem a fazer o que ele acredita ter precedentes.

— Essa delegação acredita — continuou Hoare — que nós podemos encontrar lares em nosso país para um grande número de crianças alemãs sem prejudicar a nossa população. Crianças cuja manutenção poderia ser garantida pelos fundos da delegação ou por indivíduos generosos. Tudo o que precisamos fazer é garantir os vistos necessários e facilitar a entrada das crianças no país. É uma chance de cuidar da geração jovem de um grande povo e diminuir o sofrimento terrível de seus pais. Sim, nós precisamos prevenir um fluxo de situações indesejáveis disfarçadas de imigração de refugiados. Por isso, o governo precisará checar em detalhes as circunstâncias individuais de refugiados adultos, um processo sujeito a envolver atrasos. Mas um grande número de *crianças* poderiam ser admitidas sem checagem individual.

O debate era penoso: será que os pagadores de impostos britânicos seriam onerados pela responsabilidade financeira das crianças? Esse número deveria ser limitado? E os checos? E os refugiados espanhóis? O sr. David Grenfell insistiu:

— A grande e poderosa nação da Alemanha não pode tomar tudo dos judeus e expulsá-los fronteira afora, dizendo "Não quero judeus no meu território; vocês precisam aceitá-los". — Mas a questão foi finalmente exposta: essa Casa, tendo em vista a crescente gravidade dos problemas dos refugiados, aceitaria um esforço articulado entre nações, incluindo os Estados Unidos, para assegurar uma política comum para a imigração temporária de crianças do Reich?

— Um "esforço articulado"? — repetiu Helen para Norman. — Mas não há outras nações com as quais articular.

— Quem é a favor, levante a mão.

SAÍDA, SEM VISTO

Ao ouvir passos na escada, Stephan pulou da cama, pegou seu casaco e seus sapatos na cadeira ao lado da janela do quarto e se esquivou para o terraço do lado de fora, enquanto Walter, pobrezinho — que também estava dormindo totalmente vestido em função dos quartos gelados e da necessidade de estar pronto para qualquer coisa —, abraçou forte seu Peter Rabbit e correu em silêncio para o quarto da Mutti, para a cama dela, exatamente como haviam ensaiado. Os vândalos invadiram, nem um pouco retardados pela porta surrada, com as lanternas tão fortes que a janela, agora debaixo de Stephan, brilhava como se as lâmpadas lá de dentro estivessem acesas, embora os homens ainda estivessem na pequena antessala.

— Onde está o garoto? — questionou uma voz rouca.

Eles devem estar no quarto da Mutti, pois ela não teria conseguido se levantar da cama e se sentar em sua cadeira de rodas tão rápido, mesmo se tivesse a ajuda de Stephan.

Stephan ficou agachado o mais imóvel possível, com o casaco e os sapatos nas mãos e o terraço muito gelado encostando em seus pés minimamente protegidos, enquanto a fina camada de gelo do chão derretia e entrava no algodão das suas meias.

— Ficaremos felizes em levar o pequeno no lugar dele — afirmou o homem.

Nem os nazistas machucariam uma mulher à beira da morte e seu filho pequeno, Stephan pensou enquanto se esticava para fechar a janela do quarto da forma mais silenciosa possível, bloqueando o som da sua mãe a dois cômodos de distância dizendo que não sabia onde ele estava, que imaginava que ele tivesse sido levado para os campos — sua mãe se arriscava para que ele pudesse fugir, enquanto Walter não dizia nada, o pequeno garoto apavorado, ou corajoso, ou ambos. Stephan teve que reunir todas as forças para não voltar lá dentro e exigir que Mutti e Walter fossem deixados em paz, mas prometera a Mutti que não faria isso. Eles não conseguiriam sobreviver sem ele, ela insistira. Ela precisava dele para encontrar um jeito de tirá-los da Áustria. Não podia fazer isso sozinha, nem Walter poderia fazê-lo, então Stephan precisava se salvar primeiro. Walter dizia que ele e Peter podiam cuidar de Mutti. Ele era muito pequeno, mas muito determinado também. Sabia esvaziar o urinol. Conseguia ajudar Mutti a se vestir. Podia fazer muitas coisas para as quais um menino de cinco anos nem sequer deveria ser solicitado.

Stephan arrastou-se em silêncio pelo terraço escorregadio em direção à arvore ao lado da janela de seu antigo quarto e à rua.

Um soldado patrulhava com um cachorro na calçada, próximo à arvore. As orelhas do cachorro levantaram quando eles passaram pela luz dourada de um poste; a sombra era tão comprida que parecia uma criatura de outro mundo.

Stephan recuou lentamente da beira do terraço e se escondeu atrás da chaminé, onde o som da sua respiração não devia chegar aos ouvidos do cão. Ele se encaixou contra os tijolos, no leve calor deles e na proteção de sua sombra.

Não havia uma única estrela no céu.

Ele observou a chaminé do terraço quando calçou os sapatos, tentando enxergar na escuridão da noite. Aquilo era fumaça saindo da chaminé? Da outra chaminé do lado? Ele estava amarrando o sapato quando ouviu uma janela abrir.

Correu para a outra chaminé e sentiu — estava quente. E depois outra, também quente. E logo alguém estava passando da janela do quarto de serviço da Mutti para o terraço.

— Caramba, está muito frio — disse o nazista olhando para baixo, em direção à janela.

E escorregadio, pensou Stephan. De onde estava, ele poderia empurrar o soldado lá embaixo e rezar para parecer uma queda.

— Algum sinal dele? — perguntou uma voz mais alta.

Agora havia dois homens no terraço. Não tinha a menor chance de empurrar os dois, nem de essa coincidência passar despercebida.

Ele via as sombras dos dois na escuridão, mas eles não conseguiam vê-lo; as vozes ajudavam Stephan a localizá-los, e seus olhos tiveram tempo de se adaptar, enquanto os dois haviam acabado de chegar ao escuro.

Mantendo-os sob sua vista, ele se arrastou até a terceira chaminé. Estava fria, tão fria quanto seu pé descalço.

Seu casaco! Ele devia ter deixado perto da primeira chaminé.

Uma luz forte atravessou o terraço, uma luz na direção dele, e depois outra.

Stephan subiu no topo da chaminé e se escondeu lá dentro. O tijolo duro e escorregadio de fuligem encostava em sua camiseta fina, e seu pé só de meia sentia a superfície gelada.

Ele colocou seu outro sapato no colo para que pudesse abraçar o próprio corpo com as mãos.

O nazista de voz mais rouca chamou o soldado que fazia a patrulha junto com o cachorro lá embaixo. Não, ninguém desceu do terraço.

Os dois olharam ao redor, suas vozes vinham de direções diferentes no terraço enorme, e as luzes das lanternas de vez em quando passavam sobre a cabeça de Stephan. Eles começaram a falar sobre os outros terraços ao redor, como se Stephan pudesse realmente ter saltado a distância das ruas.

A voz mais alta agora vinha do lado da primeira chaminé, perto do casaco esquecido de Stephan.

As pernas dele estavam queimando de se segurar na chaminé de cinco andares. Será que ele conseguiria descer, ou cairia lá embaixo, com as pernas já exaustas? Será que conseguiria passar pelo duto? Se conseguisse, o cômodo a que ela servia devia estar vazio. Afinal de contas, a chaminé estava fria. Um cômodo em algum lugar no meio do palácio, visto a posição dela. A cozinha? A cozinha sem janelas, onde ele seria encurralado, incapaz de sair despercebido. Ele deveria ter encontrado uma chaminé fria na ponta do palácio, uma que pudesse desembocar em um cômodo com janela, em uma saída. Mas não houvera tempo para isso.

Ele se ajeitou um pouco, tentando continuar firme. O sapato em seu colo escorregou. Ele se esticou para agarrá-lo antes que batesse contra o duto de metal abaixo, e escorregou. Conseguiu, por pouco, pegar o cadarço com a mão esquerda.

Rapidamente segurou o cadarço com os dentes e pressionou seu braço contra o tijolo frio para frear seu corpo que escorregava. Seu joelho direito tremia com a força que fazia, ou o frio, ou o medo.

Os nazistas estavam rindo. Do que eles estavam rindo? Será que tinham encontrado o casaco?

A voz alta falou:

— Eu falei que nós não éramos ginastas!

Eles pensaram juntos para onde Stephan poderia ter ido. Imóvel, ele abraçava o próprio corpo dentro da chaminé, com o cadarço entre os dentes, estranhamente estável.

Ouviu um gemido, e depois uma risada, e o barulho dos nazistas entrando de volta no pequeno apartamento. Era só um jogo para eles, uma aventura.

Ele esperou um tempo depois de as vozes cessarem antes de se erguer um pouco para fora da chaminé e espiar. Saiu e agachou no chão do terraço, esperando e observando, esticando as pernas para que parassem de tremer. Ainda estava parado ali quando ouviu o rangido da janela. Já era seguro voltar lá para dentro! Não precisaria passar a noite no terrível túnel subterrâneo.

As notas de abertura da Suíte para Violoncelo nº 1 de Bach subiram até ele.

Stephan escutou as primeiras notas, a tristeza se prolongando em cada uma delas, na vitrola danificada e em mau estado, que não eram de "Ave Maria". Por fim, ele calçou seu segundo sapato com a meia molhada e coberta de fuligem. Arrastou-se pelo terraço para pegar seu casaco, vestiu-o e desceu deslizando pela árvore. Apressou-se para a loja mais próxima da Ringstrasse e desceu os degraus estreitos de dentro. Só teve um ligeiro respiro de alívio quando chegou ao túnel frio, sombrio e infestado de ratos, debaixo da terra.

O PEDIDO DO VISCONDE SAMUEL

O antigo salão do Bloomsbury Hotel estava lotado de mesas e tomado pelo ruído de sessenta mulheres, que processavam papéis de imigração com toda a rapidez possível. Elas tinham criado um sistema de fichas com código de cores em duas partes, uma com a parte que ficaria na Inglaterra enquanto a outra era enviada à Alemanha, uma ficha para cada criança.

— Aumente! — disse alguém. — Helen, seu tio está na BBC, começando o seu pleito.

— Deixe ligado, então, mas continuem trabalhando — respondeu ela. — Não vai adiantar nada toda a Inglaterra abrir as portas para aceitar crianças se não conseguirmos tirá-las da Alemanha.

As mulheres continuaram a exercer suas funções, ouvindo o tio de Helen falar no rádio.

"... Por mais dolorosa que seja uma separação, quase todos os pais judeus, e muitos dos cristãos não arianos, gostariam de enviar seus filhos para fora do país, mesmo se não conseguirem refúgio para si."

Ao mencionar os cristãos, o Visconde Samuel quis tornar a proposta mais atraente, Helen sabia.

"Um movimento mundial foi lançado para realizar o resgate dessas crianças", falou seu tio.

Um movimento mundial no qual somente a Inglaterra se mexia. Mas com certeza o mundo seguiria a sua liderança.

"O caso é urgente", continuou o Visconde Samuel. "Portanto, nós pedimos à nação para aceitar essas crianças e cuidar delas, para abrigá-las em sua casa. Será que as igrejas, as comunidades judaicas e outros grupos vão se prontificar e oferecer se responsabilizar por algumas dessas crianças, que estão sendo jogadas à mercê do mundo?"

DESEJOS GRANDES E PEQUENOS

Stephan enroscou-se dentro de uma caixa de grãos de cacau e encaixou suas mãos entre as coxas, tentando manter-se aquecido. Ele acordou tremendo após um ou cinco minutos, ou quinze, ou diversas horas. O tempo não passava na escuridão dos túneis subterrâneos, sem nenhum sinal que marcasse sua passagem. Em seu estado grogue, ele procurou a corrente que acendia a lâmpada do teto, percebendo ainda em tempo que isso faria com que uma luz refletisse na porta no topo da escada. Será que havia alguém lá em cima na fábrica de Chocolates Neuman para abrir a porta e descobri-lo?

Ele não deveria estar aqui, sabia disso, mas era um local seco e familiar, e para onde mais poderia ir? Queria voltar para casa e se deitar na sua cama, não na cama do quarto de serviço que dividia com Walter. Queria a sua cama de verdade, com seu travesseiro favorito e lençóis limpos, seus livros e sua escrivaninha e sua máquina de escrever; todos os papéis e sonhos do mundo. Como isso tudo não era um pesadelo? Como é que ele não estava dormindo, quase acordando, ainda de pijama, para ir à sua escrivaninha e sua máquina de escrever anotar sobre o pesadelo antes de perder os detalhes que talvez moldassem a história?

Ele pegou a lanterna que ficava pendurada em um gancho no fim da escada da câmara de cacau; poderia manter o feixe de luz longe da porta e desligá-la com mais facilidade do que a luz de cima. Manteve o ouvido atento à escada enquanto pegou o pé de cabra e abriu uma das caixas.

Encheu a mão com grãos de cacau de um dos sacos de juta e cuidadosamente fechou o saco e a caixa, ninguém repararia que tinha sido retirado um punhado. Lançou alguns grãos na boca e mastigou — duro e amargo. Ele desejou que tivesse água para ajudar a engoli-los. Tantos desejos, grandes e pequenos.

Colocou o restante dos grãos no bolso do casaco e estava devolvendo o pé de cabra ao seu local de origem, no gancho, quando ouviu vozes no andar de cima — trabalhadores descendo para buscar a leva do dia de grãos de cacau. Assustado, apagou a lanterna e se escondeu rapidamente debaixo da escada. Quando ouviu a porta se abrir, percebeu que ainda estava segurando a lanterna. Ele a guardou no bolso, rezando para que ninguém desse falta.

Agachou-se pelo túnel, tentando pensar onde poderia se esconder. Do outro lado, surgiram outras vozes:

— Por aqui! — E pessoas correndo.

Nazistas vasculhando os túneis subterrâneos em busca de homens e garotos escondidos, como ele.

Encurralado, ele deu alguns passos para trás, certo de que a batida dentro de seu peito o entregaria.

Coturnos nazistas ressoaram do lado de fora do túnel, correndo a alguns metros dele.

OTTO

Otto abraçou e beijou Johanna.
— Eu quero a mamãe — disse a pequena.
— Eu sei, querida — falou Otto. — Eu sei.

Žofie, que havia se tornado tão quieta e tão adulta desde que sua mãe fora presa, perguntou se ele havia ido visitar a mãe delas.

— Eu consegui a confirmação de que sua mãe está sendo mantida aqui em Viena — respondeu ele. — Por que você não me deixa terminar de fazer o jantar?

— É só *kulajda* — afirmou ela.

Kulajda. Era a comida preferida de Žofie. Sempre que visitavam a avó Betta, ela voltava contando que tinha pegado ovos do galinheiro da avó com Johanna para cozinhá-los, um ovo cozido era colocado cuidadosamente em cada cumbuca de sopa de batata cremosa.

— Relaxe, *Engelchen* — disse ele. — Leia um pouco.

O exemplar dela de *Caleidoscópio* estava na mesa. Ele levara para o quarto de Käthe e colocara de volta no esconderijo debaixo do tapete. No lugar, tinha trazido *As memórias de Sherlock Holmes*.

Žofie sentou-se à mesa com um livro quadriculado cheio de equações, recusando até Sherlock Holmes. Johanna sentou-se ao lado dela, chupando o dedo. Otto ligou o rádio enquanto terminava de fazer a sopa: o Ministro das Relações Exteriores Von Ribbentrop estava indo para Paris assinar o proposto acordo de paz franco-alemão; um número enorme de livros de segunda mão estavam disponíveis devido ao fechamento de livrarias judaicas; e havia acabado de ser imposto um toque de recolher aos judeus de Viena.

Žofie-Helene ergueu os olhos de seu papel quadriculado:
— Quando eles vão soltar a mamãe?

Otto colocou a colher de pau na mesa e sentou-se na cadeira ao lado dela.

— Ela só precisa prometer que não vai mais escrever.

Žofie fechou a cara e voltou para as suas equações. Otto voltou para o fogão, para a satisfação de poder cuidar delas, pelo menos.

Um bom tempo depois que Otto achou que Žofie-Helene estivesse perdida em sua matemática, ela disse:

— Mas ela é escritora.

Otto mexeu a sopa devagar, observando o redemoinho se formar, misturar-se e desaparecer.

— Žofie — explicou ele —, eu sei que Stephan deu esse livro para você. Sei que significa muito. Mas ele foi proibido. Se pegá-lo de novo, eu terei que queimá-lo no incinerador.

O telefone começou a tocar nesse instante, é claro, bem quando era o menos conveniente possível.

— Não preciso ficar com o livro — retrucou Žofie. — Vou levar para a lixeira do lado de fora logo depois do jantar. Prometo.

Ele assentiu — sim, isso seria para o bem deles — e atendeu ao telefone.

— Käthe Perger? — perguntou uma mulher, a voz crepitante com a estática.

Uma linha do outro lado do oceano?

— Quem é? — questionou Otto.

— Desculpe — respondeu a mulher. — É Lisl Wirth, a tia de Stephan Neuman. Na verdade, eu esperava falar com Žofie-Helene. Estou ligando de Shanghai. Acabei de receber uma ligação da minha cunhada, dizendo que o Stephan está... Eles foram prendê-lo e ele fugiu, mas agora a Ruchele está sendo obrigada a se mudar. Ela pensou que talvez Žofie pudesse saber onde o Stephan...

— Com certeza outra pessoa pode ajudar a encontrá-lo — interrompeu Otto.

— Ninguém sabe onde ele está — insistiu a mulher. — E Ruchele... Até a empregada dela teve que ir embora, porque os cristãos não podem mais trabalhar para os judeus. É só ela e Walter. Ela simplesmente não vai conseguir. Achou que talvez Žofie pudesse saber onde o Stephan... Ela não quer saber onde ele está, ela só...

— Žofie-Helene não faz ideia de onde Stephan esteja — respondeu Otto.

— Minha cunhada só quer dar um recado para o filho dela, para que ele saiba onde encontrá-la.

— Minha nora está presa por causa do seu povo! Vocês precisam nos deixar em paz!

Ele desligou, com as mãos tremendo.

Žofie-Helene olhou para ele.

— Eu posso encontrar o Stephan — afirmou ela.

Johanna ficou sentada, olhando para ele também. Tirou o dedo da boca e disse, bastante objetiva:

— Žozo pode encontrar o Stephan.

Otto mexeu a sopa outra vez. A sopa não precisava ser mexida, mas ele precisava mexê-la.

— Você não sabe onde ele está, Žofie — falou ele. — Você vai ficar aqui e fazer as suas equações, e quando a mãe de vocês for solta, nós iremos para a casa da avó Betta. A mãe de vocês não pode ficar aqui. Quando eles a libertarem, nós vamos para a Checoslováquia.

EM BUSCA DE STEPHAN NEUMAN

Žofie-Helene levantou-se da cama ainda vestindo roupas de sair. Pegou sua caixa de coisas secretas debaixo da cama e guardou o livro que estava lendo para se manter acordada, até que o avô estivesse dormindo lá dentro; eram as histórias de Stefan Zweig que ela havia prometido ao avô que jogaria fora. Era e não era verdade que ela cumpriria sua promessa: ela havia levado o livro para a lixeira lá embaixo, do lado de fora do prédio, mas não conseguiu deixá-lo e o trouxe de volta para casa. *Caleidoscópio*. Com bastante frequência, ela se perguntava por que Stephan dera a ela o segundo volume da coleção e não o primeiro. Ela deveria ter perguntado a ele, mas o mistério a agradava, a dedução, o desenrolar desse nó mental. Talvez ele tenha escolhido por causa do título; ele sabia que o título a agradaria: todas as superfícies reflexivas inclinadas umas sobre as outras, de forma que uma única coisa virava várias, a imagem se repetia eternamente, até virar outra coisa, uma coisa linda.

Ela foi na ponta dos pés até a cozinha e pegou uma faca do porta-talheres. Abriu uma gaveta e vasculhou na escuridão por uma vela e uma caixa de fósforos. Pegou seu casaco e um cachecol rosa quadriculado, e estava pronta para sair quando, de forma automática, pegou os restos de pão que tinham sobrado do jantar, ainda enrolados no papel da padaria, e guardou no bolso do casaco.

Tudo era tão escuro e assustador nos túneis subterrâneos que Žofie acendeu um fósforo. Não era suficiente, mas pelo menos assustou os ratos. Ela seguiu em uma direção, mas logo teve que enrolar o cachecol sobre a boca para conter o mau cheiro. Tinha pegado o caminho errado, em direção ao esgoto quando deveria ter sido o contrário. Deu meia-volta e continuou sorrateiramente. Se fosse descoberta por alguém, diria que estava procurando seu gato.

Depois de um tempo, parou e ouviu: um ronco. Seguiu em silêncio até que pudesse ver de onde vinha o som — era um homem bem grande. Ela se virou para o outro lado e seguiu, aliviada de encontrar uma passagem com luzes de emergência. Porém, depois de passar por ali, a escuridão ficou ainda pior.

Ela não queria usar a vela; havia trazido para Stephan, mas a quantidade de luz que emanava era surpreendente. Encontrou o caminho com facilidade após o convento, passando pelo portão de St. Stephen, pela pilha de crânios que evitou olhar, embora talvez devesse ter olhado; quem sabe teria sido menos assustador se ela substituísse seu medo pela memória da coragem de Stephan.

No túnel em direção à câmara de cacau, ela fez uma pausa e respirou fundo. *Mantenha a boca aberta, deixe que ele se dissolva na boca. Deixe-o aí, faça com que ele dure, sinta cada momento.* Ela queria segurar a mão de Stephan naquela primeira vez em que estiveram nas passagens subterrâneas, mas como pegar na mão do seu único amigo sem estragar a amizade?

Ajoelhou na pedra fria e engatinhou pela passagem que tanto a encantara naquela primeira vez.

— Stephan, você está aí? — sussurrou ela, querendo e não querendo encontrá-lo. O paradoxo da amizade. Como ele sobreviveria aqui embaixo, no frio e na sujeira? Como ele poderia dormir aqui com ratos em todo canto?

— Sou eu, Žofie-Helene — sussurrou ela. — Não tenha medo.

A caverna com teto baixo estava vazia. Ela apontou a vela para a escada da câmara de cacau. Os degraus não estavam tão sujos. Tinham sido usados recentemente. Elementar.

Ela subiu a escada lentamente, com cuidado. Ouviu algo. Estendeu a chama da vela e ficou escutando, e subiu os últimos degraus no maior silêncio que conseguiu. No topo da escada, ela só via escuridão. Não ouvia nada.

— Stephan? — sussurrou ela.

Sem resposta.

Acendeu outro fósforo e virou-se em direção ao som de alguma criatura correndo.

Tateou o ar e encontrou o cordão que acendia a luz da câmara, que era tão forte que a fez piscar na outra direção.

Uma lanterna nova estava pendurada na escada, mas a caverna estava praticamente igual. Havia um pequeno buraco entre as caixas de cacau lá no canto. Talvez tenha ficado assim quando o carregamento chegou, a última tarefa de um trabalhador cansado ao fim de um longo dia. Ela se aproximou. Não havia nada. Se Stephan estava vivendo ali, não deixou nenhum rastro além dos degraus da escada relativamente limpos. Mas em que outro lugar ele poderia estar?

Ela voltou-se com relutância ao cordão da luz da câmara, preparando-se para encarar a escuridão. O frio. Os animais que não conseguia ver. Seus dentes afiados e as doenças que transmitiam. Aguardou um minuto, na esperança de que a luz revelasse Stephan, antes de apagá-la e descer a escada.

Onde mais Stephan poderia estar dormindo, se não na câmara de cacau? Em algum lugar mais quente e sem ratos, ela imaginou. Mas não fazia ideia de onde poderia ser.

Ela pegou o pão embrulhado em seu bolso, desenrolou seu cachecol do pescoço e amarrou uma ponta rosa quadriculada ao redor do pacote, como se fosse uma bolsa. Amarrou a outra ponta no último degrau da escada, para suspender a comida do chão, longe do alcance dos bichos. Engatinhou de volta pela passagem baixa, levantou-se e rabiscou "S—" na pedra em diversos lugares, na esperança de ajudar Stephan a encontrar a comida. Ela começou a rabiscar outras letras, e então voltou para a caverna, desamarrou o pão e o guardou de volta no bolso.

Subiu a escada da câmara de cacau e tateou novamente o ar em busca do cordão da luz. Após ajustar os olhos à claridade novamente, mais rápido dessa vez, já que havia ficado menos tempo na escuridão, pegou a caneta presa à prancheta e escreveu no papel de embrulho do pão: *Sua mãe está sendo obrigada a se mudar para Leopoldstadt. Vou descobrir para onde e deixar um bilhete e um cobertor aqui. Escreva um recado dizendo do que mais você precisa.*

O livro. Por que ela não havia trazido para ele? Da próxima vez, traria *Caleidoscópio* para ele.

Devolveu a caneta para o lugar, exatamente como havia encontrado. Preparou-se novamente para a escuridão, puxou o cordão da luz e desceu a escada. Amarrou o pacote de pão e, com relutância, colocou a vela e os fósforos dentro do cachecol, que amarrou outra vez pendurado no degrau da escada.

A CRUZ

Truus serviu chá e ofereceu biscoitos para Norman e Helen Bentwich. Ofereceu também a caixa de prata de cigarros; permitir que um homem fumasse podia acalmá-lo.

— Estou entre a cruz e a espada aqui — disse ela. — Joop ficará arrasado se eu o deixar de fora.

— Nós achamos que você precisaria de um tempo sozinha para pensar na nossa proposta — respondeu Helen.

Truus entendeu que com "nós" Helen quis dizer "eu".

— Diversas agências que agora estão operando juntas sob a chancela do Movimento em Prol das Crianças Alemãs convenceram o nosso parlamento a permitir uma quantidade ilimitada de imigração temporária do Reich para a Inglaterra — acrescentou Norman.

— Ilimitada! — exclamou Truus. — Essa notícia é maravilhosa!

— Ilimitada em número, embora seja limitada em capacidade. As crianças serão aceitas somente como transmigrantes... — explicou Norman Bentwich.

— Uma aceitação relutante — interrompeu Helen — e uma exigência ridícula, uma vez que não há outro país para onde as crianças possam emigrar. A condição parece ser uma tentativa de criar uma linda fachada mas sem exigir nenhum adorno da imigração. Eles advertiram que seria do interesse de todos que as crianças fossem dispersadas o máximo possível, em vez de ficarem concentradas em cidades como Londres e Leeds. "Isso nos livrará de termos de criar um enclave majoritariamente judeu", foi o que disseram.

— Estamos administrando o lado britânico das coisas — afirmou Norman. — Arrumando responsáveis para o máximo possível de crianças, e lares temporários e apoio financeiro na Inglaterra para o restante. O Reichsvertretung já começou a fazer a seleção das crianças na Alemanha. Mas a necessidade na Áustria é mais complicada. O diretor do Escritório Judeu da Alemanha de lá, um homem chamado Eichmann... — Norman bateu o cigarro no cinzeiro. — Ele apresenta um desafio específico, aparentemente.

— O Kultusgemeinde e o *Friends Service Committee*, que está ajudando, acham que alguém de fora pode obter mais sucesso em persuadir Eichmann a deixar os austríacos saírem — explicou Helen. — Alguém cristão.

— Esperamos conseguir financiar e acomodar algo em torno de dez mil crianças — falou Norman. — E como você já resgatou tantas...

— Dez mil crianças e suas famílias? — perguntou Truus.

Norman, com um olhar duvidoso para sua esposa, apagou seu cigarro pela metade.

— O primeiro ministro acredita que é mais fácil para as crianças aprenderem nossa língua e nossos costumes. Sem suas famílias, elas talvez consigam se integrar à nossa sociedade com mais facilidade. Pelo que entendi, as crianças que você resgatou vieram desacompanhadas, certo?

— "O primeiro ministro acredita" que exista espaço na Inglaterra para as crianças, mas não para os seus pais? — replicou Truus, chocada. — "O primeiro ministro acredita" que os pais devem entregar seus preciosos filhos a estranhos?

— Você tem filhos, sra. Wijsmuller? — questionou Norman.

Helen, tão impressionada com a pergunta quanto Truus, ou ainda mais, exclamou:

— Norman! Você...

— Joop e eu não tivemos essa bênção, sr. Bentwich — respondeu Truus, com toda a calma que conseguiu reuniu, lembrando-se da imagem do lindo berço de balanço em madeira, dos lençóis, do boneco de neve bordado que encontrara no sótão um dia em que Joop estava no trabalho.

— Garanto a você — disse Norman Bentwich com firmeza — que nenhuma criança será levada sem que seus pais a entreguem livremente. Não somos bárbaros.

— Não, não há mais bárbaros no mundo — ironizou Truus. — Nenhum que possamos chamar assim. Há pacificadores em todo canto; mas bárbaros, não.

Bentwich retrucou, indignado:

— Não acredito que você esteja em uma posição para dar um sermão à Inglaterra quanto à nossa generosidade. Vocês, holandeses, só deixam atravessar pela fronteira judeus alemães com vistos em mãos, para seguirem para outro lugar.

— Mas separar as famílias? Certamente… — Ela se virou para Helen, piscando ao pensar na pequena Adele Weiss morrendo naquele berço em Zeeburg, sem ter sua mãe para confortá-la. — Helen, as mães não podem ser alocadas como domésticas? Ou… Ouvimos rumores sobre a permissão de mais imigração dos judeus à Palestina. Certamente vocês têm alguma influência nesse assunto, já que passaram alguns anos lá.

— Infelizmente, a Palestina é vista como um local sensível demais politicamente para oferecer uma solução — respondeu Norman.

É vista como. Então ele não concordava, mas não podia fazer nada a respeito.

Helen explicou, com gentileza:

— O governo concordou em emitir vistos em massa para que as crianças possam ser trazidas rapidamente. Já é algo grandioso, Truus. Essas crianças estão em circunstâncias desastrosas. O conselho está preocupado com a vida delas.

— Mas não com a vida dos pais delas — retrucou Truus.

Norman Bentwich se levantou e foi até a janela, olhar o dia claro e quente, atípico de novembro. Era o que Joop fazia quando estava com raiva ou frustrado. E Truus também.

Quando ele se virou novamente, a luz vinda da janela deixou sua expressão indecifrável.

— Esses pais farão qualquer coisa para salvar seus filhos — afirmou ele. — Estão felizes com a generosidade de desconhecidos em acolhê-los até que esse horror chegue ao fim.

Helen colocou a mão sobre a de Truus, delicadamente, e disse:

— Eu faria o mesmo, Truus, e você também.

Truus tomou um gole de chá. Pegou um biscoito do prato, mas não sentiu fome para comê-lo. O rosto da mãe de Adele ficava voltando em sua memória: sim, ela queria que Truus levasse sua filha, e ao mesmo tempo não queria. Por que Truus simplesmente não puxou a mãe para dentro do trem também? Por que ela não pensara em trazer a mãe, em contar com seus próprios recursos para, de algum jeito, tirar a mãe de Adele da Alemanha?

— Helen, eu... Você nunca fez isso. Você nunca pegou uma criança dos braços da mãe. Acho que não existe tarefa mais terrível do que essa em todo planeta — disse ela.

Norman Bentwich deu um passo na direção dela, saindo do efeito silhueta que a luz da janela imprimia, e perguntou:

— Você acha mesmo?

A ESPADA

Em uma ponte sobre o Herengracht, um pai segurava uma criança por cima do trilho para que ela pudesse empurrar com um galho comprido um veleiro de brinquedo colorido que estava preso no meio do canal. Ele estava sendo tão imprudente ao segurá-la daquela forma que Truus quase pensou em puxá-la para cima antes que ela caísse nas águas geladas do canal em novembro. Quase pensou em empurrar o pai da ponte. Sinceramente, no que o homem estava pensando? Tantos pais subestimavam o perigo achando que nada nunca aconteceria aos seus filhos. Mas um grupo de pais que assistiam à cena dali de perto comemorou quando o pequeno barco de madeira foi solto e enviado de volta à corrente em direção ao cais, onde seus próprios filhos cutucavam seus barquinhos coloridos, cruzando a ponte às pressas de vez em quando,, até o lado onde Truus estava, e depois enviavam os barcos de volta.

— Eu admiro o trabalho que Helen e Norman Bentwich estão fazendo — disse Joop para ela. — Mas, sinceramente, Truus, ir para Viena *esta noite*? Sem nenhum planejamento? Sem sequer um horário agendado para encontrar esse tal Eichmann?

Joop não era um homem de demonstrar os sentimentos em público, e justamente por isso ela havia escolhido discutir a proposta dos Bentwich com ele ali, no canal. É claro que havia um planejamento envolvido naquela situação, idealizado não por Truus, mas por Helen Bentwich, que havia convencido o homem do comitê de que aquela era a mulher certa para fazer o trabalho que eles achavam que deveria ser feito por um homem. Sua amiga Helen — um jeito engraçado de pensar em alguém que ela acabara de conhecer, mas era verdade.

— Uma coisa é atravessar com algumas crianças por uma fronteira que, sabemos, não é rígida — afirmou Joop, olhando diretamente para ela. — Mas você está falando de inúmeras viagens, não só a cinco minutos da fronteira, mas até Viena.

— Sim, Joop, mas...

— Não me conteste nessa situação.

A força das palavras dele a assustou. Ele realmente quis dizer aquilo. Ele falou as palavras que tanto dizia que não falaria. E fez isso não porque estava determinado a controlá-la, mas porque estava com medo por ela.

Ela sorriu, simpática, para o grupo de pais que agora olhava para eles do outro lado do canal, o pai novamente observando-os enquanto sua filha empurrava seu barquinho pela margem.

— Eu jamais o contestaria, Joop — respondeu ela delicadamente. — É um dos muitos motivos para eu te amar, porque você jamais me colocaria em uma situação em que eu tivesse que fazer isso. — O recado mais gentil possível, com uma pitada de humor para ajudar a digeri-lo.

A expressão dele ficou mais doce, como um pedido de perdão.

— Mas, sinceramente, Truus...

Eles viram quando a menina, cujo barco estava novamente fora do alcance, pediu a ajuda do pai. Ele estava envolvido demais em uma conversa para reparar. A menina pediu ajuda para seu irmão mais velho, que abandonou seu próprio barco para regatar o dela, ainda ao alcance dele.

— O que você queria que eu fizesse, Joop? — retrucou Truus, novamente em sua voz dominante e calma. — Tudo bem salvar três crianças ou trinta, mas eu não deveria tentar salvar dez mil?

— A Gestapo vai saber tudo sobre você, Geertruida! Aonde você vai. Como e com quem você passa cada minuto. Não haverá espaço para erros. — Ele hesitou, e então continuou, um pouco mais gentil: — Além de tudo, o médico recomendou que você não fizesse viagens de longa distância.

Truus relembrou aquela dor — o médico que salvara sua vida, mas não a vida do bebê deles. A última chance, ela imaginava. A última e inesperada chance dela.

Ela pegou a mão de Joop:

— O fato de eu subestimar os riscos não significa que eu não me cuide, Joop — disse ela. — Você sabe disso.

Os dois ficaram ali, juntos, na ponta mais afastada do canal, enquanto o pai do menino e da menina juntava-se a eles. Ele pegou o galho da sua filha para puxar o barco dela, segurou até que toda a água saísse de dentro dele e depois repetiu o processo com o barco do filho. O irmão segurou na mão da irmã mais nova, e ela disse algo que fez todo mundo rir. O pai pegou os barcos e os galhos, e os três foram para a ponte.

Truus olhou pelo meio das árvores para o céu limpo, agora manchado pelo entardecer.

— Joop, imagine se essas crianças austríacas que estou sendo enviada para buscar fossem seus filhos... — disse ela.

— Mas não são! Não são nossos filhos, e não importa quantos filhos de outras pessoas a gente salve, não substituirá os nossos próprios. Você precisa parar de achar que isso vai acontecer!

Novamente, as pessoas viraram na direção deles. Um trem apitou. Truus ficou somente olhando para o outro lado do canal turvo, com a mão sobre a dele. Ele não quis dizer aquilo, não quis magoá-la. Era somente o sentimento de perda falando mais alto. Talvez ele também estivesse passeando com os outros pais se ela não tivesse fracassado. Talvez ele também ensinasse uma criança a nadar antes que ela aprendesse a lançar um barco na água, uma criança que ele jamais permitiria que patinasse pelo canal se não estivesse congelado há pelo menos uma semana. Talvez ele também abotoasse um casaco, beijasse um cotovelo machucado e risse de algo que fosse engraçado para uma criança, e quem sabe até para um adulto.

Joop a puxou para abraçá-la e beijou seu chapéu no topo da cabeça.

— Desculpe. Desculpe. Me perdoe. Desculpe.

Ficaram os dois daquele jeito, enquanto pais chamavam seus filhos e barquinhos eram resgatados, água escorria de seus cascos de madeira coloridos, e os pilotos de barcos desapareciam em grupos de três, quatro, cinco, de volta para casa, para jantarem juntos ao redor da mesa, com os barquinhos secando na banheira após sua última viagem antes de o inverno chegar. O barulho do trem sumiu ao longe, deixando um silêncio no céu agora cinza, e na água cinza, e nos prédios cinza, na ponte cinza. O sol se punha tão rápido naqueles dias.

— Talvez seja por isso que Deus tenha nos negado filhos, Joop — disse ela com doçura. — Porque teríamos essa necessidade maior, essa chance de salvar tantas crianças. Talvez Ele tenha nos salvado do fardo de ter que optar pelo risco de deixar nossos próprios filhos sem pais.

TODAS AS CANETAS

Com o cachecol rosa de Žofie enrolado no pescoço e um cobertor sobre os ombros, Stephan viu de trás da pilha de escombros a sombra de Žofie-Helene parar na passagem do túnel subterrâneo. *Žofie*, Stephan queria dizer, *Žofie, estou bem aqui*. Mas não falou nada. Somente observou a sombra se agachar e rastejar, e depois desaparecer na passagem que levava à câmara de cacau.

Ele colocou o cachecol sobre o nariz e respirou fundo, observando e ouvindo. Água pingava nas duas direções. Um carro passava sobre a tampa octogonal do bueiro no topo da escada circular. Ele não sabia havia quanto tempo estava esperando. Não tinha mais noção de tempo.

— Stephan? — chamou ela, e sua voz o assustou.

Ele ficou olhando para a sombra dela, e agora podia confirmar que ela estava mesmo ali. Não se mexeu nem falou nada. Era para a segurança dela, sim, mas também pela dignidade dele. Ele não queria que ela o visse desse jeito: com frio e sujo por viver nos túneis subterrâneos, sem poder tomar banho; aliviando-se perto do esgoto para não empestear o local onde dormia nem dar a ninguém nenhuma pista de onde estivera; com tanta fome que poderia roubar comida da boca da própria mãe.

A sombra dela se movia, seus passos se distanciavam quase sem nenhum ruído, em direção à casa. Ele observou até que ela desaparecesse de novo e então continuou olhando e ouvindo até que o barulho dela sumisse.

Finalmente, ele se agachou pela passagem. Só quando estava totalmente dentro do túnel, acendeu a lanterna. Piscou contra a claridade, dando aos olhos tempo para se adaptarem.

Ela deixara um novo suprimento de pão e manteiga. Havia trazido para ele um caderno e uma caneta também, e o *Caleidoscópio*, de Stefan Zweig.

* * *

De volta ao estábulo subterrâneo, ele se encostou no local mais seguro, ente duas aberturas de passagens. Puxou o crânio de cavalo e apoiou a lanterna apontada para ele. No feixe de luz, conseguia ler o bilhete no embrulho do pão. Era o endereço em Leopoldstadt onde Mutti e Walter moravam agora.

Abriu o embrulho e enfiou o nariz lá dentro, para sentir o cheiro do fermento. Ficou ali sentado por bastante tempo, imaginando o sabor, antes de envolvê-lo novamente em seu papel e guardá-lo no bolso.

Inclinou a luz para iluminar melhor o livro: o segundo volume da coleção de histórias de Stefan Zweig, que ele dera para ela, apesar de não ter outra cópia; simplesmente gostava da ideia de Žofie ter o livro. Ficou observando a capa. Os livros de Zweig haviam sido proibidos por Hitler. Ela não deveria tê-lo guardado.

Ele abriu o livro e folheou as páginas que já conhecia de olhos fechados, até chegar em sua história preferida de toda a coleção, *Mendel dos livros*. Ajeitou novamente a lanterna e leu as primeiras páginas, até a frase que amava, que falava das pequenas coisas que trazem à memória os detalhes sobre uma pessoa — um cartão-postal ou uma palavra escrita à mão, "um pedaço de jornal desaparecido em cinzas".

Abriu o caderno — folhas quadriculadas, do tipo que Žofie usava para fazer suas equações — e deixou que seus dedos sentissem a página. Desejou que o caderno não estivesse em branco. Que ela tivesse deixado um recado para ele. Que fosse um dos cadernos de exercício dela, com uma equação antiga com a grafia da amiga espalhada na página.

Tirou as luvas e segurou a caneta, com leveza e calma. Todo o papel a que ele não tinha dado valor. Todas as canetas. Todos os livros que ele pudera pegar na estante na hora que bem entendesse. Ajustou novamente a lanterna e se ajeitou de forma que a luz iluminasse a página em branco. Afundou ainda mais seu rosto no cachecol de Žofie-Helene e escreveu: *Você não mostra isso para os seus amigos, mas mostra para mim. Então, tecnicamente, eu não sou seu amigo.*

Escreveu no topo da página, centralizado, como título: *O paradoxo do mentiroso.*

Escreveu: *Sua trança pendendo nas costas quando saiu do Prater Park.*

Enxugou o nariz com o dorso do punho, lembrando-se do rostinho de Walter olhando para ele sobre os ombros de Žofie, vendo seu irmão mais velho reduzido a marchar para os nazistas. Enxugou o nariz novamente, e depois os olhos. Encostou seu rosto no cachecol de cashmere macio de Žofie e escreveu: *A pele branquinha no fim do pescoço dela. Seus óculos embaçados. O cheiro de pão fresco. O cheiro dela.*

EU PROMETO

Truus dobrou cuidadosamente uma blusa e a colocou com esmero na maleta, uma linda bolsa de couro macio que havia pertencido ao seu pai. Ele era dono de uma farmácia em Alkmaar, onde às vezes dava aos seus clientes remédios que precisavam mas não podiam pagar. Ele nunca havia hesitado só porque tinham a cor de pele diferente ou porque o Deus deles tinha uma versão diferente da sua própria. E mesmo assim, ela achava que ele estaria expressando a mesma preocupação de Joop agora.

— Estar preocupado não significa ser incapaz de valorizar o que você faz — falou Joop. — E se um dia eu achei que poderia fazer isso no seu lugar, ou qualquer outra pessoa, vi na Alemanha quão errado eu estava.

Ela virou-se para ele, escutando com tanta atenção quanto seus pais sempre a escutaram. Era uma honra receber tamanha atenção, ser ouvido. Uma pessoa podia valorizar outra sem concordar com ela.

— Mas você não pode pedir que eu não me preocupe — continuou Joop. — Jamais impedirei você de fazer o que precisa. Sabia quem você era quando nos casamos. Acho que eu lhe conhecia antes mesmo de você conhecer a si mesma. — Ele colocou os braços ao redor dela, puxando a cabeça da esposa para perto do seu peito, para que ela ouvisse a batida lenta do coração dele. — Você precisa confiar que sou tão forte quanto você. Mesmo que eu seja um péssimo mentiroso.

Ele segurou o queixo dela. Os olhos dela tentaram focá-lo, com a mesma certeza da primeira vez em que ele a beijara, havia tantos anos. Ele era um homem tão bom! Ela seria uma mulher muito diferente se não fossem as pessoas em sua vida.

Ele retirou a saia que ela havia colocado na mala e substituiu por outra.

— Você precisa confiar em mim com relação a essa saia também.

Joop não era o tipo de homem que comprava roupas para ela; era para ser um presente de Natal, ele falou, mas queria dar a ela naquele momento.

O tecido realmente combinava com a blusa, e não havia motivos para questioná-lo com relação a algo que não tinha importância.

Ele a abraçou de novo e pediu:

— Prometa que vai me contar tudo. Prometa que vai me deixar saber quando eu tiver motivos para me preocupar, para que eu não precise me preocupar o tempo todo.

Truus inclinou-se para trás um pouco, para enxergá-lo direito.

— Eu prometo — respondeu ela.

Ele a beijou. Seus lábios eram tão quentes e macios que ela se perguntou se realmente suportaria deixá-lo, para ir para uma cama vazia em um quarto de hotel vazio, em uma cidade sob o controle nazista.

— E eu prometo a você a liberdade para trilhar seu próprio caminho, como sempre fiz. — Ele sorriu com ironia. — Não que você me dê escolha.

O GUETO DE LEOPOLDSTADT

Stephan entrou sorrateiramente em um apartamento térreo todo entulhado, como uma loja de quinquilharias com móveis; diversas famílias amontoadas em alguns quartinhos, muitas observando o Shabat. Em um quarto branco nos fundos — um cômodo lotado, com alguns móveis de sua própria família —, Mutti dormia em uma cama de solteiro, com os braços ao redor de Walter. Stephan ajoelhou ao lado deles.

— Shhh... — disse ele. — Mutti, sou eu.

Mutti acordou assustada e então levantou a mão como se fosse para um fantasma e encostou no pescoço dele. Seu toque, seco e rígido, mas que transmitia mais calor do que ele sentira em dias, deixou uma dor em sua garganta que fez com que ele não conseguisse dizer nada por um instante.

— Está tudo bem — falou, finalmente. — Eu estou bem. Quero que saiba que agora já sei onde estão. Vou dar um jeito de cuidar de vocês.

— Não se importe comigo, Stephan — falou Mutti. — Não se importe comigo, somente com Walter.

Ele colocou um pedaço de pão e de manteiga embrulhados nas mãos dela, com um vidro de tomates escrito com a letra de Žofie-Helene, trazido da fazenda de sua avó na Checoslováquia no verão passado, achava ele. Estava feliz de tirar a comida das mãos e entregá-la para Mutti, antes que se rendesse à própria fome. Quantas vezes ele havia deixado um pedaço de manteiga maior do que esse no canto do prato no Café Landtmann, ou a metade de um strudel no Café Central? Quantos chocolates havia comido, com suas iniciais sobre o chocolate marcadas em flor de sal ou com seu nome em pequenos biscoitos de amêndoa torrada, ou uma nota musical em ganache dourado, ou até um pequeno piano pintado com uma variedade de coberturas? Quantas vezes ele havia feito graça com tomates secos? Sua boca salivava só de pensar neles, só de pensar em qualquer comida que não fosse pequenos pedaços de pão dormido e grãos de cacau, dos quais sobrevivia fazia dias.

— Vou cuidar de vocês dois, Mutti — afirmou ele. — De você e de Walter. Vou dar um jeito, eu prometo. Se precisar falar comigo, mande Walter falar com Žofie-Helene.

— Ela sabe onde você está?

— Não é seguro para ninguém saber, Mutti, mas ela sabe como me passar um recado.

— Você já a viu?

— Não — disse ele, uma meia verdade.

Ele imaginou se Mutti comeria aquele pão ou se ela deixaria tudo para Walter. Ela estava inacreditavelmente magra.

— Estão começando a soltar alguns homens que eles prenderam. Será que ficará mais seguro para você? — perguntou Mutti.

— Pelo menos será mais fácil vir visitá-los aqui, sem os nazistas morando no andar de baixo — concluiu Stephan. — E aqui você tem outras pessoas que podem ajudar.

Um minúsculo ponto de luz em meio à tanta escuridão.

VIENA

Truus saiu do avião no topo da escada de passageiros, com vista para o céu de Viena: a catedral de st. Stephen, o prédio em espiral da Prefeitura, a roda-gigante do Prater Park. Ficara tarde demais no dia anterior para pegar o voo da KLM, então ela teve que voar pela Lufthansa, passando por Berlim. Agora, era Shabat; ela teria de esperar até o pôr do sol para encontrar os líderes da comunidade judaica de Viena. Mas isso dava a ela tempo de tomar um banho e se arrumar. Desceu a escada, cruzou a pista, entrou na fila para mostrar o passaporte e pegou um táxi. Não, ela garantiu ao taxista, sua maleta podia ficar no banco ao seu lado, não tinha por que se preocupar em colocá-la no porta-malas.

FORA DA NOSSA ALÇADA

Ruchele estava sentada em sua cadeira de rodas na recepção da embaixada britânica enquanto a fila andava lentamente. Logo que chegaram, a fila dobrava o quarteirão, apesar do dia nem ter nascido ainda, assim como o Shabat. Agora, Walter estava no topo da escada, quase o primeiro da fila de mulheres com seus cachecóis e, hoje, homens com seus solidéus — homens que haviam sido libertados dos campos. Ruchele sentiu uma vontade inexplicável de gritar com eles, por sobreviverem ao que Herman não havia conseguido, mas foi a tentativa de salvá-la que o tinha matado. Herman se recusara a ser afastado dela, e os nazistas o espancaram por isso; e por fim, ele sobrevivera à surra, mas não à longa viagem na carroceria gélida e cruel daquele caminhão.

— Mutti! Peter e eu estamos aqui — chamou Walter do corrimão, um sorriso em seu rosto pequenino e magro. O primeiro desde que tinha acordado.

Essas horas todas de espera, dando passos lentos em intervalos longuíssimos, eram impensáveis. Mas o impensável precisava ser possível naquele momento; o impossível era necessário para sobreviver.

Os três homens que passaram horas atrás deles na fila desceram a escada, e a multidão atrás deles deu um passo para trás e abriu caminho.

— Muito bem, Frau Neuman, a senhora está pronta? — perguntou o homem mais velho.

Ruchele assentiu, envergonhada, e ele a levantou da cadeira e a carregou escada acima.

Os outros seguiram atrás carregando a cadeira, e todos na recepção da embaixada ficaram em tamanho silêncio que, pela primeira vez naquela manhã, o único barulho que se ouvia eram as vozes dos administradores e atendentes no andar de cima.

Quando foi colocada de volta em sua cadeira, com a multidão retornando a murmurar em tom de aflição, ela olhou com expectativa para a fila. Seguia para um cômodo grande e ao redor de seu perímetro — ainda uma longa espera até que conseguissem falar com alguém que teria passado a manhã inteira ouvindo história atrás de história, alguém que poderia ter empatia ou talvez estivesse tão cansado que mesmo uma mulher morrendo e seu filho pequeno não seriam capazes de sensibilizar.

Walter subiu em seu colo. Fechou os olhos e, exausto, iniciou a respiração lenta e firme de uma criança dormindo. Ela o beijou no topo da cabeça.

— Você é um menino tão bom — sussurrou para ele. — É um menino tão, tão bom.

Ruchele, finalmente na ponta da fila, acordou Walter. Ela limpou as remelas do seu olho e a baba de sua boca, grata por serem recebidos antes de a embaixada fechar — o que aconteceria mais cedo naquele dia, devido ao decreto de Winterhilfe, que exigia que os judeus estivessem fora das ruas antes da abertura do Christkindlmarkt, no fim da tarde. O rapaz do outro lado da mesa assentiu e ela deslizou sua cadeira de rodas sozinha naquela última pequena distância, sem querer que sua conversa com o funcionário da imigração começasse com ele se dirigindo a quem quer que a estivesse ajudando em vez de a ela própria.

— Meu marido já solicitou vistos britânicos — começou, na esperança de que ele olhasse nos olhos dela. Ele não olhou. — Mas soubemos que a Inglaterra está se preparando para permitir a entrada de crianças judias mesmo antes da emissão dos vistos, que um movimento para transportar crianças da Alemanha já foi iniciado, e outro está sendo planejado para nós.

O homem vasculhava coisas em sua mesa. Como tantas pessoas, estava desconfortável em conversar com uma cadeirante.

Ela se mostrou uma mulher grande, o maior que conseguiu, para sugerir força. Mas só era grande e forte em sua própria mente.

— Frau... — disse ele.

— Neuman. Ruchele Neuman. Meus filhos são Stephan e Walter. Esse é Walter. Veja que menino bom ele é, esperando com paciência comigo por todas essas horas. Meu marido... foi morto pelos alemães a caminho de um campo.

O homem ergueu os olhos, com o olhar no rosto dela até se fixar em um ponto em algum lugar atrás da sua orelha esquerda.

— Sinto muito pela sua perda, senhora.

Ela mexeu Walter em seu colo, para que, pelo menos por um instante, o homem visse o bom menino que parecia querer negligenciar.

— Por favor — pediu ela. — Não quero a sua pena. Só quero ajuda para tirar meus filhos daqui em segurança.

O homem folheou os papéis novamente — papéis que não tinham nada a ver com ela. Ainda não havia recebido nenhum formulário para preencher.

— Acredito que um esquema como o que mencionou esteja mesmo sendo organizado, mas não tem nenhuma relação com o governo britânico — afirmou ele.

Ruchele, confusa, simplesmente esperou até que, por fim, ele olhou nos olhos dela.

— Mas nada pode ser feito sem o apoio do governo — retrucou ela. — Quem emitiria ou recusaria os vistos?

— Sinto muitíssimo, senhora — falou ele, olhando de volta para a mesa. — Só posso sugerir que a senhora entre em contato com o comitê.

Ele escreveu um endereço de Londres em um pedaço de papel e entregou a ela.

Ela começou a falar:

— Você não pode...

— Sinto muito — interrompeu ele. — Está fora da nossa alçada.

Ele assentiu para o próximo da fila, deixando Ruchele sem ter o que fazer, a não ser girar as rodas de sua cadeira até a beira da escada. Ali, Walter desceu, cutucou educadamente o braço de um homem na fila e pediu:

— Com licença, senhor. Minha Mutti precisa de ajuda para descer a escada.

Já na rua, Ruchele agradeceu aos homens que tinham ajudado a carregá-la, e Walter segurou nos pegadores da cadeira de rodas dela. Ele não conseguia enxergar por cima, mas os dois tinham conseguido atravessar todo o caminho de Leopoldstadt até a embaixada britânica desse jeito, com

Ruchele dizendo ao filho para virar aqui ou ali, para desacelerar em uma esquina, para parar na beira da calçada e esperar que os nazistas passassem. Agora, eles teriam que se apressar para chegar em casa antes de o decreto de Winterhilfe entrar em vigor.

UM BOM MENINO

Walter tinha a impressão de estar empurrando Mutti na cadeira de rodas havia séculos; estava muito pesado. Mutti tinha ficado em silêncio também, e no caminho inteiro até chegar à embaixada, ela havia falado a ele o que fazer e como ele era um bom menino. Ele perdeu a força na mão e a cadeira se inclinou para a frente, na beira de uma calçada sobre a qual ela não havia avisado.

— Mutti? — chamou ele. Ele olhou do outro lado da cadeira e viu sua mãe com a cabeça tombada para a frente e os olhos fechados. — Mutti? Mutti!

Um carro passou e fez a curva bem aberta, para desviar deles. O outro que vinha atrás buzinou. Transeuntes também desviavam e seguiam adiante. Era porque ele tinha gritado, porque começara a chorar, algo que os bons meninos não faziam em público. Ele não queria chorar, mas não conseguia se controlar. Se pelo menos Mutti acordasse, ele pararia de chorar. Mas ela não acordava e ninguém o ajudava a acordá-la, porque ele estava sendo um menino muito mau.

Ele mexeu os pés da Mutti e subiu nos apoiadores de pé para erguer os ombros dela. Sua cabeça pendeu para trás, e seu pescoço ficou todo esticado, pálido e estranho.

— Mutti, por favor, acorde — pediu ele. — Mutti, por favor, acorde. Mutti, me desculpe por ter gritado. Mutti, por favor, acorde.

Ele pegou Peter Rabbit do colo dela e o colocou para beijá-la, como ela gostava.

— Mutti — disse Walter, fazendo a voz de Peter Rabbit —, você poderia acordar, por favor? Vou fazer Walter se comportar. Eu prometo. Mutti, você poderia acordar, por mim? Eu sou um bom coelho.

Walter limpou a coriza de seu nariz na manga da blusa antes de lembrar que não era para fazer isso; era para usar o lenço em seu bolso.

— Desculpe, Mutti, eu esqueci. Eu esqueci.

Ele pegou o lenço do bolso, como deveria fazer, e o desdobrou como Papa o ensinara; e então assoou o nariz e enxugou as lágrimas. Colocou Peter Rabbit sentado no colo da Mutti e encostou o lenço no narizinho de Peter também, depois cuidadosamente dobrou o quadrado de pano nas linhas marcadas e o guardou de volta no bolso. Desceu do apoiador de pés e colocou os pés da Mutti de volta neles. Olhou para a frente para ver onde a rua terminava e a calçada começava.

Empurrou a cadeira de rodas até o outro lado da rua, tentando ignorar os carros que buzinavam para ele.

Finalmente, uma mulher alta e séria, que parecia a antiga professora dele, embora não fosse, parou.

— É sua mãe, meu filho? — perguntou ela. — Acho que é melhor a levarmos para o hospital.

Walter olhou para cima, para o rosto amoroso da mulher.

— Ela não tem permissão para ser atendida em um hospital — respondeu ele.

— Ah, entendo. — Ela olhou furtivamente ao redor e afundou o chapéu para esconder o rosto. — Tudo bem, vamos rápido. Vou ajudá-los a chegar em casa, mas lá você vai precisar pedir ajuda para outra pessoa.

Ela empurrou a cadeira com rapidez, e Walter foi correndo para acompanhá-la, dizendo: "Desculpe, desculpe" para os outros passantes.

A mulher hesitou na ponte do outro lado do canal.

Um homem do prédio deles, ao vê-los, aproximou-se e segurou a cadeira de rodas, murmurando um "obrigado" para a mulher. Ele empurrou a cadeira de Mutti até o quarto deles, e Frau Isternitz, do quarto ao lado, juntou-se a eles.

— Você consegue encontrar seu tio, meu amor? — perguntou Frau Isternitz. — Aquele que deixa os envelopes para a sua mãe debaixo do banco do parque?

— Peter não gosta do parque — respondeu Walter.

— Seu tio deve estar no escritório dele ou em casa.

— Peter não tem permissão para visitar o Tio Michael.

— Ele... Entendi. Está bem, então você consegue encontrar seu irmão? Vou mandar alguém buscar o dr. Bergmann.

Walter saiu correndo o mais rápido possível, atravessando a ponte e saindo de Leopoldstadt sem sequer pensar se podia fazer aquilo.

WALTER

Otto abriu a porta e encontrou o irmão mais novo de Stephan — qual era o nome do garoto? — com um casaco fino, sem cachecol, nem luvas, nem chapéu.

— É a Mutti — disse o garoto.

Ele se agachou até a altura do menino.

— Ela está...

— Ela está com a Frau Isternitz, do quarto ao lado — respondeu o menino. — Ela não quer acordar.

Žofie foi até a porta e abraçou o menino, que começou a chorar.

— Está tudo bem, Walter — disse ela. — Vai ficar tudo bem. Volte até lá e segure a mão da sua mãe. Volte até lá, segure a mão dela e eu vou encontrar Stephan...

Otto olhou primeiro ao redor para se certificar de que ninguém estava observando e puxou o garoto para dentro do pequeno apartamento, o apartamento de Käthe onde ele estava cuidando de suas netas fazia dias, desde que ela havia sido presa.

— Žofie-Helene, você não pode...

— O vovô Otto vai até lá com você, Walter — disse ela ao garoto. — Primeiro ele vai pegar nossa sopa para levar para a sua mãe.

Ela pegou seu casaco. Otto tentou segurá-la, mas ela escapou de suas mãos e foi embora.

Walter saiu atrás. Ela já estava na beira da escada, com o garoto não muito longe.

— Žofie-Helene! — chamou Otto. — Não! Eu te proíbo!

Ele pegou Johanna no colo e saiu correndo atrás deles, correndo pela escada, saindo do prédio e virando a esquina, onde encontrou Walter. O pobre garoto estava parado ali, sozinho, no meio da rua vazia. Žofie-Helene já tinha desaparecido.

O garoto virou-se para ele e olhou-o com coragem.

— Žofie vai encontrar o Stephan — disse o menino, esperançoso.

— Žozo vai encontrar o Stephan — repetiu Johanna.

Walter segurou na mão de Otto.

Otto sentiu seus órgãos desabarem por dentro, com a mesma intensidade que os punhados de terra que ele jogara na cova de seu filho. Apertou Johanna mais firme em seu colo, enquanto segurava com força os dedos frágeis do menino, que poderiam ser do seu próprio filho, ainda ontem. Era algo que nenhum pai deveria ter que enfrentar: a morte de um filho.

— Vamos... Vamos buscar a sopa — disse ele. — Vou deixar Johanna com os vizinhos. — Incerto de quem a aceitaria; até os vizinhos mais amigáveis estavam com medo de ajudar a família de uma jornalista subversiva que tinha sido levada em custódia. Mas levaria sua neta com ele para ajudar judeus? — Venha comigo, Walter. Vamos entrar. Vamos aquecê-lo um pouco e depois iremos até a sua mãe. Se estiver acordada, ela deve estar... Ela ficará muito preocupada.

O HOTEL BRISTOL

Truus não tirou o casaco, tentando se aquecer do tempo lá fora, enquanto desarrumava sua pequena maleta, colocava sua necessaire no banheiro vazio, esticava seu pijama na cama e esperava o operador do hotel ligar para ela de volta. Chamadas internacionais levavam alguns minutos para conectar, ou às vezes podiam demorar três ou quatro horas. Ela pendurou sua blusa limpa no armário vazio do quarto do hotel e estava procurando sua saia nova quando o telefone tocou. Sentiu uma onda de alívio, apesar de saber o valor alto que custaria a chamada. Só uma ligação rápida para Joop saber que ela tinha chegado.

Quando o operador estava anunciando a chamada, a linda voz de Joop a chamou:

— Truus!

Ela contou a ele que o voo tinha sido um pouco turbulento, e a longa espera em Berlim, desagradável, mas havia chegado bem e encontrado facilmente o caminho até o hotel bastante confortável.

— Você vai tomar cuidado, Truus? Vai ficar no hotel até a reunião com esse tal de Eichmann?

Ainda não havia uma reunião marcada com Eichmann. A esperança era que o homem abrisse a porta quando Truus batesse, mesmo ele tendo se negado a ouvir os líderes da comunidade judaica de Viena. Mas Truus não lembraria Joop disso naquele momento.

— Vou precisar conversar com o pessoal aqui alguns minutos antes do Shabat terminar — disse ela calmamente, tentando apaziguá-lo.

— Mas não no hotel, não é?

— Não, embora tenham me dito que eles fazem vista grossa para judeus americanos.

— Geertruida...

— De qualquer forma — ela interrompeu antes que ele pudesse começar a despejar seu medo sobre ela, como um creme em sua pele —, eu preciso ver as condições para organizar tudo, ou ajudá-los a organizar, caso ainda não estejam fazendo isso. Não posso simplesmente coletar milhares de crianças e escondê-las no banheiro do trem enquanto suborno a patrulha da fronteira.

Ela queria fazê-lo rir, mas ele só respirou fundo.

— Bem, esteja lá no pôr do sol e volte para o hotel antes de escurecer, está bem?

— São uns trinta minutos entre o pôr do sol e o toque de recolher, Joop. Não vou me atrasar.

— Coma alguma coisa. Descanse. Eu te amo, Truus. Por favor, tenha cuidado.

Depois de desligarem o telefone, Truus abriu a porta francesa para deixar o ar puro entrar. Saiu na sacada com vista para a Ringstrasse. O sol de inverno estava baixando lentamente, trazendo uma ameaça de chuva. Ainda assim, a rua estava cheia de transeuntes, e as portas do deslumbrante Teatro de Ópera ao lado estavam abertas, com a sessão de matinê terminando, imaginou ela. Observou e ouviu pessoas conversando, pessoas rindo. Ficou imaginando como teria sido o espetáculo.

Só comeria algo leve no restaurante do hotel, decidiu, antes de ir para o distrito judeu encontrar os líderes com quem precisava se reunir.

Quando ela pediu para ir ao andar térreo, o ascensorista disse educadamente:

— Está uma tarde linda para passear, senhora.

— Ah, não, só vou ao restaurante do hotel — respondeu ela.

Ele olhou para o casaco dela e para suas luvas amarelas.

No andar térreo, pendurada nas portas de madeira pesadas do salão de jantar, uma placa dizia "Juden Verboten". Havia um enorme retrato de Hitler sobre mesas totalmente vazias.

Ela perdera o apetite. Talvez jamais tenha sentido fome.

Voltou ao elevador e esperou. Mas assim que chegou, mudou de ideia e seguiu para a Ringstrasse.

— Está uma tarde linda para passear, senhora — disse o porteiro, como se todos tivessem decorado essa fala no início do turno de trabalho e, por força da insistência, pudessem fazer os hóspedes acreditarem que esse dia sombrio de Viena fosse outra coisa.

Ela perguntou ao porteiro se poderia caminhar até o local onde vendia-se globos de neve. Talvez ainda tivesse cerca de uma hora antes do pôr do sol e do fim do Shabat.

— Globos de neve? — repetiu ele. — Não sei, senhora, mas deveria tentar ir ao Christkindlmarkt. Voltou para o Am Hof este ano, no fim da Kärntner Strasse, passando a Catedral de st. Stephen. Mas o passeio mais bonito é pela direita, passando o Teatro de Ópera em direção ao palácio, o Volksgarten e o Burgtheater, e atravessando a Ringstrasse em direção ao Parlamento e à universidade.

— E para a esquerda? — perguntou ela.

— Para a esquerda, só tem o Stadtpark. Nada além de casas particulares ao longo de todo o canal.

— E depois do canal? — perguntou, e só a menção dele a deixou com saudade de casa e de Joop.

— Senhora, atravessar o canal e entrar em Leopoldstadt seria... inapropriado para uma senhora recatada como você.

— Entendo. Bem, talvez eu só dê uma volta pela Ringstrasse.

Ela virou para a esquerda, deixando para trás a desaprovação do homem. Mal dera cinco passos quando um dos moradores de rua chacoalhou sua lata para ela.

— Ninguém deveria morrer de fome nem de frio — disse ele, usando o mesmo slogan nazista ouvido por todo o Reich nessa época do ano, para fornecer comida, roupas e carvão para os cidadãos com menos recursos durante a temporada de festas, eles diziam, mas na verdade era o maior golpe já apresentado, disfarçado de caridade. Até atores e atrizes famosos, como Paula Wessely e Heinz Rühmann foram convocados para apoiar a causa, sem poderem, de fato, recusar. — Um reichsmark para as crianças? — pediu o homem.

Truus abraçou sua bolsa, como se ele fosse roubá-la. Um reichsmark para Hitler, Göring e Goebbles, melhor dizendo, ela pensou.

— Que bacana — disse ela. — De fato, estou aqui para ajudar as crianças de Viena.

O homem abriu um sorriso grande.

— As crianças judias daqui — acrescentou ela.

O sorriso do homem desapareceu. Ele chacoalhou sua latinha de esmolas com raiva conforme ela se afastava.

SEM SAÍDA

Žofie-Helene apagou novamente a luz da câmara vazia de estoque de cacau. A comida que trouxera para Stephan não estava mais ali, nem o cobertor e a caneta, o caderno e o exemplar de *Caleidoscópio*. Às vezes, Stephan rasgava um pedaço do embrulho de pão e deixava um bilhete, que ela guardava na caixinha debaixo de sua cama. Ela sabia que ele estava vivendo ali, em algum lugar, mas já havia vasculhado as ruínas da escola de Talmud, os três andares do convento subterrâneo e todos os outros lugares que julgava secos o suficiente para se viver. *Onde você está, Stephan?*, ela queria gritar por todos os túneis, mas simplesmente esperou até que os olhos se adaptassem à escuridão e então seguiu seu caminho de volta escada abaixo. Engatinhou pelo túnel e se levantou na passagem subterrânea, desejando que ainda pudesse sentir o cheiro de chocolate, prová-lo na escuridão, senti-lo se espalhando aos poucos pela língua. Era tão escuro ali, parecia tão mais escuro do que a primeira vez que viera, com Stephan. Nem um caleidoscópio refletiria somente uma escuridão infinita, sem bordas, sem padrão, sem repetição.

Ficou de pé, imóvel, sentindo a movimentação. Somente bichos pequenos, falou para si mesma. Ela se virou em direção ao caminho de casa, mas hesitou até que seus olhos se ajustassem à escuridão. Deveria usar a lanterna na câmara de cacau da próxima vez, em vez de acender a luz do teto. Seria mais seguro.

Aquilo eram vozes? Ficou chocada e permaneceu estática. De que direção vinham?

Alguém cobriu sua boca. Ela tentou gritar, mas a mão pressionava demais. Foi puxada para trás. Tentou se soltar, tentando gritar, e a mão tinha gosto de terra e sujeira.

— Shhh... — sussurrou alguém na sua orelha, enquanto seus pés eram arrastados até a ponta de uma pilha de entulho.

Ainda com a mão sobre sua boca, ainda com o terror engasgado na garganta, sentiu as vozes ficando mais perto, ecoando no túnel na direção do apartamento dela. Se ela pudesse gritar, será que ouviriam? Será que a ajudariam?

A respiração em seu pescoço tinha cheiro de sujeira e de cacau amargo. As mãos a seguravam com tanta força que não tinha como se mexer, como se virar.

— Shhh...

As vozes ficaram mais perto. Um cachorro latiu. Não foi um latido amigável.

As mãos que a prendiam a puxaram para trás e para cima de uma escada circular. Ela foi por vontade própria dessa vez, para longe do latido assustador — não de um cachorro, mas de vários.

As vozes se aproximavam cada vez mais, e os cachorros latiam muito alto, com raiva.

As mãos a empurraram para cima da escada, e ela se movia no maior silêncio possível, com mais medo das pessoas que estavam vindo.

O som de algo batendo na tampa do bueiro, um *estampido* metálico contra um dos triângulos sobrepostos, a assustou. Será que os cachorros tinham escutado aquilo, mesmo em meio aos latidos?

Ela olhou para cima. Nada além de escuridão e silêncio, um alívio. Barulhos da rua devem tê-los dispersado.

Eles esperaram no topo da escada, prontos para fugir, mas com medo. Na rua acima, as vozes abafadas de homens se aproximando, e então passando por eles.

De dentro dos túneis, os cachorros latindo se aproximavam ainda mais. Homens correndo. Homens gritando.

Passos correndo muito rápido, uma pessoa sozinha. Passaram e desapareceram.

O latido dos cachorros ecoou de maneira tão assustadora que pareciam cinquenta cães. Um exército de passos também reverberou nas paredes. Vozes passaram a gritar, bem abaixo deles:

— Seu judeuzinho!

— Nós sabíamos que você estava aqui!

Eles estavam gritando para o topo da escada?

Na mesma velocidade, os cães e as botas e as vozes desapareceram na direção oposta.

— Stephan? — sussurrou ela.

A mão novamente sobre sua boca, sem ser uma ameaça, mas um aviso. Ela permaneceu imóvel, ouvindo, esperando pelo que pareceu um longo tempo.

Passos, dessa vez mais lentos, vinham da direção de casa, e um homem disse:

— Só podia mesmo ser judeu, para viver em um lugar tão sujo.

Você vai dar um recado meu para a sua mãe. Diga a ela que o Herr Rothschild está feliz de nos ver usando seu pequeno palácio na Prinz-Eugen-Strasse...

Ela ouviu o que parecia o início de uma risada, seguida dos passos de um único homem. O companheiro com quem o homem falava era o cachorro que toda a cidade de Viena temia.

Quando tudo estava completamente silencioso outra vez, Stephan chupou o dedo, limpando o máximo possível antes de colocá-lo sobre os lábios de Žofie, tentando mostrar que o silêncio ali era uma constante, a sempre-presente necessidade da quietude. Ele colocou seus lábios muito perto do ouvido dela e sussurrou o mais baixo possível:

— Você não pode vir aqui, Žofie.

Ela sussurrou no ouvido dele:

— Eu... Eu nunca imaginei... — falou com a voz tão doce, tão calorosa. Quanto tempo havia se passado desde que ele se sentara para ouvir "Ave Maria" com ela, desde que ele assistira a Žofie explicar suas equações complicadas para aqueles dois professores, ou que ele dera chocolate a ela, ou a escutara recitar as falas que ele escrevera?

— É por isso que você não fica na caverna debaixo da câmara de estoque. Porque não tem saída — murmurou ela.

Os dedos dela acariciaram a bochecha dele, mas ele se afastou. Passou a mão no cabelo. Estava tão sujo.

— Esses caras não são a gangue de Baker Street — sussurrou ele, tentando explicar sem assustá-la. — Você não pode ser pega me ajudando.

Ao longe, dentro dos túneis, barulho de tiros, que assustava apesar de distante.

Quase tão assustador quanto: o calor dos dedos de Žofie entrelaçando-se nos de Stephan. Ela havia segurado a mão dele, ou o contrário?

Mais um único som de tiro, seguido de silêncio.

Ele sentiu a respiração de Žofie em seu ouvido novamente.

— É a sua mãe, Stephan — disse ela.

NO CANAL

O canal estava parado e turvo; a ponte que passava sobre ele, aberta, mas a estrada logo em seguida estava fechada com cordas. Carros passavam pela rua e pessoas transitavam normalmente ao redor de Truus desse lado do canal como se fosse uma tarde qualquer de sábado, cumprimentando-a com amigáveis saudações do Dia de São Nicolau, que deu origem à lenda do Papai Noel. Mas do outro das cordas, as ruas pavimentadas de Leopoldstadt estavam mais vazias do que as de Amsterdã nas tardes de canais congelados, ou mesmo de chuva.

Truus primeiro foi em uma direção, depois na outra. Ainda assim, não viu ninguém no bairro do outro lado da ponte. O sol tinha acabado de se pôr, as luzes da rua estavam sendo acesas e o Shabat chegava ao fim, e mesmo assim o quarteirão permanecia abandonado.

Ao começar a se preocupar conforme o céu cinza desaparecia e o toque de recolher se aproximava, ela perguntou a um pedestre:

— Não tem ninguém na rua devido ao Shabat?

A mulher, assustada, olhou para o outro lado do canal e respondeu:

— Devido ao decreto de Winterhilfe, claro. Ah, você é estrangeira. Entendi. Esse é o sábado anterior ao Dia de São Nicolau. Nenhum judeu pode ficar na rua, para que todos nós possamos aproveitar o Christkindlmarkt sem sermos importunados.

Truus olhou para trás, como se o porteiro do hotel pudesse vê-la depois dos quinze quarteirões, virando a curva da Ringstrasse, ou como se Joop pudesse vê-la lá de Amsterdã. Os judeus de Viena estavam confinados em casa, as crianças estavam proibidas de se encontrar com os amigos para brincar na neve que começava a cair? Ela deveria parar ali, então. Deveria dar meia-volta. Não teria com quem se encontrar. Como ela poderia encontrá-los? Ela somente despertaria terror se batesse nas portas para perguntar onde encontrar os líderes judeus.

Eram os problemas que não se conseguia prever...

Mesmo assim, ela cruzou a ponte. O céu estava tão escuro quanto a água. Ela passou pelas cordas; seu coração batia mais rápido que o de seu marido quando eles faziam amor.

ESCONDIDO NA SOMBRA

Stephan grudou as costas na pedra gelada do prédio, escondendo-se na sombra do edifício. A silhueta era de uma mulher. Ele só relaxou um pouco quando percebeu isso. O que uma mulher fazia nas ruas de Leopoldstadt em uma hora daquelas? Pelas roupas, ela era rica. Era difícil dizer no escuro, mas só podia ser uma mulher de coragem para andar por ali sozinha.

Ele a observou; ela diminuíra o passo, como se estivesse esperando pelo que poderia vir.

Um instante depois, dois oficiais da SS vieram correndo atrás dela, exigindo saber o que estava fazendo nesse bairro.

Stephan se aproveitou da distração deles para entrar no prédio de sua mãe, onde deveria passar algumas horas com Mutti e Walter. Não a noite inteira; seria perigoso demais para todo mundo. Mas algumas horas calorosas.

Já era quase o Dia de São Nicolau. Ele desejou que tivesse algo para dar a Mutti e Walter, qualquer coisa, mas o monstro chifrudo Krampus o punia esse ano por ter se comportado mal; quem sabe a terrível criatura natalina o colocaria em seu saco e o levaria embora para sua toca, que não poderia ser pior do que a vida nos esgotos subterrâneos.

Do canto da janela de dentro do prédio, ele viu os oficiais da SS levarem a mulher de boa aparência embora.

A CELA

Truus foi levada pela entrada de serviço do Hotel Metropole, passando por cada uma das celas de sombras silenciosas. *Ainda que eu andasse pelo vale da sombra da morte, não temeria mal algum.* Uma porta se fechou atrás dela antes que pudesse entender onde estava, e estava sozinha. *Porque tu estás comigo. Tu estás comigo.*

Ela bateu na porta.

O guarda não tirou os olhos de seu jornal.

— Cale a boca.

— Com licença — retrucou ela. — Tenho certeza de que você vai se arrepender de me tratar assim. Agora, precisa me tirar daqui e me levar de volta ao meu hotel.

O INTERROGATÓRIO COMEÇA

— Como eu já disse vinte vezes para inúmeras pessoas, senhor, sou de Amsterdã e estou visitando a cidade — repetiu Truus para o jovem nazista da vez, que havia "se juntado a ela" no porão de interrogatório vazio para o qual ela havia sido levada cerca de uma hora depois de sua chegada na cela.

Ela contorceu o couro amarelo e macio de suas luvas com delicadeza, na tentativa de ilustrar o que dizia: "Não vê como estou bem vestida?" A cadeira de metal machucava seu cóccix; o cheiro de roupa molhada empesteava a sala. Ferramentas de tortura aguardavam em cintos militares grossos de couro, onde os interrogadores apoiavam seus polegares, com fivelas de metal grandes como pires, suásticas e adornos de águia que poderiam arrancar o dente de uma pessoa. *Preparas uma mesa perante mim na presença dos meus inimigos.* Ela colocou as mãos na mesa.

— Eu cheguei hoje de avião — disse ela.

Não era qualquer uma. Era uma holandesa cristã que viajava de avião. Algum deles já tinha pisado em um avião?

O homem olhou para as suas luvas e para o seu belo casaco — um alívio naquela sala gelada. Ele encontrou o olhar dela e a encarou, esperando que ela cedesse primeiro.

Quando ele finalmente se virou para outro soldado, ela foi cuidadosa em manter a firmeza do olhar ou mesmo de sua postura, assim como a posição das mãos. Era uma vantagem que tinha, ser mulher. Que homem orgulhoso se imaginara derrotado por uma mulher, mesmo que, de fato, tivesse sido?

Ele olhou para ela novamente.

— Isso não explica por que você estava andando no gueto judeu em uma hora em que os judeus são proibidos de saírem às ruas.

A PROMESSA

Stephan sentou-se na cama da mãe, dando colheradas de sopa em sua boca, no pequeno quarto sujo — um armário, na verdade, menor, mais escuro e com menos ar do que dariam para o funcionário que ocupava o cargo mais baixo no palácio.

— Prometa para mim que você vai cuidar do Walter — pediu Mutti, fraca. — Vai encontrar um jeito de sair da Áustria, e vai levá-lo com você.

— Prometo, Mutti. Eu prometo.

Ele prometeria qualquer coisa para fazê-la parar de falar, para fazê-la poupar suas forças.

— E ficará sempre com ele. Vai cuidar dele. Sempre.

— Sempre, Mutti. Eu prometo. Agora, coma essa sopa que o Herr Perger trouxe, ou Žofie vai brigar comigo.

Ele sentiu o cheiro de batata e endro da sopa, tentando ignorar a vontade que sentia de tomá-la, mas fracassando.

— Eu te amo, Stephan — falou Mutti. — Nunca duvide. Um dia, tudo isso vai acabar e você vai escrever suas peças de teatro, e eu acho que jamais as verei serem encenadas, mas...

— Shh... Descanse, Mutti. A Frau Isternitz vai cuidar do Walter essa noite enquanto você descansa.

— Ouça o que estou dizendo, Stephan. — A voz de Mutti teve uma força repentina que o deixou feliz por ter resistido à sopa e deixado mais para a mãe. — Você vai se sentar ao lado de Walter na escuridão de um teatro enquanto a cortina levanta e vai tocar na mão dele, e saberá que estou ali com você. Eu e o seu pai estaremos ali.

O INTERROGATÓRIO CONTINUA

— Por que eu deveria duvidar de que você é judia? — perguntou o novo interrogador.

Huber era o seu nome, e tudo nele dizia que estava no comando.

Truus respondeu educadamente:

— Você pode simplesmente olhar o meu passaporte. Como já disse aos seus colegas, pode encontrá-lo no Hotel Bristol, onde estou hospedada.

Huber franziu a testa ao ouvir o nome do hotel luxuoso. Olhou para Truus, que ainda estava sentada ereta na mesma cadeira de metal desconfortável em que passara a noite e a manhã.

— Por que a senhora está aqui, Frau Wijsmuller? Quais compromissos a trouxeram da Holanda?

— Novamente, como disse para todos os seus colegas — respondeu Truus, com paciência —, estou em Viena em nome do Conselho Judaico Alemão. Fui enviada por Norman Bentwich, da Inglaterra, para uma reunião hoje de manhã com o Obersturmführer Eichmann. Eu peço que você...

— Uma reunião com o Obersturmführer Eichmann? — Huber dirigiu-se aos homens. — E essa reunião não está agendada?

Os interrogadores se entreolharam.

— Quem prendeu essa mulher? — perguntou Huber.

Ninguém assumiu o feito, embora os responsáveis estivessem se gabado da façanha, alguns minutos antes.

— Ninguém pensou em checar se essa reunião realmente vai ocorrer?

— Nós iríamos incomodar o Obersturmführer Eichmann no meio da noite? — perguntou o homem que fora o primeiro a interrogar Truus.

— Deveria ter ligado para a secretária dele, seu idiota.

Huber virou-se e saiu da saleta gelada, e o interrogador o seguiu como um cachorro que destruíra um tapete. Os outros também saíram, deixando Truus sozinha.

Ela permaneceu imóvel, mas por um breve instante olhou seu relógio: já estava quase de manhã. Joop logo estaria acordando e se vestindo, cortando um pedaço do *hagelslag* que ela fizera para ele antes de sair e se sentando sozinho na mesa estreita. Em um pequeno apartamento na vizinhança do canal, Klara van Lange e seu marido logo estariam se sentando à mesa de café, fazendo planos para o bebê que esperavam. Klara não se esqueceria de levar o jantar para Joop. Ela havia prometido, e Klara van Lange era uma mulher de palavra.

Huber e seus homens finalmente reapareceram:

— Frau Wijsmuller, receio que a secretária do Herr Eichmann afirma que sua reunião não consta na agenda do obersturmführer.

— Como não? — indagou Truus. — Acredito que a secretária deva estar bem confiante de que não cometeu nenhum erro, é claro. Imagino que o Herr Eichmann seja relutante em perdoar aqueles que negam suas vontades. Além disso, há também a questão da imprensa estrangeira.

— Imprensa estrangeira?

— Seria um vexame para a imprensa estrangeira publicar a história de uma holandesa recatada que veio trazer os cumprimentos do Dia de São Nicolau ao Obersturmführer Eichmann, enviados da Inglaterra e da Holanda, e teve de passar a noite em uma cadeia fria e nada convidativa.

Sim, um grande vexame.

Após esperar um longo tempo para que Huber pensasse na possibilidade de cometer um erro onde não havia, assim como a ameaça real de uma propaganda negativa da imprensa, Truus continuou:

— Talvez o senhor queira checar com o Herr Eichmann. Ou eu mesma devo ligar para ele e acordá-lo?

Huber pediu licença a Truus e saiu da sala para consultar seus outros homens, aos sussurros. Quando voltaram, os soldados que a haviam prendido curvaram-se para ela, uma cortesia que não tinha sido feita antes.

— Perdoe esses rapazes por tamanho erro, Frau Wijsmuller — pediu Huber. — Vou pessoalmente garantir que esse erro na agenda seja retificado e inclua sua reunião com o Herr Eichmann. Agora, deixe-me enviar um soldado com a senhora para levá-la em segurança até o seu hotel.

A SAIA

Truus aguardou de pé, observando em silêncio, enquanto Eichmann escrevia na mesa de sua sala no Palácio Rothschild, uma sala que um dia devia ter sido um cômodo para recepcionar convidados, a julgar pelo tamanho do salão e as janelas do chão ao teto, as estátuas e os quadros. O homem não havia percebido a presença dela, mesmo que um funcionário tivesse anunciado sua chegada. Mas o cão sentado ao lado da mesa não tirara os olhos da mulher, assim como ela não tirara os olhos de seu dono.

Eichmann finalmente ergueu o rosto, incomodado.

— Obersturmführer Eichmann, eu sou Geertruida Wijsmuller. Venho em urgência…

— Não estou acostumado a fazer negócios com mulheres.

— Sinto muito ter deixado meu marido para trás — respondeu Truus, sem nenhum sinal de remorso.

Eichmann voltou sua atenção para o trabalho, dizendo:

— Pode sair.

Truus sentou-se; a orelha do cão levantou em alerta, apesar dos movimentos cautelosos dela, não por conta do cachorro, mas na tentativa de não deixar os joelhos à mostra. Sinceramente, o que Joop estava pensando ao trocar sua saia perfeitamente respeitável por essa tão curta e moderna? Como se seus tornozelos fossem tão belos e, consequentemente, úteis quanto os de Klara.

Eichmann, sem erguer o rosto outra vez, disse:

— Eu lhe dei permissão para sair. Essa não é uma vantagem que dou a qualquer um.

— Tenho certeza de que não se importará em me ouvir — disse ela. — Fiz uma longa viagem para falar com o senhor, para organizar que algumas crianças austríacas emigrem para a Inglaterra.

— São seus filhos? — indagou ele, agora olhando para ela.
— São crianças que a Inglaterra ficaria...
— Não são seus filhos?
— Não fui abençoada com...
— Tenho certeza de que a senhora vai me explicar por que uma holandesa respeitável se incomoda em vir até Viena para fazer com que crianças que não são sequer seus filhos possam viajar para um país em que ela não...
— Às vezes, Obersturmführer Eichmann, o que não podemos ter é o que mais apreciamos.

O cão inclinou-se levemente com a interrupção dela, palavras em que não havia pensado até falar, e ainda assim eram verdadeiras.

— Tenho certeza de que você tem bastante experiência com essa bobagem de causa humanitária, não? — comentou Eichmann.

Truus, esforçando-se para esconder a raiva misturada à tristeza, que resultaria em algo explosivo, respondeu:

— É um hábito da minha família ajudar outras pessoas, desde que nasci. Nós abrigamos crianças austríacas em nossa casa durante a Grande Guerra, crianças que teriam a sua idade hoje. Talvez o senhor tenha sido protegido dessa forma também.

— Então, sabe que precisa de determinados documentos para concluir sua proposta. Você os trouxe para que possamos considerá-los?

— Tenho um pedido do governo britânico para emissão de...

— Nada em mãos? E quantas crianças pretende levar?

— Quantas o senhor permitir.

— Frau Wijsmuller, permita-me ver suas mãos — pediu Eichmann, em tom de voz brando.

— Minhas mãos?

— Retire suas luvas para que eu possa vê-las.

Mãos, a principal ferramenta de Aristóteles. *Com ele à minha direita, não serei abalado.*

Ela hesitou, mas desabotoou o botão de pérola da sua luva esquerda e abriu o delicado punho preto, soltando o couro francês amarelo e macio. Puxou a proteção de seu pulso com veias azuis, de sua palma larga e firme, de seus dedos enrugados e finos como o dorso de suas mãos.

Eichmann assentiu para que ela removesse a outra luva, e assim ela o fez, pensando *Bendito seja o Senhor, a minha rocha, que treina minhas mãos para a guerra e meus dedos para a batalha…*

— E seus sapatos — mandou ele.

— Obersturmführer, eu não vejo…

— Posso reconhecer uma judia pelo formato de seus pés.

Truus não tinha o hábito de ficar descalça, não na frente de um homem que não fosse Joop. Mas tampouco costumava deixar os tornozelos de fora. Ela tirou um sapato, e depois o outro, deixando somente sua meia-calça bege nova cobrindo os pés.

— Agora caminhe para mim.

Ela pensou que já tinha deixado isso ir longe demais, um passo após o outro, enquanto caminhava lentamente a longa distância da sala e voltava. Era culpa da saia, talvez. Se a outra saia que trouxera não tivesse sido usada durante uma noite inteira, no voo para Viena, e mais outra noite na cela, durante o terrível interrogatório, ela talvez pudesse tê-la vestido naquela manhã e contado uma mentirinha para Joop. Mas realmente aumentava sua confiança, verdade seja dita, que Joop ainda a visse como uma mulher capaz de distrair um homem pelo artifício de uma saia curta e tornozelos à mostra.

— Agora, você vai levantar sua saia e mostrar seus joelhos — mandou Eichmann.

Truus olhou para o cachorro, lembrando-se das palavras de Joop; ela precisava confiar nele com relação àquela saia. Ela juntou a confiança de Joop e seu senso de dignidade, e levantou a saia.

— Inacreditável — afirmou Eichmann. — Uma mulher tão pura e tão maluca.

Ela olhou para o cão, cuja expressão sugeria que talvez ele concordasse com ela: inacreditável. Um homem tão maluco e tão impuro.

Eichmann gritou na direção da porta:

— Permita que o judeu Desider Friedmann entre.

Um homem de olhos grandes e bigode largo em um rosto pequeno entrou na sala, girando a aba curvada do chapéu de feltro preto nas mãos, enquanto olhava para o cão. Truus sabia, através de Norman Bentwich, que ele era um dos líderes do Kultusgemeinde, a organização da comunidade judaica que ajudaria a selecionar as crianças, se Eichmann fosse convencido de deixá-las partir.

— Friedmann — perguntou Eichmann. — Você conhece a Frau Wijsmuller?

Friedmann, com um olhar rápido e nervoso do cão para Truus, sacudiu a cabeça em negação.

— E mesmo assim, calhou de você estar aqui na minha sala nesta manhã, justamente quando ela apareceu.

Friedmann olhou do cachorro para Eichmann.

— Frau Wijsmuller parece uma holandesa perfeitamente normal — continuou Eichmann. — Ela veio pegar alguns dos seus judeuzinhos para levar para a Inglaterra. Mas não trouxe nenhum documento indicando que esse pedido deva ser levado em consideração.

Eichmann acariciou a cabeça de seu cachorro, as orelhas pontudas e o focinho protuberante. Os dentes também eram afiados, Truus tinha certeza, embora ainda não os tivesse visto.

— Vamos fazer uma piada disso tudo, Friedmann? — continuou Eichmann. — Até sábado, você vai providenciar que seiscentas crianças estejam prontas para viajar para a Inglaterra.

— Seiscentas! — Friedmann praticamente se engasgou com o número.

— Seiscentas. Obrigado, Obersturmführer.

— Se tiver seiscentas crianças prontas no sábado — afirmou Eichmann —, a Frau Wijsmuller as levará. Nem uma criança a menos.

Friedmann gaguejou:

— Senhor, eu...

— E a Frau Wijsmuller vai levá-las pessoalmente — disse Eichmann. — Ela ficará aqui conosco em Viena esperando.

Friedmann, completamente apavorado, falou:

— Mas não é possível em tão poucos dias...

— Obrigada, Obersturmführer — interrompeu Truus, ainda com os pés descalços e segurando suas luvas amarelas. — E depois dessas primeiras seiscentas crianças?

Eichmann riu — uma risada alta e maléfica, de um homem acostumado a ter suas vontades negadas, embora quisesse que o mundo pensasse o contrário.

— Depois dessas primeiras seiscentas, nenhuma a menos, nada de quinhentas e noventa e nove, minha pura e doida Frau Wijsmuller... — Ele a fitou, seu rosto e depois suas mãos, seus tornozelos, seus pés descalços. — Se você conseguir livrar Viena de seiscentas crianças, talvez eu fique feliz em permitir a retirada de todos os nossos judeus. Ou talvez não. Agora você pode ir.

Enquanto Desider Friedmann se dirigia para a porta, Truus sentou-se novamente na cadeira do outro lado da mesa de Eichmann. Lentamente, calçou seus sapatos e os amarrou. Com a mesma lentidão, vestiu uma das luvas amarelas, abotoou cuidadosamente cada pérola em cada punho, depois vestiu a outra luva; o tempo todo ignorando o olhar perplexo do cachorro.

Ela se levantou com facilidade e caminhou até a porta pela qual o Herr Friedmann já tinha saído.

— Uma mala para cada uma — gritou Eichmann para ela.

Ela virou-se de volta. Ele estava escrevendo novamente, sem prestar nenhuma atenção nela e tampouco com a intenção de prestar.

— Nada de valor — disse, sem levantar os olhos. — Não mais de dez reichsmarks por criança.

Ela continuou esperando de pé, até que ele olhou para ela.

— Se o senhor for a Amsterdã algum dia, Herr Eichmann, venha tomar um café comigo.

QUEM RI POR ÚLTIMO

Quando deixou o palácio extravagante com Friedmann, que ficara aguardando por ela do lado de fora da sala de Eichmann, Truus já estava preparando uma lista mental de afazeres. Ela tinha vindo para Viena a fim de organizar o transporte das crianças, mas sem imaginar que as levaria imediatamente. Deixou que Friedmann falasse primeiro. Ao contrário dela, ele já sabia do que aquele homem terrível era capaz. E sentiu-se mal por tê-lo interrompido na frente de Eichmann, embora não tenha se arrependido. Às vezes, uma fraqueza pode se tornar uma força.

Friedmann só começou a falar depois que eles saíram da entrada do palácio e viraram a esquina da Ringstrasse, com o prédio sumindo de vista.

— Não é possível organizarmos a saída de Viena de seiscentas crianças tão rápido, e menos ainda conseguirmos abrigá-las na Inglaterra — afirmou ele.

Truus esperou um carro passar — um carro em que agora esse judeu talvez fosse proibido de entrar. Quando o barulho diminuiu, ela falou:

— Herr Friedmann, você e eu vamos rir por último da "piada" do Herr Eichmann, embora tenhamos que ser bastante prudentes, é claro. — Ela atravessou a rua a passos rápidos, e Friedmann seguiu ao seu lado. — A Inglaterra não exigirá vistos nem documentos alemães. O Escritório Central precisará somente de cartões de identidade em duas partes, codificados por cores e pré-carimbados, que funcionarão como uma autorização de viagem. Uma parte será retida pelo Escritório Central e a outra acompanhará a criança, com informações pessoais e uma fotografia grampeada. Precisaremos somente de um nome para encaminhar cada grupo de vistos.

— Mas a tarefa de reunir tantas crianças, Frau Wijsmuller...

— É claro que você precisa começar neste instante a espalhar a notícia de todas as formas que conseguir — concordou Truus. — Deixe que as pessoas saibam que seus filhos ficarão em segurança, mas elas não podem mudar de ideia, ou colocarão outras crianças em risco. — Truus pensava enquanto falava. — O máximo de crianças mais velhas que conseguir, crianças que não precisarão de cuidados, que possam cuidar de si. Nenhuma criança com menos de quatro anos, não nesse trem, não em tão pouco tempo. Nem maior de dezessete anos. Seiscentas, e quantas mais você conseguir, só para garantir. Mas novamente, não permita a possibilidade de nenhum pai mudar de ideia após se comprometer. Precisaremos de médicos para realizar exames, para garantir que as crianças são saudáveis. Fotógrafos. Voluntários, de todo tipo que conseguir, para explicar e fazer os cartões. Um local onde possamos organizar tudo, com mesas e cadeiras. Papel e caneta.

Friedmann parou por um instante, fazendo com que Truus também parasse e se virasse para ele.

— Estou lhe dizendo, seria impossível em qualquer circunstância — afirmou Friedmann. — Mas viajar durante o Shabat? Judeus ortodoxos…

— Os rabinos terão de convencê-los — interrompeu Truus. — Os rabinos terão de convencer os pais de quão preciosos seus filhos são.

O FORMATO DOS PÉS

Truus tirou o casaco e pendurou no armário do quarto do hotel enquanto esperava o operador conectar a chamada, pensando no formato elegante das mãos, joelhos e pés de Helen Bentwich. Quando o telefone tocou, ela tirou o fone do gancho com as mãos ainda vestindo luvas, relutando a deixar os dedos expostos, mesmo com Eichmann agora do outro lado da cidade. Ela agradeceu o operador e explicou a proposta de Eichmann para Helen, que ouvia em silêncio profundo. Somente quando Truus terminou de falar, Helen perguntou:

— Você está bem, Truus?

— Seiscentas crianças para deixarem Viena até sábado. Você consegue estar pronta quando elas chegarem?

— Garanto a você que se nesse minuto as crianças estivessem batendo na porta da Inglaterra, eu quebraria as dobradiças, se fosse necessário.

Truus fez mais uma ligação. Enquanto esperava que o operador retornasse a chamada, ela olhou para o lado de fora, pelas portas francesas. Na Ringstrasse, ali embaixo, carros passeando no domingo e tropas marchando.

— Preciso que você me ajude a organizar um transporte para seiscentas crianças até sábado — disse ela no instante em que Joop atendeu.

— Em menos de uma semana, Truus? Mas...

— É o tempo que me deram.

— Um trem inteiro e mais duas balsas? Não podemos colocar seiscentas pessoas em uma balsa.

— Crianças, Joop.

— Não podemos colocar seiscentas crianças em uma única balsa.

— Duas balsas, então.

— Seiscentas crianças e seus pertences? Você não pode atravessar a fronteira sozinha com tantas crianças, e tampouco levá-las até a Inglaterra.

— Adultos de Viena poderão acompanhar as crianças.

— E se eles não...

— Os adultos têm família aqui — interrompeu Truus. — Eles sabem que se alguém não voltar, não só outras crianças serão proibidas de sair, como suas próprias famílias estarão em perigo.

— Mas esse Eichmann não pode estabelecer esse prazo impossível. Você também tem poder de barganha, Truus: um lugar para onde enviar alguns dos judeus do país.

— Joop, consigo organizar que as crianças estejam prontas para partir assim que haja um transporte disponível. Consigo fazer isso. Esse homem, ele... Ele mantém seu poder através de intimidação. Ele se preocupa mais com seu poder do que com qualquer outra coisa. Não tenho dúvidas de que se estivermos um minuto atrasados ou com uma criança a menos, ele vai cancelar a operação. A ameaça era algum tipo de prazer doentio, mas agora ele já se comprometeu, e o poder dele depende de ver tudo acontecer.

Após desligarem, Truus foi até o banheiro e, ainda de luvas, ligou a torneira da banheira. Viu o fio de água escorrer, enchendo-a. Somente quando estava cheia e a torneira desligou sozinha, ela voltou ao quarto e começou a tirar a roupa.

Ainda de luvas, ela desamarrou os sapatos, retirou-os e os colocou em um canto. Soltou a presilha da meia-calça bege, enrolou para baixo das coxas, pelos joelhos, tornozelo e calcanhar, tirando-a pelos pés. Dobrou a meia cuidadosamente e a colocou em cima da escrivaninha do quarto. Fez o mesmo com a outra perna, tirou a blusa e a saia curta que Joop havia comprado para ela — que Eichmann a obrigara a levantar —, e seu lenço, alisando o tecido antes de colocar a roupa toda, uma por uma, na pilha organizada na escrivaninha. Retirou o sutiã e o corpete também, e os colocou ao lado dos sapatos. Ela só tinha levado aquele sutiã e aquele corpete. Retirou a calcinha por último, alisou o algodão com delicadeza e dobrou, posicionando-a no topo de tudo. Com o mesmo cuidado, colocou a pilha de roupas na lata de lixo ao lado da mesa.

Retirou suas luvas amarelas das mãos só no fim e as colocou ao lado do corpete. Agora, pelada, vestindo somente seus dois anéis, ela voltou ao banheiro e entrou na banheira.

UM ENTRETENIMENTO

Otto soltou a presilha da capa dos ombros do policial da SS, enquanto o homem dizia:

— É uma piada, é claro. O Obersturmführer Eichmann está dando um entretenimento para todos nós: se livrar dos judeus! Melhor seria se essa mulher doida levasse os pais também.

Otto deu um sorriso falso enquanto tirava a capa. Não havia nenhuma vantagem em desafiar esses homens.

— Você precisa me dizer onde será isso, para que eu possa rir também — comentou ele.

— Na Seitenstettengasse. Na sinagoga onde tiveram que apagar o incêndio. Aquela escondida entre outros prédios que deveriam ter queimado junto.

Quando o cliente saiu, Otto virou a placa da porta para "Fechado" e pegou o telefone.

UMA MULHER DE AMSTERDÃ

Otto entrou no quarto decadente com relutância. Frau Neuman estava sentada em sua cadeira de rodas, tão magra, pálida e frágil como aquelas esculturas de açúcar nas vitrines de loja de chá, que pareciam que iam desabar se alguém respirasse perto. Walter estava sentado, lendo para o seu coelho de pelúcia, que vestia um casaco azul todo troncho — um menino tão pequeno, e já sabia ler. O quarto estava lotado de móveis, mas a cama estava arrumada com esmero, uma tentativa de dignidade. Deveria ter sido o pequeno Walter que arrumara, imaginou Otto. Era ele que cuidava da mãe, embora ali pelo menos eles tivessem ajuda dos vizinhos.

— Frau Neuman, ouvi falar que uma pessoa aqui em Viena, uma mulher de Amsterdã, eu acho, está organizando uma operação para… para alojar crianças judias com famílias na Inglaterra, onde poderão ir à escola e ficar… em segurança, até que esses tempos sombrios passem. Pensei em Stephan e Walter. Pensei que, se a senhora me permitir, posso levá-los para se candidatarem. Eles… — disse Otto.

— O senhor é um enviado de Deus, Herr Perger — interrompeu Frau Neuman, deixando Otto surpreso com a facilidade da concessão.

Ela estava permitindo que ele levasse seus filhos para o que seria, ela deveria saber, o resto de sua vida. Ele passara toda a viagem de bonde desde o Burgtheater elucubrando argumentos, procurando por palavras que seriam tanto gentis quanto persuasivas.

— Mas você precisa encontrar Stephan — continuou ela. — Ele não está…

— Sim — concordou Otto. — Pensei em levar Walter…

— Sem Stephan? — Lágrimas encharcaram os olhos fundos da pobre mulher que lutava para dizer aquelas palavras, e não só pela sua saúde. — Mas é claro que um filho em segurança é melhor do que…

— Žofie-Helene vai encontrá-lo, eu prometo, Frau Neuman. Liguei para ela assim que soube disso. Ela e Johanna já estão segurando um lugar na fila para os seus meninos. Nós vamos encontrar Stephan, e eu vou dar um jeito de enviar os dois juntos, para que ele possa cuidar do Walter. Mas nós precisamos ir agora.

— Walter — disse a mãe do menino, sem hesitar, agora com uma força que surpreendeu Otto —, vamos pegar sua mala.

Walter entregou seu coelhinho de pelúcia para a Frau Neuman e passou os braços ao redor de seu pescoço.

— Acredito que hoje seja somente para fazer um registro — disse Otto. — Vou enviar Žofie-Helene para buscar a mala de Walter, se for mais do que isso, mas tenho quase certeza de que é só um registro.

A pobre mulher tirou os braços de Walter de seu pescoço e o beijou desesperadamente.

— Você precisa ir com o Herr Perger — disse ela ao menino. — Seja um bom menino e vá. Faça exatamente o que ele mandar.

— Peter vai ficar aqui para cuidar de você, Mutti — respondeu Walter.

QUALQUER CRIANÇA EM PERIGO

Otto olhou para a longa fila. Não era possível que já tivesse seiscentas crianças, era? Não, se excluísse os adultos.

— Elas estão ali, Walter! — disse ele, apontando para Žofie-Helene de pé com Johanna no colo.

Walter olhou em silêncio para ele. O garoto não tinha falado uma única palavra desde que saíram do apartamento. Ele era tão pequeno. Como poderia imaginar o que tinham em mente para ele?

Otto levou o menino para junto de suas netas, e Johanna disse assim que chegaram:

— Žozo, estou com frio.

Žofie-Helene a abraçou para aquecê-la.

— Está tudo bem, minha pequena *mausebär* — disse ela. — Vou aquecer você. Vou cuidar de você.

Uma mulher na frente deles na fila — uma mãe jovem e lindíssima, com olhos lilás e sobrancelhas perfeitas, pescoço ereto e um bebê no colo — exclamou:

— Você é uma irmã tão boa! — A mãe realmente pretendia enviar seu bebê para a Inglaterra?

Ela estava com uma mulher mais velha, em cuja saia, uma ruivinha vesga do olho esquerdo — provavelmente sua neta — se pendurava.

— As crianças precisam estar aqui para se registrarem para o transporte? — perguntou Otto enquanto pegava Johanna do colo de Žofie.

— Por que aquela mulher está nos observando? — perguntou Žofie-Helene, e todos olharam na mesma direção, ao mesmo tempo; a avó com a ruiva vesga, a mãe linda com o bebê e o próprio Otto, atento para o fato de estarem sendo observados.

Uma mulher pálida que parecia estrangeira estava ao lado da fila, com certa distância, parecendo pertencer àquele lugar, mas ao mesmo tempo não — uma mulher com queixo, nariz e sobrancelhas marcados, uma boca tão grande que poderia ser cruel, se não fosse suavizada pelos olhos cinza delicados. Ela se virou, percebendo o desconforto nos rostos que a fitavam, e então levantou a mão coberta por uma luva amarela, acenou e voltou para dentro do prédio, caminhando com tanta leveza que parecia a dona da sinagoga.

— Precisam — respondeu a avó. E continuou, ao perceber a expressão confusa no rosto de Otto. — As crianças precisam estar aqui para serem registradas para o transporte. Estão tirando fotos e fazendo exames médicos.

— Žofie, preciso que você vá buscar Stephan — disse Otto. — Diga a ele para vir para cá entrar na fila. Walter, Johanna e eu guardaremos o lugar dele, mas corra e traga-o aqui, se conseguir. Eu falei à mãe deles que registraria os dois. É isso o que estão fazendo neste lugar. Estão organizando um transporte para as crianças judias chegarem em segurança até a Inglaterra.

— E outras — falou a mãe bonita.

— Outras localidades além da Inglaterra? — questionou Otto.

— Outras crianças. Não só as judias.

Otto colocou a mão no ombro de Žofie antes que ela saísse correndo, perguntando à mulher:

— Estão levando crianças que não são judias?

— Os filhos de comunistas e oponentes políticos.

— Você acha que eles levariam as minhas netas? A mãe delas foi presa por publicar uma crítica ao Reich no jornal.

As mulheres olharam para ele, céticas.

— Nossa Žofie-Helene é um prodígio da matemática — afirmou ele. — Ela assiste a aulas na universidade desde os nove anos de idade. Aulas do Professor Kurt Gödel, que é famoso. Ela poderia estudar na Inglaterra.

— Não somos nós a quem você precisa convencer — respondeu a avó.

— Qualquer criança em perigo — confirmou a mãe de olhos lilás. — Foi o que o Herr Friedmann falou. Elas têm de ser saudáveis, e só. Saudáveis e com menos de dezoito anos.

Otto relutou com sua própria consciência, e logo se desesperou.

— Žofie-Helene, você precisa ficar aqui — afirmou ele.

— Eu vou voltar, vovô. Não vou perder a minha vez, prometo. Se eu não encontrar Stephan rápido, eu volto. — E ela já estava indo embora, deixando Otto a chamando de volta, entre a vontade de impedi-la, pois algo poderia lhe acontecer, e a consciência de que se algo acontecesse com o jovem Stephan, ele jamais se perdoaria.

— Estou com frio, vovô — choramingou Johanna.

Otto puxou Johanna para mais perto, agora também sentindo frio. Sentiu frio pelo medo da escolha que enfrentava, a escolha que Frau Neuman havia confrontado com tanta coragem. Será que ele conseguiria enviar suas netas para um país cuja língua falada elas não sabiam? E se fizesse isso, será que as veria de novo? Käthe o perdoaria, ou ela gostaria que ele as enviasse?

Walter entregou seu cachecol a Johanna:

— Você pode ficar com o meu cachecol — disse ele. — Não estou com tanto frio.

NOSSOS DEUSES DIFERENTES

Truus entrou na sinagoga principal da Seitenstettengasse, onde a fila, que vinha desde lá de fora, circulava a cúpula incendiada do hall principal e subia pela escada ao redor da galeria das mulheres, que havia sobrevivido à noite de incêndios nas sinagogas. Foi lá em cima que ela encontrou Herr Friedmann orquestrando alguns voluntários nas mesas e outros com pranchetas em mãos, enviando crianças para lá e para cá. Uma adolescente desapareceu atrás de uma cortina para fazer um exame médico. Um menino posava para uma foto. Herr Friedmann puxou Truus para um local mais quieto, de onde ainda era possível ver a fila.

— Como você conseguiu espalhar a notícia tão rápido? — perguntou ela.

— Muitos de nós estamos confinados no mesmo bairro — respondeu Herr Friedmann. — O milagre é que os pais contaram uns aos outros. Não corremos o risco de ter criança de menos, e sim demais.

— E os exames médicos? Precisamos garantir aos ingleses que as crianças estão saudáveis. Realmente saudáveis. Qualquer problema que tivermos no primeiro transporte vai prejudicar qualquer futuro...

— Tão saudáveis quanto uma criança desnutrida pode ser — interrompeu Herr Friedmann. — Nossos médicos vão nos assegurar disso. É uma bênção que estejam impedidos de ganhar dinheiro na Viena nazista: podem chegar aqui rapidamente para ajudar, como está acontecendo.

— Claramente não teremos problemas em reunir seiscentas crianças — confirmou Truus. — O problema será escolher quais deverão ir. É possível descobrir quais são as que estão correndo mais perigo para levá-las no primeiro trem?

— Quem corre mais perigo são os meninos mais velhos — respondeu Herr Friedmann. — Que estão nos campos de concentração, e suas mães estão na fila em seus lugares.

Os meninos mais velhos seriam mais difíceis de alocar na Inglaterra. Famílias iriam querer bebês, mas eles não conseguiriam organizar o transporte de bebês nesse curto período, e com tão poucos adultos de acompanhantes.

— Conseguimos ter acesso à situação de saúde dos meninos nos campos e receber suas fotos? — perguntou ela.

Desider Friedmann admitiu que não.

— Está bem, então voltamos para o lugar de onde partimos: crianças entre quatro e dezessete anos — disse Truus. Os pequeninos eram tão fofos, ela pensou, mas não falou. Crianças adoráveis, que famílias na Inglaterra poderiam enxergar como filhos. — Vamos tratar de levar muitas meninas mais velhas para nos ajudar com os pequenos na viagem de trem. Elas serão relativamente fáceis de serem alocadas. Podem servir de domésticas informais quando chegarem à Inglaterra.

— Não estamos enviando essas crianças para serem domésticas, Frau Wijsmuller — afirmou Desider Friedmann.

Os rostos das mães do outro lado do salão estavam repletos de medo e esperança. Qualquer uma delas ficaria feliz em ser doméstica na Inglaterra, para ficar perto de seus filhos. Domésticas informais. A ideia não era de Truus.

— Herr Friedmann, precisamos ser práticos — retrucou ela. — Essas primeiras crianças, se forem alocá-las imediatamente com responsáveis, precisam conseguir um lugar o mais rápido possível.

— Eu soube que haverá acampamentos...

— Se os acampamentos ficarem cheios, os ingleses ficarão relutantes em aceitar mais crianças, a não ser que haja lares já planejados para elas. — Mais uma ideia que não era sua. Mas Norman e Helen Bentwich estavam certos: quem era ela para questionar a generosidade da Inglaterra em receber essas crianças, seja lá da maneira que fosse? Seu próprio país não dava nada além de uma passagem de trem da fronteira da Alemanha até balsas para a saída do país, na cidade de Hoek van Holland. — E arrumar casas leva mais tempo do que temos — concluiu ela. — Talvez devêssemos anotar a habilidade dos modos das crianças à mesa e o nível de inglês delas. Crianças que saibam falar inglês conseguirão um lar com mais facilidade, e boas maneiras serão um diferencial. Podemos até ensinar a elas algumas palavras em inglês e dar preferência às que aprendem mais rápido.

— Nós só temos até sábado — relembrou Friedmann.

— Sim, é claro — falou Truus.

Muita coisa para fazer. Muitas crianças.

— Já deve ter mais de seiscentas crianças na fila — disse Herr Friedmann — e nós teremos que decidir quem vai escapar daqui. Temos que brincar de Deus?

A longa fila circulava a galeria de mulheres, descia pela entrada principal incendiada e ia até a rua — tantos pais esperando pacientemente pela chance de enviar seus filhos para um país onde não conheciam ninguém, com costumes que não entendiam e uma língua que não falavam. Alguns adolescentes adoráveis que facilmente conseguiriam um lar, mas também meninos rebeldes, e meninas como a ruivinha vesga que Truus tinha visto na fila do lado de fora. Ela não deveria ter olhado para aquela menina, mas partiu seu coração imaginar aquela linda criança parada na fila, esperando ser escolhida por pais.

— Quem jamais conheceu a mente do Senhor, para que possa instruí-lo? — Ela começou a recitar "Coríntios", mas isso era do Novo Testamento, a palavra do seu Deus, mas não do dele. Então resolveu dizer: — Quem somos nós, Herr Friedmann, para questionar a ordem em que Deus traz seus filhos até nós?

RASTROS DE PAPEL

Na despensa de cacau — ainda nada do Stephan —, Žofie-Helene pegou um papel do meio da prancheta e o picou em pedaços, fazendo tudo rápido, ciente de que, a qualquer momento, alguém da fábrica de Chocolates Neuman lá em cima poderia descer e encontrá-la. Escreveu sem muito capricho: *Venha até a sinagoga atrás da igreja de St. Rupert agora! Estamos na fila para pegar um trem para a Inglaterra com W...*

Rabiscou o W e escreveu *seu irmão*.

Repetiu a mensagem nos outros pedaços de papel, guardou-os no bolso e pendurou a prancheta de volta no lugar. Apagou a lanterna e a colocou no lugar também. Agachou por baixo da escada e desceu para a caverna. Dobrou um dos bilhetes ao meio e o colocou em um dos degraus da escada.

De volta no túnel, colocou outro bilhete na abertura de cima da escada circular. Correu pelo túnel até a cripta debaixo da igreja de St. Stephen para colocar outro bilhete lá. Um no convento. Na Escola de Talmud. Onde mais Stephan a tinha levado?

Com o último bilhete ainda em mãos, voltou correndo para ver onde o avô estava na fila. Ainda tinha um pouco de tempo.

Correu pelos túneis na direção oposta, até a saída do outro lado do canal, até Leopoldstadt, mais perto do apartamento onde a mãe de Stephan estava morando.

BINÁRIO

Žofie-Helene correu até a começo da fila na sinagoga, onde o avô esperava com Johanna e Walter atrás da mãe de olhos lilás com seu bebê e a avó com a menina de cabelos ruivos.

— *Ach*, Žofie-Helene! — exclamou o vovô.

Todas as pessoas na fila se viraram. Žofie tinha esperança de que a senhora houvesse acalmado seu avô como fizera com a neta ruiva tantas vezes. Até a equipe nas mesas de registro e as pessoas com as pranchetas estranharam a explosão dele.

Quando a avó foi chamada, o vovô colocou Johanna no chão, pegou um lenço e enxugou o rosto de Žofie. Logo em seguida chegou a vez da mãe de olhos lilás.

— Eu procurei em todos os lugares — disse Žofie para o vovô. — Deixei recados. Sei que ele vai chegar aqui em um minuto. Podemos simplesmente esperar, como você disse que eu…

— Não podemos, Žofie — respondeu o vovô. — Nós não podemos esperar.

A avó com a menina ruiva agora exigia saber por que as crianças precisavam viajar durante o Shabat. A mãe de olhos lilás começou a chorar quando a mulher que mais cedo observava a fila — a das belas luvas amarelas — explicava para ela, com paciência, que sentia muito, honestamente, mas que nesse primeiro transporte eles não conseguiriam levar bebês. A mulher de luvas segurou no braço da mãe, afastando-a da mesa.

— Não conseguiremos organizar os cuidados necessários para eles em tão pouco tempo. As crianças precisam ter, no mínimo, quatro anos. No mínimo quatro e no máximo dezessete.

Quatro, o menor dos números primos ao quadrado. Žofie buscou conforto nos números. E dezessete, a soma dos quatro primeiros números primos e o único número-primo que é a soma de quatro números primos consecutivos.

A atendente na mesa fez sinal para que Žofie e o vovô se aproximassem, apresentando-se como Frau Grossman e entregando ao vovô alguns formulários. Ele pegou dois, para Johanna e Walter, e entregou um terceiro para Žofie preencher sozinha.

O vovô perguntou se poderia receber um quarto formulário para o irmão de Walter, que, esperava ele, estaria chegando em breve. Frau Grossman respondeu que só podia registrar crianças presentes.

Žofie demorou para preencher o formulário, esperando por Stephan.

Frau Grossman perguntou ao vovô:

— A menininha não é judia?

— Não, mas...

— E ela tem só três anos — falou Frau Grossman.

— Ela vai fazer quatro em março, e a irmã dela...

— Sinto muito, senhor — interrompeu Frau Grossman. — O garoto é judeu?

Frau Grossman olhou impaciente para Žofie, que, relanceando para trás — a mãe de olhos lilás a observava tão intensamente que era constrangedor —, entregou o formulário com relutância. Ainda nenhum sinal de Stephan.

Um homem falava para a avó da menina de cabelo ruivo:

— Sim, eu entendo que seja uma escolha cruel, mas o transporte tem que partir durante o Shabat. Tenha certeza de que isso não é uma escolha nossa. A senhora precisa inscrever sua neta ou abrir esse espaço para que outra pessoa o faça. Se alguém desistir, todas as seiscentas crianças serão proibidas de embarcar.

Frau Grossman disse ao vovô:

— Sinto muito, estamos registrando somente crianças judias aqui. As que não são judias serão...

— Mas nós ficamos na fila durante horas — contestou o vovô. — E estamos aqui com um menino judeu que já perdeu o pai e está com a mãe doente. Não podemos estar em dois lugares ao mesmo tempo!

— Todavia...

— A mãe das minhas netas foi presa pelo simples ato de escrever a verdade!

A mulher de luvas amarelas aproximou-se e pegou os papéis do vovô, dizendo:

— Está tudo bem, Frau Grossman. Talvez eu possa ajudar o Herr...?

— Perger. Otto Perger — respondeu o vovô, tentando se acalmar.

— Eu sou Truus Wijsmuller, Herr Perger — falou a mulher. E dirigiu-se aos outros atendentes: — Quantas temos até agora?

Frau Grossman consultou a mulher da outra mesa, cada uma contando o número de páginas que haviam preenchido e o número de nomes nas mais recentes, ainda incompletas.

— Vamos ver — disse Frau Grossman. — Vinte e oito multiplicado por nove é...

— Quinhentos e vinte e um — respondeu Žofie.

Arrependeu-se no minuto em que respondeu. Quanto mais tempo demorassem, mais tempo Stephan teria para encontrar os bilhetes e aparecer ali.

A mulher abriu um sorriso condescendente para ela.

— Vinte e oito multiplicado por dez é duzentos e oitenta. — E dirigiu-se aos outros. — Menos vinte e oito, temos duzentos e cinquenta e dois.

A mulher da outra mesa falou:

— Duzentos e cinquenta e dois vezes dois dá quinhentos e quatro. Mais os seus dez e os meus dezessete...

A mulher de lindas luvas amarelas, sorrindo gentilmente para Žofie-Helene, respondeu:

— Quinhentos e vinte e um.

A mãe bonita com o bebê, ainda observando, também sorriu.

— É um número-primo — respondeu Žofie, tentando estender a conversa. — Como dezessete, a idade máxima das crianças que vocês estão registrando. Dezessete é o único número-primo que é a soma de quatro números primos. Se você somar quaisquer outros números primos consecutivos, sempre obterá um número par, e números pares nunca são primos porque são divisíveis por dois. Bem, exceto o número dois, é claro. Dois é um número-primo.

As outras duas mulheres olharam para a longa fila, que ainda aguardava o registro.

— Mais de seiscentas — afirmou Frau Grossman. — Centenas a mais.

A mulher de luvas veio até Žofie e pegou sua mão; o couro das luvas, mais macio do que o toque da pele, ficou em contato com os dedos de Žofie.

— E você é...? — perguntou a mulher.

— Eu sou Žofie-Helene Perger — respondeu Žofie.

— Žofie-Helene Perger, eu sou Geertruida Wijsmuller, mas pode me chamar de Tante Truus.

— Você não é minha tia — respondeu Žofie.

A mulher riu, com uma risada amável, os lábios em uma elipse como os da tia de Stephan, Lisl.

— É verdade, não sou mesmo. Frau Wijsmuller é um nome difícil para a maioria das crianças pronunciarem. Mas não para você, é claro.

Žofie-Helene pensou.

— É mais eficiente.

A mulher riu outra vez.

— "Mais eficiente." Verdade.

— As pessoas me chamam de Žofie porque é mais eficiente. Meu amigo Stephan às vezes me chama somente de Žofe. Eu não tenho tia, mas ele tem. Sua tia Lisl. Eu gosto muito dela. Mas ela está em Shanghai agora.

— Entendo — falou Tante Truus.

— Ela também é tia do Walter. Walter e Stephan são irmãos.

Ela esperou que Tante Truus perguntasse sobre Stephan, mas a mulher somente se virou para Walter.

— Por que vocês dois não vêm até aqui e posam para uma foto? — sugeriu Tante Trus.

O vovô entregou o formulário de Johanna para a mulher.

— Eu sinto muito, Herr Perger, mas, por favor, acredite quando eu digo que não é possível incluirmos crianças com menos de quatro anos nesse trem — disse Tante Truus. — Esperamos poder incluí-las no próximo.

— Eu já sou grande. Tenho três anos! — exclamou Johanna.

— A irmã dela iria junto, e ela é uma menina boa, não causa problemas — completou o vovô.

— Tenho certeza disso, Herr Perger — concordou Tante Truus —, mas eu não posso... Não temos tempo para discutir cada caso. Por favor, entenda. Nós precisamos estabelecer limites e seguirmos à risca.

— Eu... — O vovô olhou para a fila enorme atrás dele. — Sim, eu... Desculpe. É claro.

Tante Truus pegou um lenço de linho e enxugou mais um pouco o rosto de Žofie, e depois desfez suas tranças e ajeitou seu cabelo.

— Sorria para o fotógrafo, Žofie-Helene — pediu ela.

O flash piscou, deixando estrelas de luz dançando nos olhos de Žofie.

Tante Truus pegou na mão de Žofie e a levou para trás de uma cortina, onde ela deveria se despir para que o médico pudesse examiná-la. Žofie queria dizer que ela não era um bebê, que Walter precisava de mais ajuda do que ela. Mas apenas tirou os sapatos, o que pareceu impressionar Tante Truus, apesar de tê-la mandado se despir.

— Você está no comando aqui, Tante Truus? — perguntou Žofie enquanto retirava as meias e as dobrava cuidadosamente, querendo cair nas graças da Tante Truus. — Minha mãe está no comando de um jornal. As pessoas nunca esperam uma mulher no comando. Ela diz que, assim, as coisas podem funcionar a seu favor.

— Bem, nesse caso, acho que estou no comando aqui — respondeu Tante Truus. — Eu gosto que as coisas funcionem a meu favor.

— Eu também — concordou Žofie. — Sou muito talentosa em matemática.

— Sim, eu vi — concluiu Tante Truus.

— O Professor Gödel foi embora da universidade, mas eu ainda o ajudo com a sua hipótese generalizada do continuum.

Tante Truus olhou com curiosidade para ela, do jeito que as pessoas normalmente faziam.

— Sabe, sobre os possíveis tamanhos dos conjuntos infinitos? — explicou Žofie. — O primeiro dos vinte e três problemas de Hilbert. O meu amigo Stephan é tão inteligente com as palavras quanto eu sou com conceitos matemáticos. Ele poderia estudar escrita com Stefan Zweig, se fosse para Inglaterra. Ele deveria estar na fila conosco. Então, quem sabe, quando ele chegar, você poderia colocá-lo junto conosco?

— Ah, então era aí que você queria chegar. E por que o seu amigo não está aqui?

— Ele não está em um campo. — Žofie garantiu a ela; tinha ouvido pessoas na fila falarem que não haveria tempo para trazer os meninos dos campos.

— Então, onde ele está?

Žofie olhou para ela, sem querer entregar Stephan.

— Você precisa entender que eu não posso simplesmente passar uma pessoa na frente das outras — afirmou Tante Truus. — Não seria justo. Agora, tire a sua roupa, Žofie-Helene, para que o médico veja que você é saudável.

— Stephan está se escondendo! — explodiu Žofie. — Não é culpa dele não estar aqui!

— Entendo — falou Tante Truus. — E você sabe onde ele está?

— Ele pode ficar com o meu lugar — retrucou Žofie. — Eu posso ficar aqui com a Jojo.

— Ah, meu amor, acho que não posso fazer isso. Veja, cada ficha é específica de uma criança. A outra metade da sua ficha está na Inglaterra, e só você terá permissão para...

— Mas o Stephan vai fazer dezoito anos e será velho demais! — Žofie engoliu o choro. — Você pode enviar a ficha dele no lugar da minha e dizer que cometeu um erro. Até eu cometo erros.

A mulher a puxou em um abraço, do jeito que sua mãe às vezes fazia. Žofie não conseguiu se conter; lágrimas escorreram de seus olhos e foram absorvidas pela roupa da mulher, que era quase tão macia quanto as luvas. Fazia muito tempo que Žofie não via a mãe.

— Acho que esse Stephan é sortudo de ter uma amiga tão boa quanto você, Žofie-Helene — afirmou Tante Truus, e Žofie sentiu os lábios da mulher pressionarem o topo de sua cabeça. — Eu queria ter uma... amiga como você.

O médico espiou pela cortina. Tante Truus ajudou Žofie a terminar de tirar o restante das roupas rapidamente.

— Está bem, respire fundo para o médico — pediu Tante Truus. — E agora, o mais rápido que conseguir, vista-se, corra e traga o seu amigo. Traga-o diretamente para mim. Não posso registrá-lo sem uma foto ou um exame médico, mas finja que a fila não existe e venha direto até mim.

O médico ouviu a respiração de Žofie-Helene, que respirou o mais rápido que conseguiu.

— Mais devagar — disse o médico. — Respire fundo.

Žofie fechou os olhos e deixou sua mente se encher de números, do jeito que fazia à noite quando não conseguia dormir. O que veio em sua cabeça quando o doutor colocou o estetoscópio de lado e terminou seu exame, batendo em seus joelhos com o pequeno martelo e olhando dentro de suas orelhas e nariz e boca, foi um problema simples: se cada criança levasse, digamos, quatro minutos para se registrar, e eram registradas duas crianças por vez, isso significava que ela tinha duas horas e trinta e quatro minutos para encontrar Stephan. Duas horas e dezoito minutos, na verdade, já que ela e Walter já haviam passado do registro na mesa e mais duas outras crianças estavam se registrando agora.

— Žofie-Helene — falou Tante Truus —, vou fazer o que puder pelo seu amigo, mas não posso colocá-lo na frente de ninguém que já tenha um número na hora que ele chegar. Você precisa me prometer que vai entrar no trem, com ou sem o Stephan. Se não entrar, seiscentas outras crianças não poderão partir por sua causa. Você entende?

Quinhentas e noventa e nove crianças, Žofie pensou, mas não disse nada, pois agora não queria perder tempo.

Ela vestiu-se novamente, dizendo:

— É binário. Seiscentos ou zero. — Zero, geralmente seu número favorito, mas não naquele momento. — Eu entendo. E prometo que irei para a Inglaterra mesmo que Stephan seja o número seiscentos e um. Eu levarei Walter.

— Binário, meu Deus! — exclamou Tante Truus. — Corra, então. O mais rápido que puder!

EXCLUÍDOS, MARGINALIZADOS, DESPREZADOS

Žofie-Helene desapareceu pela entrada mais próxima dos túneis subterrâneos, tentando não pensar no que seria sua vida sem Stephan, mas sendo inundada por memórias: o dia em que o vovô fingiu cortar o cabelo dele; o aniversário dele, quando ela não sabia que era aniversário dele, quando ela não sabia que ele morava em um palácio enorme na Ringstrasse, com porteiro e quadros famosos e uma tia elegante; a primeira vez em que lera uma das peças dele, a sensação de ser compreendida, mesmo que a peça não fosse sobre ela; aquela noite no palco do Burgtheater, quando ela fechou os olhos e fingiu que era Stephan beijando-a, no lugar de Dieter; o momento em que Stephan olhou para ela enquanto marchava no jardim do Prater Park, quando ela soube, na vergonha dos olhos dele, que ele precisava que ela mentisse para os nazistas e levasse Walter embora. Ela não tinha sentido medo naquele dia. O medo só chegara para ela mais tarde, quando Stephan se recusara a vê-la, quando ela percebeu que, ao salvar o irmão dele, tinha perdido seu único amigo.

No momento em que chegou à escuridão do túnel subterrâneo, ela começou a cantar. Cantou baixinho, as palavras daquele dia na capela real; a voz daquele menino sozinho no coro alto, a voz de um coro inteiro ecoando a música sob a abóbada em cruzaria, assim como o belo peso das colunas de interseção era sustentado pelas pilastras ao redor, e estas eram amparadas pelas paredes externas.

— *Ave Maria, virgem imaculada* — cantou ela com doçura. Não era uma excelente cantora, não chegava nem perto dos meninos do coral. Mesmo assim, cantou mais alto. — *Acolhei a nossa súplica.*

Ela parou na esperança de escutar alguma coisa. Nada.

— *Tu podes ouvir de onde quer que estejas* — cantou ainda mais alto; sua voz, o único eco na escuridão gelada, enquanto ela corria. — *Tu trazes a salvação aos aflitos. Podemos dormir seguros sob o teu manto; apesar de excluídos, marginalizados, desprezados.*

MESMO SEPARADOS

Truus acabara de chegar ao seu quarto no Hotel Bristol, e nem teve tempo de se sentar para tirar os sapatos quando o telefone tocou. O operador se desculpou por incomodá-la naquele horário, mas era uma chamada urgente de Amsterdã. Ela aceitaria? Enquanto Truus aguardava a chamada ser transferida, retirou as luvas, sentou-se e tirou um sapato de cada vez. Soltou o fecho de um lado da meia-calça e a enrolou até embaixo — rayon por fora e lã com algodão por dentro para aquecê-la —, libertando a coxa branca e exausta, o joelho, o tornozelo e a pele ressecada do pé amassada pelo salto. Ela flexionou os dedos, ossos arcados, unhas sem esmalte. Um típico pé cristão. Como um pé judeu poderia ser diferente dos outros?

Dobrou a meia-calça e a colocou sobre a cômoda. As roupas que havia jogado fora na noite anterior estavam dobradas do mesmo jeito que ela deixara, mas sobre a cômoda, e não mais na lata de lixo. É claro que a arrumadeira deve ter ficado confusa.

A voz de Joop surgiu no telefone, perguntando:

Por onde você andou, Truus? Estou tentando falar com você o dia inteiro!

Truus respirou fundo o ar úmido.

— Seiscentas crianças, Joop — respondeu ela.

Recostou-se na cadeira, com uma perna despida e a outra ainda de meia-calça bege. Poderia recostar a cabeça, fechar os olhos e dormir, sentada e vestida pela metade.

— Está bem — falou Joop. — A balsa *Praga* estará pronta em Hoek van Holland. Mas só uma. Desculpe. Não consegui outra em tão pouco tempo.

— Seiscentas, ou nenhuma, Joop. Eichmann não poderia ter sido mais claro.

— Mas isso não faz sentido. Ele quer se livrar dos judeus de Viena, e a Inglaterra vai levá-los embora. Por que exigir que todos deixem o país no sábado? Por que não no domingo ou...

— Sábado é Shabat — explicou, exausta. — Temos que encontrar seiscentas famílias que queiram entregar seus filhos para desconhecidos, para viajarem no dia em que a religião deles proíbe e partirem sozinhos para um mundo em que eles certamente ficarão solitários e apavorados. E se um único pai mudar de ideia no último minuto, todo o esquema será cancelado.

— Ele não pode ser tão cruel.

— Joop, você não pode acreditar na humilhação que ele...

A verdade, os detalhes, só deixariam seu marido preocupado com ela, e preocupação não faria bem nenhum a eles.

— Nós nem sequer começamos a ver a extensão da capacidade de crueldade desse homem, Joop.

— Que humilhação, Truus?

Ela se levantou e, com o fone preso entre o rosto e o ombro, pegou as roupas dobradas na cômoda, ainda empilhadas, e as colocou de volta na lata de lixo vazia.

— Truus?

Ela agachou-se na lata de lixo e separou a saia que ele lhe dera, segurando-a perto do peito. Queria contar a ele. Queria tirar esse fardo da alma, mas não suportaria passar essa carga adiante. Ele já tinha carregado muito peso. Merecia tanta coisa que ela talvez nunca conseguisse lhe dar.

— Truus — disse ele, com gentileza — lembre-se: nós somos mais fortes juntos, mesmo quando estamos separados.

ARRUMANDO AS MALAS

Žofie escolheu três dos seus cadernos de matemática e os guardou em sua mala vazia em cima da cama. Ficou de pé em frente à prateleira de livros que seu pai havia construído para ela, tentando decidir quantos de seus Sherlock Holmes cabiam na mala. Seu preferido era o conto "Um escândalo na Boêmia" e os livros *Um estudo em vermelho*, *O signo dos quatro*, *O cão dos Baskerville*, *O vale do medo*; mas o vovô tinha dito que ela podia escolher só dois. Então, ela escolheu *As aventuras de Sherlock Holmes*, pelas histórias, e *O signo dos quatro*, porque tinha o número quatro no título, um número tão reconfortante, e também porque ela gostava de Mary Morstan, das seis pérolas misteriosas e do final, em que Mary não consegue a maior parte do tesouro, mas consegue o dr. Watson.

Johanna apareceu ao lado de Žofie, dizendo:

— Žozo... — E entrega a ela uma foto emoldurada delas duas com a mãe, quando Jojo ainda era bebê, no porta-retrato preferido da mãe.

Ela tentou pensar na foto escondida do conto "Um escândalo na Boêmia", para se distrair e não começar a chorar.

— Vai estar frio na Inglaterra — afirmou o vovô. — Você vai precisar de mais roupa. E lembre-se, não leve nada de valor.

Ele pegou a foto, retirou-a da moldura cara e a colocou, sozinha, na mala, dentro de um caderno para que não amassasse.

Žofie pegou Johanna no colo e a abraçou forte, aninhando-se no cheiro quente e azedinho do pequeno pescoço da irmã.

— A Johanna não pode ir — disse ela para o vovô. — Stephan não pode ir. E a mamãe não está aqui para se despedir.

— Eu quero ir com a Žozo — resmungou Johanna.

O vovô dobrou o casaco preferido de Žofie e o colocou na mala, do lado dos cadernos. Acrescentou saias e blusas, calcinhas, meias, enquanto falava em tom calmo:

— Sua mãe será solta em breve, Žofie. Garantiram para mim. Mas a Áustria não é mais um local seguro para nós. Ela vai querer ir para a Inglaterra. Assim que sair da prisão, nós todos iremos para a Checoslováquia ficar com a avó de vocês, até que possamos conseguir vistos para irmos ao seu encontro.

Ele fechou a mala, para ter certeza de que não estava cheia demais, e depois a abriu de novo.

— Imagine tudo com que você vai poder sonhar, *Engelchen* — disse ele. — Pode ver a Pedra de Roseta, no Museu Britânico.

— E o Papiro Matemático de Rhind — acrescentou ela.

— A casa de Sherlock Holmes em Baker Street.

— Eu poderia dar o meu lugar para Stephan e ir para a casa da vovó com você, a mamãe e Johanna — afirmou ela. — E ainda assim seriam seiscentas crianças.

O vovô abraçou as duas netas juntas.

— A Frau Wijsmuller já explicou, Žofie, que as fichas têm de ser processadas com a Gestapo. As informações têm de ser as mesmas aqui, na fronteira de saída da Alemanha e na Inglaterra. Mas Stephan irá no próximo trem.

— Talvez não haja um próximo trem antes de ele completar dezoito anos! — insistiu, saindo do abraço do avô, mas ainda segurando Johanna no colo. — A Tante Truus não prometeu que haveria outro trem!

— Se não terminarmos de arrumar sua mala e partirmos para a estação, certamente não haverá outro trem, nem esse — ralhou o avô.

Johanna começou a choramingar. Žofie-Helene puxou o rosto de sua irmã para o seu peito, como a mãe fazia para protegê-las, para confortá-las.

O vovô, também com lágrimas nos olhos, disse:

— Desculpe. Desculpe. — Ele passou a mão no cabelo de Jojo. — Para mim, é tão difícil dizer adeus, Žofie-Helene, quanto é para você ir embora.

Žofie sentiu que estava começando a chorar, embora tenha prometido para si mesma que não choraria, que suas lágrimas só deixariam o vovô e a Jojo mais tristes.

— Mas você terá a mamãe e a Johanna — retrucou ela —, e eu só terei o Sherlock Holmes, que nem é de verdade.

— Mas você terá Cambridge, *Engelchen* — disse o avô com a voz carinhosa. — Eu acho que você terá Cambridge. É para onde sua mãe gostaria que você fosse, mesmo se nós não tivéssemos que deixar a Áustria.

Žofie colocou Jojo no chão, pegou seu lenço e assoou o nariz.

— Porque eu sou muito boa em matemática — concluiu ela.

— Você é extraordinária em matemática — completou o avô. — Certamente alguém na Inglaterra vai ver isso e ajudá-la a conseguir um mentor.

Ele pegou uma das blusas dela da mala e colocou de volta na cômoda.

— Você é extraordinária, e ponto final. Agora, veja, eu abri espaço para mais um livro do Sherlock Holmes ou outro dos seus cadernos de matemática. Você vai precisar de lápis também. Mas se apresse, já é hora de irmos.

A PARTIDA

Stephan, vestido com seu casaco e o cachecol rosa quadriculado de Žofie-Helene, beijou a testa de sua mãe.

— É melhor irem, ou vão perder o trem — recomendou Mutti. — Cuide bem dele, Stephan. Fique perto dele, sempre.

— Wall vai cuidar de mim, não vai? — retrucou Stephan.

Mutti abotoou o casaco de Walter e amarrou seu cachecol.

— É sério, Stephan — pediu ela. — Prometa para mim.

Stephan desviou o olhar para as duas malas que esperavam, lado ao lado, na porta. Ele só tinha uma única muda de roupa, o seu caderno e um lápis, e o exemplar de *Caleidoscópio* que Žofie havia guardado, apesar do perigo. Também era perigoso levá-lo no trem, mas não importava.

— Sei que você é jovem — disse Mutti para ele. — Mas precisa ser um homem agora.

Ela puxou Walter, respirando fundo.

— Faça o que o seu irmão mandar, tudo o que ele mandar — disse ela para ele. — Promete?

— Eu prometo, Mutti — respondeu Walter.

E então ela segurou a mão de Stephan.

— Prometa que vai segurar a mão dele o caminho inteiro até a Inglaterra. Encontre uma família que aceite vocês dois.

Stephan olhou no fundo dos olhos de Mutti, como se gravando seu rosto, para lembrar-se dela para sempre. Se ele não tivesse hesitado quando ouviu Žofie cantar da primeira vez... Se tivesse corrido mais rápido... Mas Mutti teria ficado sozinha.

— Eu vou mantê-lo em segurança — prometeu.

Essa parte era verdade.

— Você e Stephan vão juntos para a casa de uma família, Walter — falou Mutti.

— E Peter também? — perguntou Walter.

— Sim, Peter também. Você, Stephan e Peter — disse ela. — Vão morar todos juntos com uma família. Vão cuidar um do outro.

— Até você ir para a Inglaterra para ser nossa mãe de novo — concluiu Walter.

— Sim, meu amor — respondeu Mutti, com a voz embargada. — Sim. Até lá, você vai escrever muitas cartas para mim, e eu vou escrever de volta para você.

Ao vê-la se esforçar tanto para não chorar, Stephan quis chorar. Ele queria dizer a ela para não se preocupar, que ele continuaria ali. Cuidaria dela. Ela não ficaria sozinha.

— Ensine a ele a ser um homem como você, Stephan — pediu ela. — Você é um homem tão bom. Seu pai ficaria muito orgulhoso. Faça com que seu irmão saiba o quanto nós o amamos, o quanto amamos vocês dois, não importa o que aconteça.

Walter pegou o seu lenço, desdobrou-o com cuidado e passou nos olhos do Peter Rabbit.

— Peter quer ficar com você, Mutti.

— Eu sei disso — respondeu Mutti, e abraçou Walter e Peter pela última vez.

Stephan levantou as duas malas.

— Segure a mão dele — insistiu Mutti.

Stephan entregou sua mala, que era mais leve, para Walter e levou a mala do irmão. Entrelaçou seus dedos com os dele, uma das orelhas de Peter Rabbit no meio.

— Walter não vai se lembrar de nós — disse Mutti, baixinho. — Ele é muito pequeno. Ele não vai se lembrar de nenhum de nós, Stephan, só através de você.

NÚMEROS

A estação de Westbahnhof já estava lotada quando Stephan chegou com Walter. Por todos os lados, mulheres abraçavam com toda a força seus filhos agarrados a bichinhos de pelúcia e a bonecas. Homens de chapéus pretos, barbas pretas e cachinhos rezavam em hebraico sobre a cabeça dos pequenos, mas a maioria das famílias parecia mais com a de Stephan; poderia ser qualquer família de Viena, exceto pela maleta na plataforma ao lado de cada criança.

Uma mulher ligeiramente parecida com Mutti estava parada, quieta, no meio da multidão, com uma cesta em uma das mãos e um bebê na outra. Um pai pegou um garotinho chorando dos braços da mãe e o repreendeu, mandando que se comportasse como um menino grande. Em todo canto, os nazistas patrulhavam, e havia muitos cachorros de prontidão, forçando suas coleiras.

Um homem chamava nomes escritos em uma prancheta. Uma mulher pendurava uma ficha com um número no pescoço de um garoto, como se fosse um colar, e colava uma etiqueta com o mesmo número na bagagem. Com a mala nas mãos, então, o jovem se afastou de seus pais e seguiu em direção ao trem.

A mulher que as crianças foram orientadas a chamar de Tante Truus brigava com um dos nazistas. O oficial dizia que os vagões seriam fechados e só seriam abertos para a conferência de documentos na fronteira de saída da Alemanha.

— Os vagões precisam ser fechados para a segurança de todos — disse o oficial.

— Mas só podemos levar seis adultos, e são dez vagões — contestou Tante Truus. — Dez vagões, cada um com sessenta crianças! Agora você está me dizendo que os adultos não poderão circular de um vagão para outro para cuidar delas?

— É um trem noturno — retrucou o oficial. — Elas certamente estarão dormindo.

Stephan foi pego de surpresa pelo olhar de Žofie, mesmo sabendo que ela estaria ali. Ele ficaria apavorado se ela não tivesse vindo; o trem não podia sair com nenhuma criança a menos, e ela era uma das seiscentas. Ela parecia mais adulta do que da última vez em que tinham se visto, com seu cabelo comprido e solto nas costas, ainda úmido do banho, e os seus seios sob o colar que sempre usava esticando o tecido do casaco ao redor dos botões. Mesmo enquanto beijava sua irmã diversas vezes, ela fitava o avô com seus olhos verdes redondos por trás dos óculos. Ao se despedir, ele tentava passar a ela uma lista de conselhos para uma vida inteira, da mesma maneira que Mutti tinha feito.

Um silêncio se alastrou pela estação quando Eichmann chegou com seu cão terrível a tiracolo. Stephan encolheu-se, enquanto Tante Truus deu um passo adiante.

— Bom dia, Herr Eichmann — cumprimentou ela.

— Seiscentas, Frau Wijsmuller — afirmou Eichmann, sem parar de andar.

Ele desapareceu em uma escada que dava para os escritórios.

Lentamente, a estação voltou à vida, mais contida agora.

Stephan deu um abraço silencioso em Walter.

— Wall. — Ele queria ser como o avô de Žofie-Helene, queria garantir que Walter soubesse tudo o que precisava saber pelo resto da sua vida. Mas não conseguia falar palavra alguma além do apelido do seu irmão. Não parecia suficiente. Ele precisava, no mínimo, dizer o nome inteiro. Mas isso iria assustá-lo. Wall. Forte e simples.

Ainda segurando firme a mão de Walter, como fizera desde que saíram de Leopoldstadt — como Mutti havia pedido a ele para fazer até chegarem à Inglaterra —, Stephan foi ao encontro de Žofie, seu avô e sua irmã. Só nessa hora, ele ajoelhou na altura de Walter, para contar a verdade para ele.

— Não tem lugar para mim nesse trem, Walter. — Falando o nome dele enfim, para deixar clara a seriedade da conversa, e esforçando-se muito para manter os olhos firmes. Ele queria muito chorar, mas precisava ser o homem que sua mãe imaginava que ele fosse. — Mas Žofie-Helene vai com você. Ela vai cuidar de você como se fosse eu, e eu vou no próximo. Vou no próximo trem e vou lhe encontrar assim que chegar à Inglaterra. Vou lhe encontrar onde você estiver.

As lágrimas começaram a escorrer pelo rosto de Walter.

— Mas você prometeu para a Mutti que seguraria a minha mão durante o caminho todo até a Inglaterra!

— Sim — admitiu Stephan. — Mas Žofie-Helene sou eu, você não está vendo?

— Não é nada.

— Walter, a Mutti quer que a gente vá para a Inglaterra. Você sabe disso, não sabe? Você prometeu a ela que seria um bom menino durante todo o caminho até lá.

— Mas junto com você, Stephan!

— Sim, comigo. Mas a questão é que eles só podem levar seiscentas crianças nesse trem, e eu sou o número seiscentos e dez.

— É um número de muita sorte, Walter, seiscentos e dez. É o décimo sexto número da Sequência de Fibonacci — disse Žofie-Helene.

Walter olhou para ela com a mesma expressão de dúvida de Stephan. Ela queria apoiá-lo, Stephan sabia disso. Mas o último número da sorte daquele dia era o seiscentos. Por que ele não tinha corrido mais rápido?

— Žofie-Helene será eu durante esse período bem curto — disse ele. — Só até eu conseguir chegar à Inglaterra.

— Peter e eu podemos ir no próximo trem com você.

— Não podem, esse é o problema. Se vocês não forem nesse trem, os outros não poderão sair. E nenhum de nós irá embora.

— É binário — disse Žofie-Helene, baixinho. — Todas as seiscentas crianças têm que ir, ou então não vai ninguém.

— Mas eu vou no próximo trem — garantiu Stephan para ele, sem prometer.

Em certo momento, talvez ao descobrir no início da semana que tinha se atrasado demais para esse primeiro trem, Stephan havia decidido que faria tudo o que fosse necessário para que Walter entrasse no trem com Žofie, que mentiria se precisasse, mas tentaria ser o mais verdadeiro possível.

— Até eu chegar — continuou ele, para Walter —, Žofie-Helene cuidará de você. Žofie-Helene será eu. — Ele pegou um lenço e limpou o nariz de Walter. — Lembre-se disso, Walter. Žofie-Helene sou eu.

Isso tudo era verdade, assim como o que havia dito para Mutti: que ele se certificaria de que o irmão chegaria em segurança à Inglaterra. Žofie-Helene tinha prometido ficar com Walter, no lugar de Stephan.

— Žofie-Helene sou eu — repetiu ele mais uma vez.

— Só que ela é mais inteligente — falou Walter.

Stephan sorriu para Žofie.

— Sim, Žofie-Helene sou eu, só que muito mais inteligente. — E muito mais bonita, ele pensou. — Ela sou eu até que eu chegue para encontrá-los, e vou no próximo trem, já que sou o décimo sexto número da Sequência de Fibonacci. Não sei mais quantas pessoas eles levarão, mas tenho certeza de que serão, no mínimo, dez.

— E nós vamos para uma família juntos?

— Sim. Exatamente. Vou encontrar vocês na Inglaterra e nós vamos para uma família juntos. Mas até lá, faça tudo o que Žofie mandar, como se ela fosse eu.

Walter pegou o seu lenço e o encostou no nariz de Peter Rabbit.

O homem com a prancheta chamou uma menina de cabelo ruivo, e os assistentes colocaram um número nela e etiquetaram sua mala.

— Acho que nós somos os próximos, Walter. Você está pronto? É melhor dar um último abraço no seu irmão — falou Žofie-Helene.

Stephan deu um abraço apertado em Walter, sentindo seu cheiro pela última vez, enquanto Žofie beijava sua irmã mais duzentas vezes.

O homem chamou:

— Walter Neuman. Žofie-Helene Perger.

Žofie entregou sua irmã ao avô, mas a pequenina começou a choramingar:

— Quero ir com a Žozo! Quero ir com a Žozo!

Stephan também queria choramingar. Queria segurar a mão de Walter e de Žofie e sair correndo. Mas não tinha para onde correr.

— Seja uma boa menina e abra os caminhos para esperar a sua irmã — falou Herr Perger. — Nós a mandaremos em um trem ao seu encontro assim que ela fizer quatro anos. Sua mãe e eu escreveremos para você. Nós vamos em breve, assim que conseguirmos arrumar vistos. Mas, Žofie, nós sempre estaremos com você, não importa o que aconteça. Assim como o seu pai está sempre com você nos seus problemas matemáticos, nós sempre estaremos juntos.

Žofie-Helene segurou a mão de Walter com a orelha do coelho no meio, da mesma forma que Stephan sempre fazia. Os dois foram até o homem da prancheta. Baixaram a cabeça enquanto a mulher pendurava as placas com números no pescoço deles.

Número 522 — era o número de Walter. E número 523 — era o número de Žofie. Stephan guardou os números na memória, como se tivessem algum significado.

O COLAR

Žofie ajeitou o número de Walter no cordão ao redor de seu pescoço.
— Número quinhentos e vinte e dois! É um número muito especial — disse ela. — É divisível igual por um, dois, três, seis e... Vamos ver... Dezoito, vinte e nove, trinta e sete, cento e setenta e quatro e duzentos e sessenta e um. E, é claro, é divisível por ele mesmo, quinhentos e vinte e dois. Então, isso significa que ele tem dez fatores!

Walter olhou para o número de Žofie.
— O meu é um número-primo — afirmou ela. — Não é divisível por nenhum número além dele mesmo. Mas também é especial à sua maneira.

Mesmo assim, Walter franziu a testa.
— Peter não precisa do seu próprio cordão? — perguntou o menino a ela.

Žofie abraçou Walter e beijou Peter Rabbit.
— Peter pode viajar de graça com você, Walter. O que acha disso?

Ela segurou a mão dele e os dois seguiram na fila para entrar no vagão para onde Herr Friedmann os havia direcionado, atrás da menina ruiva da frente deles na fila do registro. Enquanto esperavam, Tante Truus se aproximou.

— Žofie-Helene, você é uma menina doce e inteligente — disse ela. — Nesse vagão, estou colocando você no comando. Está bem? Não haverá nenhum adulto, então você terá que tomar decisões bem inteligentes por todo mundo. Pode fazer isso pelo Herr Friedmann e por mim?

Žofie assentiu. Tante Truus, ao olhar para ela, ficou assustada. Žofie tinha dito algo errado? Mas não tinha aberto a boca nem um minuto.

— Meu amor, você não pode levar esse colar — falou Tante Truus.

Žofie passou o dedo em seu pingente de infinito, o grampo de gravata do seu pai, que seu avô tinha transformado em um colar. Era o único pedacinho do pai que ela ainda tinha.

— Leve para seu avô — falou Tante Truus. — Rápido.

Žofie correu de volta e entregou o colar, não para o vovô, mas para Stephan. Ela deu um beijo nos lábios machucados dele, que estavam úmidos das lágrimas e levemente inchados, e eram tão macios e quentes que aqueceram seu peito também. Era tudo o que ela podia fazer para não chorar.

— Um dia, você vai escrever uma peça de teatro que vai fazer as pessoas se sentirem como aquela música faz. Sei que vai — disse ela, e voltou correndo para a fila, segurou a mão de Walter e entrou no trem.

UM GAROTO JUDEU DE DEZESSETE ANOS

Por todos os lados da estação, pais esperavam ansiosamente, devastados por dizerem adeus a seus filhos, enquanto tantos outros — pais que haviam ajudado os filhos a arrumarem a mala na esperança dolorosa de conseguirem a chance que antes lhe fora negada — estavam devastados por não dizerem adeus. Tantas pequenas Adeles. Tantos rostos de mães com a mesma expectativa que a mãe de Adele tinha naquela manhã, na estação de Hamburgo. Truus imaginou como Recha Freier havia contado à mulher sobre a morte de sua filha, e qual teria sido a reação, o quanto ela deve ter culpado Truus por levar a menina de seus braços, ou a si mesma por entregar Adele. Como essa poderia ser a coisa certa a fazer, tirar os filhos dos pais?

Ela esquadrinhou a estação em busca de Eichmann, perguntando-se onde aquele homem cruel estaria.

— Nós não podemos arrancar a criança da cama e colocá-la dentro do trem — dizia Frau Grossman para Truus e Desider Friedmann, com a voz baixa para que o soldado nazista não ouvisse. — Várias delas teriam sarampo antes de chegarem a Harwich, e todo o esforço terá sido em vão. Certamente, há outro menino de sete anos que podemos levar em seu lugar.

— Obersturmführer Eichmann está com as fichas — falou Truus. — A Gestapo vai checar as crianças antes que o trem tenha autorização para sair da Alemanha.

Tantos pais arrasados esperavam para dar o último adeus aos filhos que talvez nem sequer partissem por conta de um menino doente. Os problemas que não se conseguia prever...

— Temos que encontrar um menino que possa se passar pela criança da foto — concluiu ela — e que seja muito bom ator.

— Mas e o risco se a mentira for descoberta? — contestou Herr Friedmann com um olhar nervoso para uma janela no segundo andar, sobre a plataforma.

Truus também olhou para o homem e seu cachorro perfeitamente imóveis, só observando tudo lá de cima. Por mais estranho que fosse, ela pensou em sua mãe parada na janela de casa, em Duivendrecht, naquela manhã de neve duas décadas antes. Imaginou que aquele homem estivesse rindo, embora não tivesse nenhum boneco de neve dessa vez. A risada dele seria bem diferente da risada de sua mãe.

— Que opção nós temos? — perguntou ela, docemente. — Sem ele, nenhuma criança vai partir, nem agora nem, muito provavelmente, nunca.

Os três olharam para os pais procurando seus filhos nas janelas do trem, enquanto outros desejavam aquela chance, rezavam por aquela chance.

Truus viu o menino mais velho que aquela querida Žofie-Helene — Žofie, para ser mais "eficiente" — tinha levado até ela, só que tarde demais para esse primeiro trem. Qual era o nome dele? Ela se orgulhava de ser boa em lembrar o nome das pessoas, mas seiscentos era muita coisa, e ele nem era um dos seiscentos. Estava ali parado, com uma mala no chão ao seu lado, observando o vagão para o qual Žofie-Helene havia levado seu irmão. Truus se lembrava dele, sim — o menino pequeno, Walter Neuman. Walter Neuman e seu irmão, Stephan.

Truus acompanhou o olhar de Stephan observando Žofie, dentro do vagão, limpando a janela, e depois o pequeno Walter segurando um bicho de pelúcia ao seu lado, também virado para o vidro, enquanto Žofie ajudava outra criança a se acomodar.

— Aquele menino, Stephan Neuman — sussurrou ela para Herr Friedmann e Frau Grossman, e antes que eles contestassem, ela pegou o cordão e a etiqueta da mala e correu até ele.

— Entre nesse último vagão, Stephan — sussurrou ela, entregando o número. — Estarei lá em um minuto. Se alguém perguntar antes que eu chegue, diga que seu nome é Carl Füchsl e que confundiram a sua idade. Vá, rápido.

O garoto pegou o cordão com o número, segurou sua mala e repetiu:

— Carl Füchsl.

— O garoto é dez anos mais velho! — contestou Herr Friedmann enquanto o menino corria para o trem.

— Nós não temos tempo — respondeu Truus, com o cuidado de não olhar para Eichmann na janela, para evitar parecer que estava fazendo algo fora do comum naquela manhã esquisita. — Nós precisamos que esse trem parta antes que tenha algum sinal de problema.

— Mas ele é...

— Ele é um garoto inteligente. Está se esquivando da prisão há semanas. E eu o coloquei no último vagão, junto comigo.

— Sim, mas...

— Ele é um garoto judeu de dezessete anos, Herr Friedmann. Provavelmente será maior de idade quando conseguirmos organizar um segundo transporte.

A OUTRA MÃE

Žofie estava tentando fazer um garotinho, calado com o dedo na boca, se sentar quando Walter chamou:

— Stephan!

Ele passou por cima da criança ao seu lado e correu em direção à porta do vagão.

— Walter, não! Fique dentro do trem! — exclamou ela, correndo atrás dele e vendo Stephan na plataforma, desviando da entrada do vagão atrás deles e indo em direção a Walter.

Stephan entrou no vagão, ergueu o irmão e começou a rir, com a cicatriz da boca quase desaparecendo no enorme sorriso.

— Estou aqui, Wall! Eu estou aqui!

Žofie, na porta do vagão, procurou na estação lotada até encontrar o vovô, de costas para o trem. Nos ombros do avô, Johanna viu a irmã.

— Žozo, eu quero ir com você! — gritou Johanna.

— Eu te amo, Johanna! — gritou Žofie de volta, tentando com muito esforço não chorar nem pensar que talvez nunca mais visse Jojo, nem o vovô, nem a mãe. — Eu te amo! — gritou. — Eu te amo! Eu te amo! Eu te amo!

Uma mulher na plataforma cujos filhos não haviam sido chamados ficou histérica.

Stephan segurou a mão de Žofie quando nazistas apareceram do nada e circundaram a mulher e seus filhos, com os cachorros latindo, ferozes, ali e em toda a estação.

Um dos cachorros se soltou da coleira, ou foi solto, e partiu para cima da mulher, rasgando suas roupas, enquanto soldados nazistas batiam nela com cassetetes.

No pânico, pais saíram correndo.

— Žofie-Helene — gritou alguém, uma mulher.

A mulher da fila de registro, a mãe de olhos lilás, estava parada aos prantos do lado de fora do trem. Ela colocou uma cesta de piquenique dentro do vagão, aos pés de Žofie.

— Obrigada — disse Žofie, por educação.

De dentro da cesta, vinha um barulho.

A mãe olhou para Žofie, tão apavorada quando a própria menina.

— Shhhhh — disse a mãe. — Shhhh.

Ela disse mais alguma coisa, mas Žofie não conseguia ouvir. Aos prantos agora, a menina chamava:

— Jojo! Vovô! Esperem!

O vovô virou a esquina, levando Johanna.

— Por favor, tome conta dela, Žofie-Helene Perger — pediu a mãe de olhos lilás.

A mulher deu um passo para trás quando um nazista fechou e trancou a porta do vagão. Ouviu-se o barulho dos freios se soltando, e os vagões começaram a se mover lentamente. Na plataforma, a mãe de olhos lilás ficou olhando enquanto o espaço entre elas aumentava. Um pai subiu no vagão do lado de fora, chamando seu filho. Outros pais corriam ao lado do trem, chorando, acenando, gritando palavras de amor, enquanto o trem pegava velocidade.

Dentro do trem, as crianças assistiram em silêncio ao pai se soltar do vagão e cair no chão ao lado dos trilhos. Elas viram primeiro os pais e depois a estação sumirem. A roda-gigante cheia de neve ficar cada vez menor. Os telhados de Viena desaparecerem.

QUINHENTAS

Flocos de neve caíam e derretiam na janela de Stephan; lá fora estava quase tão escuro quanto os túneis subterrâneos da sua cidade. O trem trepidava nos trilhos, diminuindo a velocidade e fazendo uma curva. As crianças nos assentos da frente comiam a comida que seus pais tinham enviado, ou conversavam, ou ficavam sentadas quietas, ou praticavam inglês, ou dormiam, ou fingiam não chorar. Walter se deitou no colo de Stephan no último banco, com a cabeça em cima do Peter Rabbit encostado na janela. No banco do outro lado do corredor, Žofie trocava a fralda do bebê, ao mesmo tempo em que recontava uma história de Sherlock Holmes para três crianças no banco na frente dela.

Stephan colocou Walter no banco e levou a fralda suja para o banheiro, que fedia mais do que a própria fralda. Um ou mais de um dos garotinhos deve ter errado a mira em uma curva do trem. O cheiro lembrava Stephan dos túneis subterrâneos, de sua própria humilhação. Ele lavou a fralda no sanitário, depois a espremeu e deu descarga, e a lavou novamente.

De volta ao vagão, pendurou a fralda molhada no braço do banco ao lado de Walter e depois pegou o bebê de Žofie, para que ela pudesse descansar. Sentou-se ao lado de um menino que não tinha falado nada ainda, e nem sequer tirado o dedo da boca, pelo que Stephan vira até então.

— O número quinhentos é par — disse Stephan para Žofie.

— Não podemos pensar nele assim, só como um número — falou Žofie.

— Mesmo sendo um número tão bonito.

Stephan duvidava de que pensar nele como "o garoto que chupava dedo" fosse, em algum nível, melhor.

Ele tentou fazer o menino dizer seu nome, mas este só olhava para cima, ainda chupando o dedo.

— Quer segurar o bebê? — perguntou Stephan.

O garoto olhou para ele, sem nem piscar.

Žofie se espremeu entre eles, segurando uma das mamadeiras de leite da cesta.

— Aquela era a última fralda — disse ela, pegando o bebê do colo de Stephan, como se precisasse do calor dele ou de algo para cuidar.

— Walter e eu temos lenços que podemos usar — lembrou Stephan. — E os outros meninos também, tenho certeza. — Ele passou a mão nos cachinhos castanhos do garoto que chupava dedo. — Você tem um lenço, cara?

A criança só olhava, enquanto do lado de fora, as luzes de uma cidade refletiam em um rio. Surgiu um enorme castelo em uma montanha. Eles passaram por uma estação — Salzburgo —, mas não pararam.

— Stefan Zweig morava aqui — disse Stephan para Žofie-Helene.

— Nós estamos quase na Alemanha — respondeu ela.

O trem ficou em silêncio, as crianças que estavam acordadas olhavam pela janela.

— Você acha mesmo que vou fazer isso, Žofe? — perguntou Stephan.

Žofie, ninando o bebê para fazê-lo dormir, encarou o amigo, mas não respondeu.

— Escrever peças de teatro — continuou ele. — Como você disse na estação. — Quando ela o beijou, com os lábios mais macios do que o chocolate mais suave do mundo.

Žofie olhou para ele. Seus cílios retos não piscavam, seus olhos verdes e sinceros firmes por trás dos óculos, que, por um milagre, não estavam embaçados.

— Meu pai me dizia que ninguém imagina que será Ada Lovelace — respondeu ela — mas alguém acaba sendo.

Lá fora, tropas marchavam na estrada, no meio da escuridão.

— Ada Lovelace? — indagou Stephan.

— Augusta Ada King-Noel, condessa de Lovelace. Ela descobriu um jeito de calcular a sequência dos números de Bernoulli que sugeriam que a engenharia analítica do matemático britânico Charles Babbage poderia ser aplicada além do cálculo puro, o que era tudo que o próprio Babbage pensava em pedir para a máquina fazer.

O som da marcha do lado de fora sumiu, deixando somente o barulho do trem e o silêncio do medo das crianças. Alemanha.

— Talvez você realmente conheça Zweig em Londres — sugeriu Žofie. — Ele poderia ser seu mentor, como o Professor Gödel era o meu.

Ela virou-se para o menino, o número 500.

— Sabia que Sherlock Holmes mora na Baker Street? — perguntou Žofie a ele. — Mas acho que você é muito pequeno para conhecer as histórias dele, não é? Bem, que tal cantar? Você conhece "*The moon has risen*"?

Os olhos do menino por trás da mão na boca a fitaram.

— É claro que conhece — respondeu ela mesma. — Até a Johanna conhece.

Ela encostou na bochecha do bebê.

— Não conhece, Johanna? — perguntou. E começou a cantar, com a voz doce: — *The moon has risen... The golden stars shine in the sky bright and clear.*

Lentamente, outras crianças juntaram-se a ela. O menininho não cantou, mas se recostou em Žofie. Seu dedo caía bem devagar da boca enquanto ele pegava no sono; o cordão com o lindo número 500 ainda pendurado no pescoço.

FRALDAS ÚMIDAS

Quando o trem fez uma curva bem aberta, aproximando-se da fronteira da Alemanha com a Holanda — aproximando-se da liberdade! —, Stephan pegou as fraldas e lenços ainda molhados do encosto do banco, já em busca de um lugar para escondê-los do controle de fronteira alemão. A sensação era de que estava naquele trem havia séculos: todas as longas horas do dia anterior antes de partirem, absorvendo a surrealidade da sua convocação; a noite anterior inteira tentando dormir nos bancos, sempre com uma ou outra criança precisando de carinho, até mesmo Peter Rabbit estava carente, embora Walter estivesse sendo dolorosamente estoico; aquele longo segundo dia sem muita comida, a maioria restos que tinham sido mandados pelos pais e que as crianças não queriam mais. Ele abriu uma janela para jogar as fraldas fora, pensando que certamente alguém arrumaria fraldas novas, fraldas de verdade, quando cruzassem a fronteira para a Holanda. Na estrada ao lado dos trilhos do trem, policiais com capacetes marchavam pela curva aberta até a fumaça preta e sonora do motor e um jato de vapor branco; desde lá de trás, tão longe que ele não conseguia nem ver na luz clara daquele segundo dia; todo o caminho passando pelas montanhas brancas de tanta neve até a floresta que parecia inacreditavelmente longe.

Ele fechou a janela e virou-se para Žofie, que tentava fazer o bebê dormir. Ele sentia o mesmo pânico que o médico deve ter sentido em *Amok*, de Zweig, antes de se jogar no caixão da mulher e afundar com ele no mar. Os dois mortos por conta de um bebê. Lembrou-se da voz do pai sentado ao seu lado diante da lareira da biblioteca, na antiga casa e na antiga vida em Viena, dizendo "Você é um homem de caráter, Stephan. Jamais estará na posição de ter um bebê indesejado."

O pai fora um homem de caráter, e agora estava morto.

Stephan foi para o outro lado do trem jogar fora as fraldas, mas ali também havia pessoas perto do trilho: um homem de azul com um chapéu de couro, tão perto do trem que se assustou com Stephan; um vendedor de salsicha com um cliente parado ao lado de sua pequena carrocinha de metal; uma enfermeira levando um bebê em um carrinho, certamente usando fraldas secas e macias em vez de lenços finos. Tentou imaginar o que seu pai gostaria que ele fizesse, o que um homem de caráter faria.

Abriu sua própria mala e misturou as fraldas e lenços com suas roupas, seu caderno e seu livro de histórias de Zweig. Talvez as fraldas molhadas ensopassem o livro proibido e o tornassem irreconhecível, mas aí o problema seria as fraldas, a evidência de um bebê que eles não deveriam estar levando.

Žofie estava colocando o bebê adormecido na cesta de piquenique.

Stephan fechou sua mala.

Žofie enfiou a cesta entre os bancos, tentando escondê-la ao máximo.

— Agora, lembrem-se todos — anunciou Žofie para as outras crianças. — Sejam muito gentis com os soldados e não falem nem uma palavra sobre a bebê. É o nosso segredo.

O garoto que chupava dedo, o número 500, disse:

— Se falarmos, eles podem levá-la embora.

— Exatamente — reforçou Žofie, claramente tão surpresa quanto Stephan com a voz submissa porém firme do menino. — Bom garoto. Bom garoto.

O trem parou com um solavanco; a fumaça subia pelo lado de fora da janela, encobrindo-os; de repente eles pareciam estar no meio do nada; sozinhos no mundo. Mas não estavam. Ouviam as vozes dos soldados ocultos pela fumaça, vozes alemãs gritando comandos: que entrassem no trem, revistassem cada criança e cada mala, certificassem que todas tivessem os documentos corretos.

— O número precisa condizer com a identificação — diziam um homem pelo megafone. — Eles não podem levar nenhum contrabando, nada de valor que possa pertencer ao Reich. Vocês trarão para mim todos os judeus que tenham nos desafiado.

TJOEK-TJOEK-TJOEK

Truus parou na frente do vagão e disse:
— Crianças. — E depois, mais alto. — Crianças. — E finalmente, em um volume que seus pais haviam lhe advertido a jamais usar com as crianças que haviam trazido da guerra — *Crianças!*

O vagão ficou em silêncio, todos os olhares vidrados nela. Bem, eles nunca tiveram mais de meia dúzia de crianças em casa, e ali havia sessenta, e mais nove vagões para chamar depois daquele. Sua primeira função, é claro, seria encontrar Stephan Neuman, que de fato não era Carl Füchsl, antes dos nazistas. Ele estava no vagão seguinte, com seu irmão e Žofie-Helene Perger, com certeza. Mesmo em sua primeira chamada depois que as portas tinham sido fechadas, no meio de todo aquele caos na plataforma e nenhum sinal de Stephan Neuman, ela sabia que era onde ele estava. Agora precisava colocá-lo no vagão onde Carl Füchsl deveria estar, antes que dispensassem uma atenção desnecessária a ele.

— Eu sei que já fizemos uma longa viagem até aqui — disse ela para as crianças, com a voz mais gentil. Um dia inteiro, uma noite inteira e mais metade de outro dia, começando pela parte mais difícil, a despedida. — Logo nós estaremos na Holanda, mas ainda não chegamos. Vocês precisam ficar neste vagão agora, não importa o que aconteça. Fiquem em seus assentos, e façam o que os policiais mandarem, com muita educação. Quando eles terminarem, o trem partirá de novo e vocês vão ouvir um som diferente. As rodas... — Ela fez um círculo com o antebraço, como se fosse um êmbolo. — Aqui na Alemanha, as rodas fazem um barulho assim: *tjoek-tjoek-tjoek-tjoek*. Mas quando chegarmos à Holanda, vocês vão ouvir um som assim: *tjoeketoek-tjoeketoek-tjoeketoek*. E, então, teremos atravessado a fronteira. Mas até lá, ninguém pode sair do trem.

OS GÊMEOS DESAPARECIDOS

Quando a fumaça clareou, Stephan observou nazistas já entrando nos outros vagões, agredindo as crianças verbalmente, e talvez um pouco além. Stephan não conseguia ver o que estava acontecendo nos outros vagões. Apenas ouvia choros, mas isso podia ser só medo.

Dois menininhos — gêmeos idênticos — apareceram na plataforma, retirados do trem por um policial da SS.

— Para onde estão levando aqueles meninos? — perguntou Walter.

Stephan colocou o braço ao redor de seu irmão e respondeu:

— Não sei, Wall.

— Peter e eu não queremos ir com eles.

— Não — afirmou Stephan. — Não.

CRIANÇAS, SEM NÚMERO

Truus saiu do trem e foi em direção a um policial da SS, que gritava na plataforma:

— Não é para ninguém sair do trem.

Outras pessoas na estação já olhavam: um atendente vestindo um uniforme azul com ombreiras prateadas; uma mulher que devia ser a dona das doze malas idênticas no carrinho de bagagem entre eles; um homem sentado no banco atrás que abaixou o seu jornal *Der Stürmer* para ver melhor.

— Ninguém sairá, querido. Garanto — disse Truus ao policial da SS, embora ela própria tivesse acabado de fazê-lo. — Mas não ouse amedrontar essas crianças.

Ela olhou para o vagão seguinte, que, por sorte, ainda não havia sido invadido pelos guardas. Se conseguisse fazer esse idiota se mover mais rápido, poderia colocar Stephan Neuman no vagão correto antes que alguém percebesse.

— Você tem os documentos? — exigiu o homem.

Ela entregou a ele a pasta, dizendo:

— Aí dentro há um pacote para cada vagão. Eles devem estar bastante organizados, mas com seiscentas crianças não é tão fácil. Um ou outro pode estar no vagão errado.

Ela ouviu a mulher com aquela bagagem toda dizer "Judenkinder" com desprezo.

Olhou para a janela de um dos vagões: policiais da SS vasculhavam e chutavam as bagagens, fazendo aquelas pobres crianças se despirem. Pelo amor de Deus!

— Os seus homens estão apavorando as crianças! — exclamou ela.

O líder da SS olhou com indiferença para os seus soldados dentro do trem. O homem no banco dobrou o seu *Der Stürmer*, e assim como as outras pessoas, começou a prestar atenção na cena.

— Nós estamos cumprindo nossa função — respondeu o policial.

— Eles não estão cumprindo função alguma — insistiu Truus, abstendo-se de dizer "vocês", apesar da identificação dele próprio com os seus soldados. Era melhor não repreendê-lo pessoalmente. — Estão é se comportando muito mal.

Frau Grossman correu até ela, agitada. Truus fez sinal para a mulher não interromper.

— Então, vá até lá — disse ela ao líder da SS. — Agora, faça-os parar, antes que mais crianças se molhem de pavor, ou você e seus homens terão que nos ajudar a trocar as calças de seiscentas crianças.

Isso chamou a atenção dele, assim como dos espectadores, que se viraram assustados para ela. Truus não esperava que os soldados de fato fossem ajudá-las a trocar roupas molhadas de xixi, mas o homem também não queria ter que continuar vistoriando o trem enquanto ela e outras pessoas trocavam a roupa das crianças, com todos na estação assistindo.

O líder da SS saiu, gritando para seus homens:

— É para checar as bagagens, mas sem assustar as crianças!

Truus pensou em todas as coisas que ela deveria ter feito diferente. Deveria ter pagado guardas da fronteira para viajarem com eles dentro do trem, a fim de evitar esse tipo de fiasco; talvez ela precisasse pedir ajuda do Barão de Aartsen para organizar os transportes futuros, para ter guardas diferentes cada vez, que ela recompensaria com presentes para suas esposas depois que as crianças chegassem bem. Deveria ter trazido algo para chamar a atenção das crianças com mais facilidade, talvez seu guarda-chuva amarelo, que levantaria bem alto e era mais chamativo do que suas luvas amarelas. Mas com centenas de crianças ela não podia ser tão sutil.

— Truus — falou Frau Grossman, nervosa, e Truus virou-se para ela, agora que já tinha resolvido o problema com o líder da SS.

— Desculpe — respondeu Truus — mas eu preciso ir buscar Stephan Neuman…

— Levaram dois meninos, os gêmeos idênticos! — interrompeu Frau Grossman.

— Os Gordon? Como eles entraram no trem? Eles não estavam na lista dos seiscentos.

— Não sei. Eu estava organizando todas as crianças. Eles fecharam a porta, o trem partiu e eles simplesmente estavam ali, idênticos, parados na porta, chorando!

— Deus nos ajude — falou Truus, equilibrando as necessidades, na esperança de que estivesse certa quanto ao extinto de sobrevivência do garoto Neuman. — Está bem, venha comigo. Você vai explicar que eles jogaram seus números pela janela. Garotos de fato são travessos. E eu resolvo o resto.

— Mas eu… Eu estava tão apavorada. Eles me perguntaram por que aquelas crianças não tinham números, e eu disse que não era para estarem no trem.

Truus sentiu a cor sumir do seu rosto.

— Tudo bem — respondeu ela. — Tudo bem.

— Os pais deles…

— Nós não vamos julgar os pais — interrompeu Truus. — Talvez fizéssemos o mesmo. Deixe-me ver se… Não, venha comigo. Talvez nós possamos convencer os alemães a deixar que você volte com esses meninos para Viena e que o resto do trem siga para a Holanda. Não podemos pedir mais do que isso. Não podemos arriscar o trem inteiro. Graças a Deus eles são uma dupla adorável.

O PARADOXO DE EICHMANN

O homem adentrou a sala de Michael, com seu cachorro ao lado. Anita entrou atrás dele, tentando anunciar esse cliente que aparecera em pleno domingo, enquanto a fábrica estava fechada. Quando Michael levantou-se para cumprimentá-lo, o homem olhou para o quadro pendurado atrás de sua mesa, o Kokoschka de Lisl. Michael tinha declarado que pertencia a ele, embora tivesse sido pintado, é claro, antes de ele conhecê-la. Era de Herman e, portanto, propriedade valiosa do Reich.

— Preciso de seiscentos chocolates para uma reunião no Metropole, hoje à noite — disse o homem, sem cumprimentos pessoais, sem apresentações e tampouco desculpas.

— Hoje à noite? — indagou Michael, chocado não só pelo curto período que teria em um dia em que os funcionários nem sequer estavam trabalhando, mas pelo fato de Eichmann ter vindo fazer esse pedido pessoalmente. — É claro, Herr Eichmann — respondeu, tentando se redimir. — Seria um prazer para a Chocolates Neuman providenciar...

— Chocolates Neuman? Garantiram para mim que essa fábrica não era mais judia.

— Chocolates Wirth — corrigiu-se Michael, sem saber se admitia o erro ou fingia que não tinha acontecido.

O homem estava com raiva, e pelo que parecia, estivera assim desde que o trem cheio de crianças partira da estação no dia anterior. O próprio Michael tinha visto Eichmann deixar a estação de Westbahnhof com seu terrível cão logo após o trem desaparecer pelos trilhos. Fora a última das diversas vezes que Michael havia feito aquele caminho naquele dia, na esperança de ver Stephan e Walter e desejando que tivesse conseguido enviá-los com Lisl para Shanghai. Ele poderia ter feito isso mesmo depois que ela partira, havia algumas semanas. Quão maior seria o risco de arrumar mais três passagens? Mas ele não fizera. E então, após a noite violenta, não havia mais passagem alguma, e qualquer pessoa não judia que solicitasse passagens para Shanghai teria sido considerada suspeita.

Agora os meninos já tinham partido, estavam no trem em algum lugar entre Viena e a Holanda. Ele esperava que esse homem honrasse sua palavra e deixasse-os sair da Alemanha, mas achava que tinha grande possibilidade de ele inventar alguma desculpa para parar o trem. E, então, o que aconteceria?

— Seiscentos, sim, podemos fazer. — Olhou para o relógio. Ele chamaria os funcionários. Eles teriam que tirar chocolates do estoque reservado a clientes. — É claro que ficaremos honrados em providenciar uma seleção de todos os nossos chocolates para o senhor hoje à noite.

— Seiscentos chocolates decorados com um trem — exigiu Eichmann.

— Todos eles?! — exclamou Michael, chocado. — Sim, é claro — corrigiu-se rapidamente, sem fazer a menor ideia se os seus funcionários poderiam produzir essa quantidade de chocolate em algumas horas, com cada trenzinho pintado à mão com uma variedade de coberturas. Mas que outra opção ele tinha? — O senhor não gostaria de levar uma caixa para casa, para sua mulher e filhos? — ofereceu Michael, nervoso não só pelo seu próprio erro ao questionar qualquer coisa que esse homem mandasse, mas também pelo jeito que o homem olhava mais uma vez para o quadro. — O senhor tem filhos, Herr Eichmann? — perguntou, preenchendo o silêncio constrangedor e pensando que deveria ter deixado a obra dentro do armário com a outra, com a desculpa plausível de que haviam sido escondidas ali por Herman, a quem mais nenhum mal poderia ser feito. — Meus… Meus sobrinhos, ele quase disse. Stephan e Walter. — Eu não tenho filhos, mas acredito que nós tenhamos pequenos chocolates com a roda-gigante do Prater Park, que são bastante populares com…

— Vocês vienenses e sua roda-gigante ridícula — interrompeu Eichmann, raivoso. — Seiscentos trens entregues às sete da noite.

Ele se virou e foi embora da sala, com o cachorro perfeitamente ereto ao seu lado.

Por sorte, Anita estava esperando com a porta do elevador aberta — ela não era uma menina inteligente, mas tinha uma noção impressionante do que era necessário. Quando a porta do elevador fechou com o homem e a besta lá dentro, ela falou sem emitir som, só mexendo a boca:

— Ele teve que deixar a mulher e os filhos na Alemanha.

ESCONDENDO O INFINITO

As crianças se sentaram em silêncio, com os olhos arregalados, quando um guarda da fronteira entrou no vagão. Stephan, no último banco, segurava firme a mão de Walter. Žofie-Helene sentou-se do outro lado, com o garoto que chupava dedo, e a cesta com a bebê a seus pés. A abençoada bebê quietinha. Mas se o soldado começasse a destruir tudo no trem, se as crianças começassem a berrar como as dos outros vagões, a bebê ia acordar. Era somente um neném, afinal.

Stephan desejou que a Tante Truus estivesse ali com eles. Desejou que ela soubesse da bebê, e pudesse explicar a presença da criança ali. Mas ela havia desaparecido com um dos outros adultos, atrás dos gêmeos, aos quais Stephan e Walter não queriam se juntar.

— Todo mundo de pé — mandou o guarda.

Todos obedeceram, e o guarda olhou para eles; seus olhos brilharam quando avistaram Žofie-Helene. Stephan não gostou daquilo: do olhar do homem para o cabelo comprido dela, os olhos verdes redondos e os seios esticando a blusa.

O guarda, como se sentisse que seus pensamentos estavam sendo lidos, virou-se para Stephan. Stephan, segurando a mão de Walter, olhou para o chão.

O colar dela, ele lembrou. O colar de Žofie-Helene, que era valioso demais para ser levado na viagem — o colar que a Tante Truus tinha mandado que ela deixasse com Herr Perger —, estava no bolso de Stephan.

O guarda, ainda olhando para Stephan, falou:

— Eu vou chamar o nome de vocês, e vocês vão repeti-lo. E só quando eu fizer um sinal com a cabeça, vocês poderão se sentar.

O guarda começou a ler os nomes da lista, conferindo criança por criança. A cada nome chamado, Stephan pensava quando deveria, sorrateiramente, sentar-se. Carl Füchsl não estaria naquele vagão; o que passou pela sua cabeça? Ele era dez anos mais velho que o garoto cujo nome ele teria que repetir, um garoto que deveria estar em outro vagão. E nem passou por sua cabeça contar isso para Walter ou para Žofie.

O guarda, como se suspeitasse que Stephan pretendia, de alguma maneira, desafiá-lo, olhou para ele inúmeras vezes, depois de cada nome lido e a cada criança que se sentava.

Eu sou um impostor, pensou Stephan. Sou um impostor e serei entregue pelo meu irmão, que não sabe de nada. Dessa vez, vou apanhar do jeito que o papai apanhou, ou levarei um tiro do jeito que aquele homem levou, em frente à sinagoga em chamas, enquanto via sua mulher sangrar até a morte.

O guarda chamou o nome da menina ruiva vesga que, segundo Walter, estava na frente deles na fila de registro do passaporte. O homem olhou para ela, enojado, antes de riscar a lista. Ela repetiu o nome, e ele assentiu.

— Walter Neuman — chamou o guarda.

Walter repetiu seu nome, e o guarda olhou para ele, ainda segurando firme a mão de Stephan e com Peter Rabbit grudado no peito.

O guarda riscou o nome dele na lista e falou:

— Você pode se sentar, mas o coelho fica de pé.

Walter, apavorado, agarrou-se a Peter e olhou para o guarda.

O guarda continuou:

— Vocês, judeus, não têm nenhum senso de humor.

Stephan inclinou-se para sussurrar para Walter:

— Peter está no mesmo registro que você. Ele faz tudo o que você fizer. — Pensando que não se importava com si próprio, mas tinha que manter Walter seguro.

— Žofie-Helene Perger — chamou o guarda.

Žofie repetiu:

— Žofie-Helene Perger.

O guarda olhou para ela de cima a baixo, mas não assentiu, como se quisesse que ela se sentasse antes que ele permitisse, para ter uma desculpa para fazer algo. Stephan não queria pensar no que o guarda poderia fazer. Ele sentiu a pequena mão de Walter entrelaçada na sua. Não podia sequer pensar no que o guarda faria com Žofie-Helene.

A menina esperou de pé, calma — tão firme e bela, como ele imaginava que Hèlène, em *Amok*, de Zweig, deveria ser. Tudo ali estava saindo do controle, como na história. O colar. O bebê. O livro *Caleidoscópio*, perigoso demais para estar em sua bagagem, mas ele não embarcaria no trem quando arrumou sua mala; era o número seiscentos e dez. Observou o guarda, vendo a obsessão do médico da história de Zweig no olhar faminto do homem para Žofie, ou talvez em sua própria reação à fome do guarda.

Olhando pelos óculos embaçados dela.

O caderno. Tudo o que ele havia escrito. Eles não precisariam de nada além da sua escrita para condená-lo; mesmo que acreditassem que ele era esse tal de Carl Füchsl, que não era; mesmo que aceitassem o erro de dez anos nos documentos; mesmo que Walter, ao não conseguir entender o que não lhe havia sido explicado — por que Stephan não pensara em explicar isso ao Walter? —, não o delatasse.

O guarda da fronteira deu um passo adiante.

A bebê continuava em silêncio.

O guarda se aproximou de Žofie, mais e mais, e depois mais ainda, até que estava no corredor entre Stephan e Žofie, encarando-a, tão perto que Stephan conseguia alcançá-lo. Stephan podia colocar as mãos ao redor do pescoço fino do homem. Homem tanto quanto o próprio Stephan, ele percebeu, e a voz de Mutti ecoou sua cabeça: *Sei que você é jovem, mas precisa ser um homem agora*. Pela Alemanha inteira, meninos estavam se disfarçando de homens.

O guarda levantou a mão e encostou no cabelo de Žofie, do jeito que Stephan gostaria de encostar desde que a tinha visto na estação, com os cabelos ondulados soltos nas costas.

O guarda assentiu.

Žofie ficou parada, encarando-o.

"Não faça isso, Žofie", Stephan pensou. "Não faça nada. Só se sente."

Stephan levantou a mão de Walter com a dele, para que Žofie pudesse ver, e tossiu, um som curto e abafado.

Nem Žofie, nem o guarda olharam. Do lado de fora, o barulho das buscas. Um cachorro latindo.

Stephan colocou o dedo em seus lábios, pedindo que Walter permanecesse em silêncio:

— Está tudo bem, Wall — disse ele, sussurrando, como se não quisesse ser ouvido.

Žofie e o guarda se viraram em direção à voz dele no vagão silencioso.

Quando voltou-se para Žofie, o guarda assentiu, e, felizmente, ela se sentou.

Então o homem retornou para a frente do vagão e leu os últimos nomes, um de cada vez. Stephan assistiu, com um medo crescente, às outras crianças se sentarem.

Apenas ele ficou de pé.

— Você não está na lista — afirmou o guarda.

— Carl Füchsl — disse Stephan.

Walter olhou para ele. Stephan engoliu em seco, nervoso, rezando para que seu irmão não o delatasse. Os segundos demoraram séculos para passar. Suor escorria pelas suas costas e acumulava-se acima do lábio superior, ainda sem pelos. Por que ele não tinha ouvido a Tante Truus? Por que não fez o que ela tinha mandado?

O guarda o olhou de cima a baixo.

Stephan ficou completamente imóvel, segurando a mão de Walter, que estava úmida também; pele molhada contra pele molhada.

O guarda examinou a lista, como se o erro pudesse ter sido dele — claramente com tanto medo quanto Stephan, embora de outro jeito. Quando o mundo havia começado a girar ao redor do medo?

— Carl Füchsl — repetiu o guarda.

Stephan assentiu.

— Soletre para mim — exigiu o guarda.

Stephan tentou nao demonstrar o medo que sentiu: um garoto jamais erraria as letras de seu próprio nome.

— C-A…

— O seu sobrenome, idiota — interrompeu o homem.

— Ele é o número cento e vinte — falou Žofie.

O guarda virou-se para ela.

— É o fatorial de cinco — continuou Žofie.

O guarda a fitou, sem entender.

— Todos somos identificados por um número — explicou ela. — Será mais fácil se você procurá-lo pelo número.

O guarda olhou para ela por um momento desconfortável, depois se virou de costas e saiu do vagão. Stephan o observou descer para a plataforma e consultar um oficial.

— Esse é o nosso segredo, Wall, mas se alguém perguntar, eu sou Carl Füchsl, tá bem? — disse para Walter.

Pegou o colar da Žofie do bolso e enfiou no buraco do banco atrás dele, onde ninguém estava sentado, e portanto, ninguém poderia levar a culpa. Não tinha como esconder o livro nem o caderno, mas podia, pelo menos, esconder o colar.

— Sou Carl Füchsl. Número cento e vinte — repetiu.

— É o fatorial de cinco, um número de muita sorte — confirmou Žofie-Helene.

— Eu sou Carl Füchsl — disse Stephan pela terceira vez.

— Para sempre? — perguntou Walter.

— Só até chegarmos à Inglaterra — respondeu Stephan.

— Depois do barco — afirmou Walter.

— Isso, depois de sairmos da balsa — concordou Stephan.

— E Žofie-Helene ainda é você, então?

O guarda reapareceu na frente do vagão.

— Você está no vagão errado, Carl Füchsl — disse ele. — Agora, abra sua mala e esvazie seus bolsos.

Stephan, sem alternativa, abriu sua mala junto com as outras. As orelhas das páginas de seu livro estavam dobradas pela umidade das fraldas. Apesar de também úmido, seu caderno não estava molhado a ponto de estar ilegível.

Enquanto o guarda vasculhava as malas das outras crianças, Stephan sorrateiramente enrolou as fraldas ao redor do livro e do caderno, e depois enroscou tudo no meio da sua única muda de roupa.

O guarda ia revirando e jogando os pertences no chão sujo do vagão. Ninguém questionava. Quando encontrou uma foto de família em uma pequena moldura de prata, obrigou o dono a se despir e sacudiu suas roupas. Quando não encontrou nada, guardou a moldura no bolso com a foto e seguiu para o próximo. Encontrou uma moeda de ouro escondida dentro do forro do casaco de uma menina, e deu um tapa tão forte no rosto dela que abriu um corte em seus lábios. Apesar das lágrimas escorrendo, ela ficou em silêncio quando ele guardou a moeda no bolso.

Justamente quando o guarda da fronteira chegou em Žofie, Walter e Stephan, na última fileira, o cheiro de cocô se espalhou pelo ar.

O guarda olhou para o garoto que chupava dedo.

"Por favor, cometa esse erro", Stephan pensou.

O guarda olhou do garoto para a cesta no pé de Žofie. Olhou para Žofie, e depois novamente para a cesta. Lambeu os lábios e engoliu, o pomo de Adão movimentando-se no pescoço magrelo e sem barba. Ele era somente um menino, da idade de Stephan.

Stephan segurou firme a mão de Walter e falou:

— A cesta é minha.

— Não é — insistiu Žofie. — A cesta é minha.

Todos esperavam o guarda da fronteira mandar que eles abrissem a cesta. Naquele silêncio, a bebê fez um grunhido. Só um barulhinho. Um som inconfundível.

O guarda pareceu tão apavorado quanto Stephan.

— O que está demorando tanto aqui? — perguntou alguém.

Um segundo guarda da fronteira entrou na frente do vagão, e o primeiro virou-se para saudar:

— Heil Hitler!

Ele olhou para a cesta; não queria ser o responsável por delatar um bebê, Stephan podia ver em seus olhos, mas tampouco podia ser descoberto deixando uma criança que não estava na lista seguir, e não havia nenhum bebê na lista desse trem.

— Que nojo! — disse o segundo guarda. — Esses judeus sujos não sabem nem usar o banheiro.

O vagão inteiro olhou para ele.

— Se estiver tudo em ordem aqui, estamos livres deles — disse para o primeiro guarda. — Agora eles serão problema dos holandeses.

EM OUTRA DIREÇÃO

Žofie inclinou-se, tentando acalmar a bebê ainda na cesta, enquanto o trem partia da estação em direção a uma cabana vermelha e uma cerca branca suja com uma bandeira nazista pendurada. Essa era a fronteira com a Holanda? O trem parou de repente, fazendo com que Žofie batesse a cabeça no encosto do banco da frente. O trem andou mais um pouco e parou outra vez.

As crianças ficaram sentadas em silêncio, esperando, e o único barulho que havia era da bebê, que resmungava com os solavancos.

O trem começou a se mover lentamente para trás, distanciando-se da casa vermelha.

Walter perguntou para Stephan:

— Nós estamos voltando para casa, para a Mutti? — Lá no fundo, a esperança que Žofie também sentia ao imaginar que, se tivesse uma segunda chance, pelo menos traria a irmã junto; se um bebê sem ninguém para cuidar podia vir, Jojo também poderia.

O trem parou outra vez. Do lado de fora, um barulho de martelada no metal.

As crianças ficaram sentadas completamente imóveis e quietas, apavoradas.

O trem moveu-se de novo; era difícil dizer em que direção, mas foi só um pouquinho. Žofie olhou para Stephan. Assim como ela, ele não fazia a menor ideia do que estava acontecendo.

O trem voltou a se mover tão lentamente que ainda não dava para saber em que direção. Devia haver algum paradoxo para isso, ela pensou, olhando para a casa vermelha, tentando entender se estava ficando mais perto ou mais longe. Se existia algum paradoxo, ela não conseguia lembrar.

O trem apitou e começou a andar para a frente, dessa vez Žofie tinha certeza. A pequena casa vermelha estava se aproximando, não estava? Ela observou com expectativa, focada na bandeira com a suástica, na casa vermelha, nas pilhas de carvão por trás de tudo.

    Stephan foi até o banco dela, sentou-se ao seu lado e puxou Walter para o seu colo. Colocou o braço ao redor do ombro de Žofie; seu toque era pesado e leve ao mesmo tempo. O paradoxo do Stephan-está-encostando-em-mim. Ele não disse nada. Só ficou ali, naquela posição, e Walter segurou Peter Rabbit na frente do rosto dela e fez um som de beijo, baixinho, e ela tentou não pensar no Peter Rabbit que nunca comprara para Jojo.

    Lentamente, e depois mais rápido, a bandeira e a casa vermelha e as pilhas de carvão ficaram cada vez maiores aos olhos dela, embora, é claro, não na realidade. Eles estavam passando pela casa, o barulho do trem nos trilhos mudando de *tjoek-tjoek-tjoek-tjoek para tjoeketoek-tjoeketoek-tjoeketoek*, quando um alegre "Uhuuuu!" soou do vagão de trás deles, onde Tante Truus estava. As crianças ao redor dela, ouvindo as outras, começaram a comemoração:

— Uhuu! Uhuu! Uhuu! Uhuu!

CARL FÜCHSL

O trem parou novamente um pouco depois, dessa vez em uma estação na Holanda, onde não havia soldados e cachorros. Uma mulher usando um casaco de pele branco aproximou-se segurando uma enorme bandeja com uns pacotes e bateu na janela empoeirada a três bancos à frente de Žofie. Uma das crianças abriu. As portas do trem ainda estavam trancadas.

— Quem quer biscoito? — perguntou a mulher, e começou a entregar os pacotes para as mãozinhas que se esticavam na janela.

Ela disse que estava vindo pão, manteiga e leite, mas que eles já podiam ir comendo os biscoitos, quantos quisessem, mesmo antes da comida mais consistente.

— Mas não vão comer até passar mal! — disse a mulher, sorrindo, segurando a bandeja no alto para que as três crianças repassassem os pacotes.

Na lateral de todo o trem, outras janelas foram se abrindo.

Žofie viu Tante Truus nos braços de um homem que beijava sua cabeça. Ela sentiu o peso do braço de Stephan, ainda por trás do seu cabelo, e a mão dele em seu ombro. Pensou em Mary Morstan, no dr. Watson falando sobre o seu triste luto em *A casa vazia*, e se mudando de volta para a Baker Street nº 221B, com Sherlock Holmes. Ela não sabia por que estava se sentindo tão triste enquanto todos estavam tão felizes.

As portas foram abertas, e mais mulheres entraram com mais comida, abraços e beijos; desconhecidas fazendo o papel de mães dessas crianças desconhecidas, nesse novo país. Walter desceu do colo de Stephan, que foi atrás do irmão. O garoto que chupava dedo foi junto, deixando Žofie sozinha com a bebê Johanna, que dormia em sua cesta, apesar de toda aquela comoção.

Johanna era muito boazinha. Žofie queria segurá-la nos braços, mas estava com medo de que aquelas mulheres a levassem embora.

Ela viu, através da janela suja, Tante Truus na plataforma falando com o homem que tinha acabado de beijá-la na cabeça, e então a mulher o deixou e entrou no primeiro vagão, com uma das acompanhantes. Alguns minutos depois, ela passou para o segundo vagão.

Mulheres escoltavam crianças do primeiro vagão. Não todas. Apenas algumas.

No vagão de Žofie, todos voltavam para seus assentos, segurando caixas de leite e conversando, livres da prisão do medo. Žofie queria se sentir assim também. Stephan, Walter e o garoto que jamais dissera seu nome voltaram trazendo leite para ela, que colocou a embalagem no banco ao seu lado, antes que alguém se sentasse ali.

Stephan olhou para a caixa de leite e depois para ela. Ela desviou o olhar da tristeza nos olhos dele, que foi se sentar no banco do outro lado do corredor, com os garotos ao seu lado.

Tante Truus entrou no vagão e pediu a atenção. Quando todos ficaram em silêncio, ela explicou que a maioria das crianças continuaria pela Holanda até a cidade de Hoek van Holland, onde pegariam uma balsa para a Inglaterra. Mas por enquanto só havia espaço para quinhentas crianças embarcarem nessa segunda parte da viagem. Seus amigos, portanto, haviam providenciado um local para as outras cem ficarem na Holanda durante dois dias, até que a balsa retornasse para buscá-las.

— Eu quero ir com você, Stephan — disse Walter.

Stephan inclinou-se para ele e sussurrou:

— Não se esqueça de me chamar de Carl até chegarmos à Inglaterra. Não vai demorar muito mais.

Walter assentiu.

Tante Truus disse que uma amiga dela chamada sra. Van Lange viria com uma lista de nomes que deveriam seguir com as mulheres. Haveria chocolate quente para eles na estação e camas para dormirem. De repente, todas as crianças queriam ficar na Holanda.

ŽOFIE FICOU SURPRESA ao ver que a amiga da Tante Truus estava grávida. Ela parou na frente do trem e leu uma dúzia de nomes de crianças que seriam levadas pelas mulheres, com suas respectivas malas. Parecia uma moça tão legal que Žofie pensou em contar a ela sobre a bebê. Certamente, estando prestes a ter um filho, deixaria que Žofie ficasse com Johanna.

A sra. Van Lange chamou o nome de uma criança sentada na frente de Žofie — uma das meninas que estivera muito interessada na história de Sherlock Holmes. Quando uma mulher veio e pegou a garotinha pelas mãos, a criança sentada ao lado começou a chorar.

— Está tudo bem. Você pode se sentar aqui comigo e com Johanna — sussurrou Žofie, colocando a menina em seu colo.

A bebê continuava quieta, ainda não tinha sido vista por ninguém.

Elas observaram pela janela as crianças atravessando a plataforma. Žofie tentou não pensar naqueles irmãos gêmeos que haviam sido retirados do trem na Alemanha.

Depois que as crianças destinadas temporariamente a Holanda saíram do vagão, as outras se ajeitaram, esperando que o trem partisse. Após uma longa espera, sra. Van Lange voltou, chamando:

— Carl Füchsl? Carl Füchsl está nesse vagão?

Žofie levou um susto. Walter não poderia ficar sem Stephan. E nem ela.

— Carl Füchsl? — repetiu a sra. Van Lange.

Žofie olhou para Stephan, ainda sentado ali, segurando firme a mão de seu irmão.

— Carl Füchsl — chamou novamente a sra. Van Lange.

Uma das outras mulheres falou alguma coisa com ela.

— Eu sei, mas ele não estava no vagão em que deveria estar. — explicou sra. Van Lange para a mulher, que sugeriu que talvez a criança tivesse perdido a voz, como tantas outras.

— Crianças, escutem — falou a sra. Van Lange. — Se vocês estiverem ao lado de Carl Füchsl, número cento e vinte, por favor, nos avisem.

Stephan virou sorrateiramente sua placa com o número, para escondê-la. Ninguém respondeu.

— É melhor chamarmos a sra. Wijsmuller — concluiu a sra. Van Lange.

JUNTOS

Truus entrou no penúltimo vagão, onde Klara van Lange estava, perguntando:

— Uma das crianças sumiu?

Klara estava com a gravidez muito avançada — Truus jamais havia chegado tão longe —, mas não seria dissuadida de seu trabalho, embora não estivesse mais cruzando a fronteira.

— Carl Füchsl — respondeu Klara.

— Entendi — falou Truus.

Ela olhou para as crianças no vagão e avistou Stephan Neuman no último banco. O garoto segurava seu irmão no colo. É claro que ele não sairia sem o irmão. Bem, Stephan Neuman era uma complicação, e a complicação não terminaria ali, de forma alguma. O garoto estava fora do alcance alemão, mas ainda precisava entrar na Inglaterra. Ela não poderia arriscar qualquer atraso, já que ele faria dezoito anos em algumas semanas.

— Deixe-me ver a lista — pediu ela, pegando o papel de Klara. — Muito bem — disse ela para as crianças. — Quem quer ficar aqui e ganhar chocolate quente e uma cama gostosa?

Quase todas as mãos se levantaram. É claro. Qual criança não gostaria de sair desse trem, naquele momento em que se sentiam um pouco mais seguros?

Žofie-Helene falou:

— Tante Truus, a pequena Elsie ficou arrasada quando Dora foi chamada e ela não. Elas são amigas lá de Viena. Acho que as mães registraram as duas ao mesmo tempo, para que pudessem ficar juntas.

Stephan Neuman ficou assustando quando Truus caminhou em direção a eles, pelo corredor do vagão, e disse:

— Elsie, você quer tomar uma xícara de chocolate quente e comer um biscoito com Dora?

Elsie se agarrou a Žofie — dividida entre a garota e sua amiga —, mas Žofie se apressou em colocá-la no corredor e empurrá-la para a frente, temendo tanto quanto Stephan de que Truus resolvesse levá-lo. Como não perceberam que a mulher tentava fazer justamente o contrário?

— Está tudo bem, Stephan — disse ela. — Você pode seguir para a Inglaterra com seu irmão.

O pequeno Walter Neuman levantou seu coelho e falou, fingindo ser o bichinho:

— Ele não é o irmão do Walter. Ele é Carl Füchsl.

Truus conduziu a garotinha e se virou, sem querer que Walter percebesse o sorriso em seu olhar. Caramba, era exatamente disso que ela precisava: que um bicho de pelúcia fosse responsável pelas pequenas mentiras que ela tinha que contar às vezes.

Será que a pequena Elsie havia sujado as calças? Não. Truus achou que fosse o cheiro de sessenta crianças em um único vagão de trem durante um dia, uma noite e mais um dia.

Quando chegou na frente do vagão, ela se virou. Tinha ouvido um bebê? Meu Deus, estava realmente imaginando coisas.

Olhou para Joop lá fora, tentando afastar a lembrança daqueles bebês recém-nascidos sendo entregues às suas mães, enquanto ela estava deitada sozinha debaixo daqueles lençóis brancos, naquele quarto de hospital com as paredes todas brancas também. Talvez a visão de Klara van Lange já tão no fim da gravidez tivesse causado isso.

— Caramba, estamos esquecendo a bagagem de Elsie — afirmou ela.

Stephan Neuman já vinha correndo com a mala, fazendo um barulho inexplicável no caminho.

E lá estava o som mais uma vez. Um chorinho de neném, ela podia jurar.

Ao entregar a mala, Stephan fez um longo monólogo sobre o quanto Elsie tinha gostado da história de Sherlock Holmes que Žofie-Helene contou, e, ao mesmo tempo, parecia apressar sua saída do vagão.

— Obrigada, Stephan — disse ela, tentando calá-lo para que pudesse ouvir melhor.

O pobre garoto se sentiu repreendido. Ela não deveria ter sido tão ríspida. Será que estava ouvindo vozes do além?

As crianças estavam sentadas, silenciosas. Silenciosas além da conta.

Ela entregou a pequena Elsie para Klara levar ao encontro de Dora na estação. Ela própria contaria a Joop sobre a substituição.

Virou-se de volta para o vagão e ficou parada, em silêncio, observando, esperando. As crianças olhavam para ela. Ninguém abria a boca.

O silêncio delas poderia ser de esperança ou de medo. Ela não deveria achar que essas crianças estavam escondendo algo. Por que esconderiam, agora que estavam fora do Reich alemão, em segurança?

E novamente ouviu um bebê, no fundo do vagão.

Truus caminhou lentamente pelo corredor, escutando.

Lá estava de novo, o chorinho de bebê, seguido de um farfalhar.

Ela examinou cada banco, ainda questionando se não era coisa da sua cabeça.

No fundo, entre os pés de Žofie-Helene, havia uma cesta de piquenique. E lá de dentro ouviu com clareza agora.

Truus respirou aliviada: não estava doida, não estava inventando bebês na sua imaginação.

Foi até a cesta.

Žofie-Helene, na tentativa de detê-la, esbarrou sem querer na cesta, fazendo com que a criança ali dentro se agitasse. A menina, com um olhar desafiador em seus olhos verdes, abriu a cesta, pegou a criança e a ajeitou no colo, fazendo-a ficar quieta. Truus ficou parada assistindo, incapaz de acreditar que havia um bebê ali, mesmo diante dos seus olhos, aquela coisinha tentando pegar os óculos de Žofie.

— Žofie-Helene — disse ela, quase sussurrando —, de onde surgiu esse bebê, meu Deus do céu?

A garota não respondeu.

Truus chamou pelo corredor:

— Klara! — Pensando que a criança teria que ir para o orfanato com as outras cem, até que ela pudesse pensar no que fazer.

Mas Klara já estava fora do vagão, levando a pequena Elsie.

— Ela é minha irmã — afirmou Žofie.

— Sua irmã? — repetiu Truus, confusa.

— Johanna — disse Žofie.

— Mas Žofie-Helene, você não… Uma cesta de piquenique? Você não tinha uma cesta de piquenique na…

— Quando eu voltei para devolver o colar, como você me pediu, eu a peguei — interrompeu Žofie.

Truus olhou para ela, tão confortável com a bebê no colo. Ela tinha mesmo uma irmã, Truus lembrava. Havia sido devastador dizer ao avô que a irmã era muito pequena. Havia muita devastação daquele dia presa em sua memória.

— A sua irmã é uma criancinha, Žofie — disse ela, lembrando.

"Eu já sou grande. Tenho três anos."

A bebê segurou o dedo de Žofie e fez um som que poderia ter sido uma risada. Com quantos anos um bebê ri?

— Se a Inglaterra pode receber um trem inteiro de crianças, pode receber um bebê a mais. Ela vai ficar no meu colo na balsa. Não vai precisar de um assento — disse Žofie.

Truus olhou para Žofie-Helene e para Stephan. De onde essa criança tinha surgido? Žofie havia protegido a pobrezinha como se fosse mesmo filha dela.

A menina havia sido tão obstinada a salvar o amigo. Mas eles eram jovens demais. Não poderiam…

Truus inclinou-se e puxou a ponta do lençol do rosto da bebê, para avaliar melhor. Um bebê sem documentação. Com somente alguns meses de idade, seis ou sete, no máximo. Não tinha como saber nada de alguém tão pequeno.

SEPARAÇÃO

— Sim, seiscentos chocolates de trem — disse Michael aos chocolatiers presentes. — Entendo que apenas o Arnold seja responsável por decorar os trens, mas a não ser que ele consiga dar conta de tudo em algumas horas...

É melhor entregar seiscentos trens imperfeitos do que perder a entrega.

Seiscentos. Agora ele tinha entendido: os chocolates haviam sido encomendados para comemorar o "sucesso em livrar a Áustria de seiscentas crianças judias".

Seiscentas, pensou Michael, incluindo Stephan e Walter.

— Use qualquer chocolate que tivermos — disse ele para os chocolatiers. — É o trem que importa para Obersturmführer Eichmann, não o recheio. Podemos explicar para os outros clientes porque suas entregas serão menores — afirmou ele.

Para a maior parte de Viena naquele momento, o fato de Eichmann fazer um pedido tão grande para Chocolates Wirth só elevaria o padrão da fábrica, e os clientes entenderiam que esse era um pedido que não poderia ser negado.

Após terminar de falar com os chocolatiers e organizar a entrega, Michael pediu a Anita que não fosse mais incomodado, e voltou para a sua sala. Trancou a porta e sentou-se no sofá durante um longo tempo, olhando para a beleza de Lisl quando se apaixonara por ela. O cabelo preto e os olhos castanhos e sedutores. Os lábios que, só de encostar em seu pescoço, enlouqueciam-no de desejo. Ela tinha dormido com Kokoschka, ele imaginava, embora nunca tivesse perguntado, e ela jamais tivesse dito qualquer coisa; de fato, ele não queria saber. Estava na bochecha dela, a raiva rabiscada que não era de Lisl, mas do próprio pintor. Então, talvez ela não tivesse dormido com ele; talvez a raiva fosse da rejeição.

Em silêncio, ele retirou o quadro da parede, colocou-o no chão e começou a soltar o fundo da moldura. Separou a pintura cuidadosamente, passo a passo, removendo até a tela do paspatur.

Quando a obra estava livre de suas amarras, ele colocou a moldura vazia dentro do armário, para ser desovada em uma madrugada qualquer.

Pegou o outro quadro, que guardava ali também, e o separou com o mesmo cuidado.

Enrolou as duas telas juntas e amarrou um barbante em cada ponta. Vestiu seu sobretudo e as guardou dentro. Fechou os botões do casaco com cuidado, sentindo o coração acelerado pelo risco que correria com aquela loucura; saiu da sala, desceu a escada e deixou o prédio da fábrica, seguindo pelas ruas de Viena.

NO HOTEL METROPOLE

Eichmann sentou-se sozinho à mesa do andar de cima do salão de jantar do grande Hotel Metropole, apenas com Tier ao lado. As paredes de vidro atrás dele, os lustres à altura de seus olhos, e, lá embaixo, todos os alemães importantes de Viena, agora parte do Reich. Seus convidados terminavam uma excelente refeição, enquanto a banda tocava. Ele falaria em alguns instantes, apenas poucas palavras para proclamar o triunfo de livrar Viena de seiscentas crianças judias, à custa da Inglaterra. Era, *sim*, seu triunfo: ele só permitiria que aquilo acontecesse se fosse em seus termos, e de fato foi.

— Em meus termos, Tier — afirmou ele.

O judeu Friedmann retornaria naquela noite e ficaria preso em uma cela no porão durante um ou dois dias, decidiu ele enquanto observava as pessoas sentadas juntas no andar de baixo, rindo, em visita à cidade. Por que ele tinha permitido que as pessoas trouxessem esposas, se Vera ainda estava em Berlim?

Um garçom veio trazer-lhe a primeira sobremesa, como ele havia instruído. O homem se curvou e colocou o prato de cristal na mesa: uma torta especial feita pelo chef, em homenagem a Eichmann, confeitada com os melhores chocolates de Viena, cada um decorado com um trem.

Naquele instante, no andar de baixo, garçons limpavam as mesas enquanto outros posicionavam-se, prontos, levando tortas idênticas em suas bandejas para servir aos convidados somente quando Eichmann já tivesse comido a sua e feito seu discurso.

Ele levantou seu talher e pegou uma garfada; o garçom ainda servia o café de uma cafeteira de prata em uma xícara de porcelana. Ele queria começar logo, para acabar logo. Mas, ao sentir o cheiro amargo do café, colocou o garfo de volta no prato, sem comer a torta. A ousadia daquela holandesa terrível, sugerindo que ele tomasse um café com ela.

Ele empurrou o café.

— Creio ter perdido o apetite — disse ele ao garçom. — Você pode recolher meu café e dar a minha torta para Tier.

AS LUZES DE HARWICH

O pequeno Walter Neuman foi o primeiro. As cordas da balsa *Praga* mal haviam sido lançadas ao mar e a costa ainda estava à vista quando o Mar do Norte atacou o estômago do garoto. Truus ajudava outra criança em um banco da balsa, a menos de três metros dele. O irmão de Walter tinha acabado de abrir sua mala e retirar um emaranhado horroroso lá de dentro; conforme foi puxando as camadas, deu para ver que eram as fraldas do bebê, todas cuidadosamente lavadas, mas ainda bastante úmidas, assim como alguns lenços; e, no meio de tudo, um caderno e um livro. Ela pensou que o garoto fosse começar a chorar ao ver o estado do livro, com a capa inflada da umidade dos panos, e as páginas molhadas e grudadas.

Walter colocou seu Peter Rabbit no joelho de Stephan e usou a patinha de pelúcia do coelho para abrir o livro e virar o bolo grudado de páginas.

— Acho que nem o Peter consegue ler isso — falou Stephan e riu bem alto.

Então, o pequeno Walter disse que ia vomitar, e prontamente cumpriu sua palavra bem em cima das páginas abertas. Fazia horas que isso tinha ocorrido. Ele fora o primeiro, mas estava longe de ter sido o último.

Truus surgiu no deck da balsa, segurando uma criança em cada mão.

— O ar fresco da noite vai ajudar, se conseguirmos permanecer aquecidos — declarou ela. — Mas fiquem no banco aqui atrás, longe do corrimão e do mar.

O garotinho — número 500, com sua placa debaixo de uma mancha de vômito que ela havia limpado com um lenço já sujo — tirou o dedo da boca e falou:

— Vou vomitar de novo.

— Acho que não tem mais nada aí dentro de você, Toma — respondeu ela, com doçura. — Mas mesmo se tiver, permaneça aqui. Fique longe do corrimão.

Esse mar não era fácil de atravessar, mesmo com o tempo bom. Truus talvez vomitasse também, se pudesse, se não tivesse tantas crianças precisando dela. Como ela achou que conseguiria administrar essa situação? As crianças vomitando, ou chorando, ou dormindo profundamente de exaustão. Que primeira impressão terrível elas causariam nas pessoas de bem da Inglaterra!

— Posso falar com a bebê? — perguntou a pequena Erika, de treze anos.

Ela era filha de um marceneiro, uma das poucas crianças que iria direto para uma família em Camborne, sem precisar esperar em um acampamento até que um lar fosse encontrado.

Truus seguiu o olhar de Erika até Žofie-Helene, que estava de pé no corrimão da balsa, tão pálida de enjoo quanto os outros.

— Não se mexam! — ordenou, correndo até lá para pegar a bebê dos braços de Žofie-Helene.

— Eu prometi à mãe dela que ficaria com ela até chegar à Inglaterra — contou Žofie.

— Desse jeito vocês duas vão *nadando* até a Inglaterra — retrucou Truus. — Venha me procurar quando o mar der uma trégua a você, e eu lhe entregarei a bebê de volta. Agora, tome cuidado. Por que você não sai de perto do corrimão? Sente-se em um desses bancos.

— Não quero vomitar no chão.

— Garanto que um vômito a mais não fará a menor diferença — afirmou Truus.

Ela segurou o braço de Žofie e a guiou para longe do corrimão e do mar até um lugar vazio no banco ao lado de Erika.

— Fique olhando para o horizonte — disse ela. — Vai ajudar a se sentir melhor.

Žofie-Helene sentou-se, olhando para o mar. Depois de um tempo, falou:

— Aquelas são as luzes de Harwich, imagino.

Era visível ao longe: uma luz fraca piscando, que deveria ser a costa da Inglaterra, e nesse caso eles teriam, quem sabe, mais uma hora no barco.

— Talvez seja o farol de Orford Ness — supôs Truus. — Ou de Dovercourt, que é bem perto de Harwich. Vocês não verão Harwich até darmos a volta em Dovercourt, pois fica em uma bacia protegida.

— É uma fala de uma das histórias de Sherlock Holmes, *O último adeus* — explicou Žofie. — "Aquelas são as luzes de Harwich, imagino."

— Ah, é? Bem, de qualquer forma, mantenha os olhos no farol, e isso a ajudará a se sentir melhor. Agora vou levar a bebê para uma das outras meninas.

Ela levou a bebê não para outra garota, mas para um local quieto, onde Žofie-Helene não podia ver. Sentou-se em um banco sozinha e lentamente ninou a criança — Johanna, como Žofie-Helene a chamara; o nome de sua irmã. Truus realmente teria de separar as duas. Isso não acabaria bem.

Ainda não havia um lugar para a bebê na Inglaterra, e só de pensar em explicar o surgimento de mais uma criança, de pedir para os ingleses cuidarem de um bebê que eles não estavam esperando e não tinham casa para abrigar... De fato, Truus deveria levá-la de volta para Amsterdã, até que pudesse arrumar um lar para ela.

— Você talvez goste de morar em Amsterdã, não acha, bebê sem nome? — sussurrou ela, tentando não se lembrar da pequena Adele Weiss em seu pequeno caixão.

Truus nem sequer havia contado a Joop sobre o pequeno caixão.

Ela começou a cantar para a criança uma antiga canção popular:

— *The moon had risen... The golden stars shine in the sky bright and clear.*

Ergueu o rosto, assustada, com certa esperança de ver Joop olhando para ela, embora soubesse que Joop estava em casa sozinho, dormindo em seu pijama, com um único prato esperando na mesa para o solitário café da manhã que ele faria, com um pouco de pão da cesta e pedaços de chocolate do pote. Ali na frente dela estava uma criança, com vômito escorrendo na frente do casaco. Muitas outras se juntaram ao redor, e uma menina adolescente veio correndo, gritando que dois meninos estavam brigando.

— Um deles me mordeu, Tante Truus! — disse a menina.

Ela mostrou a mão para Truus — pequenas marcas superficiais de mordidas. Truus virou-se com relutância para a menina e entregou a ela a bebê.

— Segure-a até que eu volte — disse ela. — Vou lá ver os meninos. — E, então, para a criança suja: — Venha comigo, meu amor. Vamos limpar sua roupa.

E quando terminou de dar um sermão nos meninos e de limpar a criança, voltou ao deck para checar as outras. Lá estavam Stephan e seu irmão, Walter, dormindo juntos, com o coelhinho de pelúcia. No chão, o livro — sem salvação. Ela foi na ponta dos pés ver a lombada: *Caleidoscópio*, de Stefan Zweig.

Pendurada do bolso de Stephan, a ponta de uma correntinha de ouro que ele jamais deveria ter trazido. Truus iria repreendê-lo por isso. Ele pusera a operação inteira em risco, trazendo tanto um colar de ouro quanto um livro proibido. Mas ele não esperava estar no trem; o pobre garoto tinha ido enviar seu irmão sozinho. Já estava feito, e ele tinha conseguido esconder, de alguma forma; esses meninos eram de uma família tão rica — não só de coisas materiais, mas também de pessoas — e não tinha sobrado quase nada. Nem mesmo esse livro, que o garoto tinha sacrificado pela bebê.

Ela empurrou a corrente para dentro do bolso dele e ajeitou seu cabelo, pensando que Joop gostaria de ter tido um filho como esse menino. Joop teria amado um filho homem.

HARWICH

O ar estava gelado, batendo em luvas, chapéus e casacos abotoados até o pescoço, enquanto a balsa flutuava rumo ao cais de Harwich. Um cinegrafista e alguns fotógrafos faziam registros das crianças que observavam com um olhar sombrio por cima do corrimão do *Praga*, enquanto ondas estouravam e pássaros voavam em círculo, piando. Truus ficou com o coração partido por aquelas pobres crianças, à beira da segurança da Inglaterra — segurança sem os pais, sem suas famílias e amigos, em um país cujo idioma pouquíssimos falavam e cujos costumes nenhum deles conhecia. Mas iriam para excelentes lares, com certeza. Quem, senão pessoas de bem, levaria crianças refugiadas de outro país e outra religião para dentro de sua vida, por, quem sabe, anos?

Truus, ao ver Helen Bentwich na ponta do cais, deixou a função de organizar as crianças em fila por número para os outros adultos. Ela tinha pensando em começar pelas crianças problemáticas — a bebê e Stephan Neuman —, mas havia decidido descer com as crianças todas de uma vez, organizadas pelos números. Era o que Helen havia solicitado, e embora Truus implicasse com alguns detalhes desse pedido — essas crianças tinham nomes, personalidades, desejos, e agora um futuro, e não deveriam ser reduzidas a números em fichas penduradas no pescoço —, havia vantagens em estar com tudo organizado antes que explicações fossem exigidas. Ela ficou aliviada em saber que a pessoa para quem daria tais explicações seria a própria Helen. Helen, a mulher que nunca falava "não". Havia pouquíssimas pessoas assim no mundo nos dias de hoje.

Truus sentiu que precisava falar algo profundo e verdadeiro para as crianças, mas o quê? Sentou-se para dizer que elas eram crianças muito boas.

— Os pais de vocês estão muito orgulhosos — disse ela. — Eles amam muito todos vocês.

As cordas do cais foram lançadas e amarradas, e a tábua, abaixada para conectar essas crianças ao país que seria a nova casa delas. Truus segurou a mão da primeira — o pequeno Alan Cohen, com a sua ficha de número um pendurada no pescoço — e começou lentamente a desembarcar da balsa. Eles seguiram em um silêncio sepulcral, com os menores agarrados às bonecas e bichos de pelúcia que puderam trazer, assim como o próprio Alan. É claro que estavam apavorados. Truus também estava um pouco assustada, uma vez que tudo havia sido feito, uma vez que era ela quem separava essas crianças de seus pais. *Meus Deus, meu Deus, por que o Senhor os desamparou?* Mas essas crianças não eram as desamparadas; assim como Jesus, essas eram as crianças que voltariam a viver.

Ela chegou à ponta da plataforma e pisou na Inglaterra, com Alan Cohen apertando sua mão com firmeza.

— Eu não sabia que você viria, Helen! — disse ela. — Que alegria, e que alívio!

As duas se abraçaram, com Truus ainda segurando a mão de Alan Cohen.

— Eu não resisti, sabendo que você estaria aqui — falou Helen Bentwich.

— Eu mesma não tinha certeza disso até esse minuto! — exclamou Truus, e as duas riram. — Sra. Bentwich, esse é Alan Cohen — disse ela, entregando a mão do menino para Helen, que a segurou com ternura. Truus disse ao menino: — Alan, *das ist* Frau Bentwich.

Alan olhou para Helen com medo. É claro.

— Alan é de Salzburgo — acrescentou Truus.

A família dele havia se mudado para Viena logo após a invasão alemã, para o gueto de Leopoldstadt, onde os alemães estavam reunindo os judeus austríacos até que pudessem decidir o que fazer com eles, mas sua casa era em Salzburgo, e Truus gostaria de honrar isso. E queria que Helen soubesse que cada uma daquelas crianças era um indivíduo, e não um número, mesmo a que levava o número um.

— Ele tem cinco anos e dois irmãos mais novos. Seu pai é banqueiro. — Era banqueiro em Salzburgo, até que sua existência fora proibida, mas Helen Bentwich sabia disso. A família dela era de banqueiros também, e judeus, e, portanto, bastante cientes da maneira que a Alemanha estava privando os judeus de tudo.

— *Willkommen in England*, Alan — disse Helen Bentwich.

Truus poderia ter caído no choro ao ouvir o nome do menino, a criança sendo recebida em sua própria língua.

Quando Truus pegou a mão do próximo, Harry Heber, de sete anos, Helen delicadamente acariciou a cabeça do… bichinho de pelúcia que Alan carregava. Não dava muito bem para identificar qual animal era, mas via-se que recebia muito amor.

— *Und wer ist das?* — perguntou Helen. *Quem é esse?*

— *Herr Bär. Er ist ein Bär!* — respondeu Alan, sorrindo.

— É verdade, é um urso, não é mesmo? — constatou Helen, feliz. — Bem, sr. Cohen e sr. Urso, a sra. Bates vai ajudá-los a entrar no ônibus. — Ela apontou para os ônibus de dois andares que aguardava a uma pequena distância. — Os outros vão se juntar a vocês, mas acho que, como vocês são os primeiros, deve demorar um pouquinho.

Truus olhou para o que parecia um grande vazio entre eles e os ônibus, apesar da longa distância que o menino já havia percorrido, e disse, na língua dele:

— Alan, por que você e o sr. Urso não esperam aqui um minuto enquanto eu apresento Harry e Ruth para a sra. Bentwich? E depois a sra. Bates vai ajudar vocês três. Assim, você e o sr. Urso não precisam esperar sozinhos no ônibus. Pode ser?

O menino assentiu.

Helen e Truus trocaram olhares, concordando quanto a isso.

— Sra. Bentwich, eu já lhe apresentei Harry Heber? — falou Truus, apertando delicadamente a mão do menino e o entregando a Helen. — E essa é a irmã mais velha de Harry, Ruth. Eles são de família toda de modistas de Innsbruck. — O pobre pai tinha feito uma oração na estação de Viena para seus filhos preciosos. — Ruth gosta de desenhar.

A menina tinha contado para Truus sobre seus lápis carvão na mala, tudo o que lhe restara: algumas peças de roupa e seus lápis de desenho. Mas Ruth e Harry tinham um ao outro, o que já era muito perto das outras crianças.

Dois ônibus já tinham sido preenchidos, e Truus, se despedido, com pesar, de mais de cem crianças; as menores encaminhadas para Lowestoft e as mais velhas para Dovercourt, quando chegou a vez de Stephan Neuman. Ele tinha nas mãos sua maleta, sem as fraldas e lenços molhados, e restava somente uma muda de roupa, o caderno ensopado e o livro arruinado.

— Sra. Bentwich — disse ela para Helen. — Eu lhe apresento Stephan Neuman. Carl Füchsl estava com sarampo. Achamos que era melhor colocar no lugar dele uma criança saudável do que trazer uma balsa cheia de doença.

— Obrigada por pensar nisso, Truus!

— O pai de Stephan… — O pai de Stephan tinha uma fábrica de chocolates, antes de morrer naquela terrível noite de violência. — A família de Stephan proporcionou ao mundo alguns de seus melhores chocolates, e eu ouvi dizer que Stephan é um ótimo escritor — afirmou ela, lembrando-se de quando Žofie-Helene pediu uma vaga para ele na fila de registro. — Ele tem dezessete anos e seu inglês é excelente. Sei que estamos enviando para Lowestoft as crianças mais velhas que ainda não foram alocadas com famílias, mas o irmão de Stephan, Walter, está lá atrás na fila com uma amiga deles que também é uma menina muito responsável. Quem sabe você possa enviar Stephan e sua amiga, Žofie-Helene Perger, com Walter para Dovercourt? Imagino que vá precisar de algumas crianças mais velhas para cuidar dos pequenos, e alguém que fale inglês pode ser de grande ajuda.

Helen riscou o nome Carl Füchsl ao lado do número 120, inseriu o nome de Stephan e sua idade e escreveu "Dovercourt".

— Pode entrar no ônibus, Stephan — disse Truus.

— Eu prometi para a minha mãe que não perderia Walter de vista — disse Stephan em um inglês perfeitamente claro, embora com sotaque.

— Mas você nem estava na lista do transporte — retrucou Truus.

— Eu disse a ela que estava. Achei que ela não deixaria que ele fosse sem mim. E minha mãe… — Ele engoliu a emoção. — Minha mãe morreu.

Truus colocou a mão no ombro dele e disse:

— *Tot*, Stephan? *Das habe ich nicht gewusst…*

Stephan, meio nervoso, interrompeu:

— Não, não morreu. É que…

Truus, percebendo que a palavra não sairia de seus lábios mortificados e exaustos — mesmo se ele soubesse como dizer em inglês —, explicou a

Helen que a mãe dele estava doente, sem querer dizer exatamente o nível da doença, mas tentando demonstrar com sua expressão que em breve esses garotos não teriam mais ninguém além de um ao outro. Quantas dessas crianças teriam de encarar essa situação? Mas isso Truus não podia mudar; tinha que se concentrar no que estava ao seu alcance.

— Stephan, por que você não espera o seu irmão perto do ônibus? Vou garantir que vocês dois fiquem juntos — falou Helen Bentwich.

A FILA ESTAVA QUASE no fim quando Truus, apresentando cada criança para Helen pelo nome, deparou-se com Žofie-Helene segurando a bebê, e o pequeno Walter ao lado. A bebê estava quietinha, talvez dormindo. Era muito boazinha. Quem não quereria uma bebê tão calma?

— Sra. Bentwich, esta é Žofie-Helene Perger — disse ela.

— Helene, como meu nome, embora o meu não se pronuncie de forma tão bela — comentou Helen.

— Žofie é uma menina de coração tão bom que carregou essa bebê durante a viagem inteira desde Viena — afirmou Truus. — A bebê foi...

— Meu Deus, ela ia começar a chorar ali, justo naquele momento em que precisava ser forte pelas crianças.

Helen encostou em seu braço, acalmando-a como havia feito no dia em que se conheceram, quando Truus ficou parada na sala de Helen com o globo de neve nas mãos e se permitiu, naquele único instante, imaginar uma criança parecida com Joop, que poderia um dia fazer um boneco de neve, ou jogar uma bola de neve nela e fazê-la rir.

— A bebê foi deixada no trem pela mãe — explicou Truus, que ainda não conseguia compreender o nível de desespero que levaria uma mãe a colocar uma criança tão indefesa nas mãos de uma menina, outra criança, sem nada além de um nome e nenhuma esperança de encontrá-la novamente.

Uma mãe que pensou estar protegendo a filha, quando na verdade, a criança poderia escorregar dos braços da menina, escapulir do corrimão da balsa e cair no mar. Ela poderia ser colocada no berço à noite por uma mulher que a amaria como uma filha, para morrer numa unidade de quarentena gelada, em um país estrangeiro. Poderia morrer numa unidade de quarentena quando sobreviveria facilmente com um casal sem filhos que a amaria, que de alguma forma poderia reencontrar sua mãe e reunir as duas.

— Ela foi deixada no trem em uma... — Žofie-Helene se virou para Truus. — Como se fala *Picknickkorb*, Tante Truus?

— Em uma cesta de piquenique — respondeu Truus.

— Eu não sabia que era um bebê — continuou Žofie-Helene.

Helen olhou para a menina com um olhar duvidoso. É claro que era uma história improvável, diferente do que Žofie tinha contado para Truus. Truus pensou novamente na amizade entre Žofie e Stephan, o menino com quase dezoito anos e claramente apaixonado por ela; a menina não muito mais nova, e também encantada por ele.

— Bem, não temos ideia de quem seja essa bebê — disse para Helen. Isso era verdade, Truus achava, pelo menos. — Ela será a primeira a conseguir um lar, eu aposto: uma bebê sem nenhuma documentação.

Helen olhou para Truus por tanto tempo que Truus teve que lutar contra seu instinto de desviar o olhar.

— Qual nome devo colocar nos registros, então? — perguntou Helen.

— Johanna — respondeu Žofie-Helene.

— Bebê sem nome — falou Truus, decidida. — Os novos pais ficarão livres para escolher um nome. Acredito que se mandarmos as duas para Dovercourt, Žofie-Helene cuidará da bebê até que ela seja enviada para uma família.

Žofie ficou parada em silêncio, enquanto Helen marcava seu nome.

— Está bem. Podem ir para o ônibus — confirmou Helen.

— Posso esperar Walter? — perguntou a menina em sua língua, dirigindo-se a Truus. — Ele estava na minha frente. É o número quinhentos e vinte e dois, e eu sou quinhentos e vinte e três.

Truus sorriu. Žofie era uma menina boa, e quem era Truus para julgar? A vida que Žofie fora condenada a viver no último ano, com o pai morto e a mãe sabe Deus onde, mesmo nem sendo judia; a mãe colocara a própria família em risco pelo bem de outras pessoas. E ela realmente acreditava na menina. A simplicidade da história da cesta de piquenique tinha um quê de verdade: um bebê entregue, no último segundo, aos cuidados de alguém que poderia resgatá-lo, e somente quando a mãe não tinha mais nenhuma alternativa nem tempo para mudar de ideia.

— Sra. Bentwich, Žofie vai esperar um pouco enquanto eu lhe apresento seu amigo, Walter Neuman — disse ela, segurando a mão de Walter. — Ele é o irmão mais novo de Stephan Neuman, que está esperando com toda a paciência do mundo esse tempo todo.

Helen Bentwich olhou para o ônibus, de onde Stephan os observava. Ela acariciou a cabeça do Peter Rabbit de pelúcia.

— E quem é esse carinha? — perguntou ela. — *Und wer is er?*

— *Das ist* Peter — respondeu Walter, e seguiu explicando em sua língua. — Žofie me disse que ele não precisava de um número, que poderia seguir de graça no mesmo número que eu.

Žofie assentiu, encorajando-o.

— É um número especial — disse ela. — É... nós falamos *faktoren* de dez. Um, dois, três, seis, dezoito, vinte e nove, oitenta e sete, *Einhundertvierundsiebzig, Zweihunderteinund-sechzig, Fünfhundertzweiundzwanzig*.

Helen Bentwich começou a rir.

— Bem, *willkommen in England*, Walter e Peter — disse ela. — Vocês dois são muito sortudos, pelo que vejo!

Truus viu as três crianças se juntarem ao mais velho. Stephan pegou Walter no colo de tanta alegria, e o rodopiou, e o beijou primeiro, e depois beijou o coelho de pelúcia; e Žofie-Helene riu e a bebê acordou. A bebê fez um barulhinho adorável que os bebês fazem, que não incomodaria uma só alma, mesmo que ela mantivesse a pessoa acordada a noite toda.

— Uma bebê desamparada, Truus — comentou Helen.

Truus olhou para as ondas que batiam na lateral de aço da balsa que a levaria de volta para casa, sozinha.

— Você pensou em levá-la de volta para Amsterdã? — perguntou Helen.

— A bebê?

Helen olhou no fundo de seus olhos.

— Ainda dá tempo — afirmou ela, levantando a mão para chamar a atenção do motorista do ônibus, pedindo que ele esperasse. — Até o ônibus partir, eu posso mudar a lista.

Truus observou as crianças entrarem no ônibus, tentando imaginar como seria a vida delas ali. A bebê ficaria bem. Uma mulher carinhosa como a própria Truus estaria desejando um bebê havia tempos. Uma mulher como ela veria essa criança como uma bênção de Deus. Uma mulher se apaixonaria pela bebê, e carregaria secretamente a culpa de desejar que os pais nunca aparecessem para pegá-la de volta. Quais eram as chances de isso acontecer? O que Hitler faria com os judeus se uma guerra começasse? "Se", como se restasse alguma dúvida de que uma guerra estava por vir, apesar de o mundo inteiro fingir que não.

Ela olhou para a pequena fila de crianças ainda esperando na plataforma, e para a balsa, e depois para a imensa extensão do mar que ela atravessaria de novo, sem nenhuma criança enjoada para ajudar, nada para manter sua cabeça longe das escolhas dolorosas, do que fizera e do que não fizera, da família que ela e Joop talvez nunca fossem ter.

— Ainda tem cem crianças esperando na Holanda, e mais uma viagem de balsa para organizar — retrucou ela. — E tantas crianças ainda na Áustria.

Helen segurou a mão de Truus do mesmo jeito que Truus segurara a de cada criança antes de despedir-se, enviando-as para a vida nova.

— Tem certeza, Truus?

Truus não tinha certeza de nada. Será que um dia tivera certeza de algo? Enquanto ela se preparava para dizer que não era a bebê que era tão difícil de deixar partir, incapaz de responder à pergunta de Helen, uma neve fraquinha começou a cair.

Helen apertou sua mão, entendendo de alguma forma o que a própria Truus não entendia. Ela acenou para o motorista, que ligou o motor do ônibus. Uma criança gritava lá de dentro; era Žofie-Helene do andar de cima:

— Nós te amamos, Tante Truus!

E as janelas do ônibus, de cima e de baixo, ficaram cheias de crianças acenando e falando:

— Nós te amamos, Tante Truus! Nós te amamos!

E lá estava Walter, dando adeus com a mão do Peter Rabbit. E Žofie-Helene, segurando a bebê no alto, acenando com seus dedinhos sem mãe, enquanto o ônibus ia embora, com Žofie-Helene acenando também.

DOVERCOURT

Stephan olhava pela janela, com Walter no colo, enquanto o ônibus passava debaixo de uma placa que dizia "Acampamento de Férias do Warner". Eles seguiram por uma estrada de terra molhada, com a neve derretida que já parara de cair, que deixava o mundo parecendo mais frio e ainda sem cores. O ônibus estacionou em um complexo com uma casa principal comprida e chalés antigos alinhados na frente de uma praia com bastante vento.

— Peter está com frio — reclamou Walter.

Stephan abraçou seu irmão e o coelho.

— Não se preocupe, Peter — afirmou ele. — Olhe, dá para ver a fumaça saindo da lareira na casa principal. Acho que é para lá que estamos indo.

Mas as crianças do ônibus da frente estavam levando suas malas para os chalés, que não tinham chaminés. Somente os adultos que saíam de carros seguiam para a casa principal.

Uma mulher com uma prancheta entrou no ônibus.

— Sejam bem-vindas à Inglaterra, crianças! — exclamou ela. — Eu sou a srta. Anderson. Por favor, digam seus nomes ao desembarcarem. Quando eu disser o número do chalé de cada um, levem seus pertences.

As crianças trocaram olhares confusos.

— O que é "desembarcar"? — sussurrou Žofie para Stephan.

Stephan não conhecia a palavra "desembarque", mas entendeu que a mulher disse para eles saírem do ônibus e seguirem para os chalés.

— *Die hütten* — explicou ele. Certamente haveria aquecimento elétrico nos chalés.

— Vocês vão na frente, mas esperem por mim — disse Žofie.

Stephan e Walter desceram a escada, com Žofie e a bebê logo atrás, e juntaram-se à fila de crianças do andar de baixo do ônibus.

— Stephan e Walter Neuman — disse Stephan quando chegou sua vez.

A senhorita Anderson falou:

— Walter Neuman, você está no chalé vinte e dois. — Ela checou novamente a lista. — Não tem nenhum Stephan Neuman aqui. Você entrou no ônibus errado. Nós estamos em Dovercourt. As crianças mais velhas foram enviadas para Lowestoft.

— Eu sou Carl Füchsl — corrigiu Stephan, sem saber como dizer com clareza em outra língua. — Ele teve... *masern*? Ele está doente. A sra. Bentwich me pediu para ajudar com as crianças menores.

A senhorita Anderson olhou para ele, avaliando se ele estava apto para a função.

— Está bem. Chalé catorze.

— A Tante Truus disse que meu irmão e eu ficaríamos juntos.

— Quem? Ah, está bem. Espere aqui enquanto eu organizo o restante das crianças, e nós vamos encontrar um chalé para vocês dois.

Stephan agradeceu em seu melhor inglês, e cutucou Walter, que fez o mesmo.

Deram um passo para o lado, e a srta. Anderson falou com Žofie, quando um homem e uma mulher se aproximaram de Walter.

— Olhe, George, que menininho fofo! — exclamou a mulher.

— Nós somos irmãos — falou Stephan.

— Querida, nós já escolhemos um menino do lote da Alemanha. Acho que uma criança de cinco anos é tudo o que a Nanny consegue cuidar, na idade dela. Viemos até aqui para buscá-lo.

A srta. Anderson, que já estava falando com Žofie-Helene, disse:

— Meu Deus, esse ônibus está cheio de crianças que não estamos esperando? Tudo bem, fique aqui ao lado desses meninos e deixe-me conferir o restante das crianças.

A mulher que achou Walter fofo exclamou:

— Um bebê! George! Ah, eu amaria ter um bebê nosso. Disseram que não tinha nenhum bebê. Por favor, vamos levá-lo, antes que alguém leve.

— Essas crianças acabaram de chegar da Áustria — retrucou o marido. — Ainda nem tomaram banho.

A mulher tocou no rosto da bebê, perguntando:

— Qual é o seu nome, pequenina?

— O nome da minha irmã é Johanna — respondeu Žofie-Helene.

A mulher tentou pegar a bebê, mas Žofie segurou firme.

— Você é grande demais para ter uma irmã tão nova, não? — indagou a mulher, dando um passo para trás, como se Žofie pudesse ter uma doença.

Žofie respondeu com uma expressão que Stephan nunca tinha visto em seus olhos: incerteza. Ela era tão inteligente. Sempre sabia tudo, mas na língua deles.

A mulher segurou no braço do marido e seguiu para a casa principal, dizendo:

— Meu Deus, estão enviando garotas arruinadas para nós.

Stephan ficou parado, com vontade de sair em defesa de Žofie, mesmo não entendendo exatamente o que a mulher quis dizer com aquilo. Arruinar. Como as ruínas da Pompeia, que jamais seriam reerguidas de novo. Não era possível recuperar algo que fora arruinado, mas algo poderia estar arruinado e ainda assim ser perfeito.

UM OUTRO TIPO DE VISTO DE SAÍDA

Ruchele começou a chorar bem antes de o avô de Žofie-Helene terminar de contar o que tinha ido falar, que as três crianças haviam chegado sãs e salvas na Inglaterra.

Otto Perger largou o chapéu que estava segurando. Ruchele recuou, tornando-se pequena como uma criança, para que ele não a encostasse. Ela achava que não conseguiria lidar com tanto carinho.

— Eles estão em um acampamento de férias em Harwich, até serem enviados para uma família — contou Herr Perger.

Mesmo assim, ela não parava de chorar — uma indulgência, ela sabia. Deveria se acalmar, mas não conseguia. Restara muito pouco com o que se alegrar.

— É muito difícil não tê-los por perto, eu sei — falou Herr Perger.

Ruchele se acalmou o suficiente para dizer:

— É um grande alívio saber que eles estão seguros. Obrigada, Herr Perger.

Ele deu um sorriso.

— Otto — corrigiu. — Por favor.

Ela deveria dizer seu nome para ele, mas não conseguia. Não pelo motivo que ele imaginaria, que até ali, mesmo com sua dignidade arrancada, ela se sentia superior a ele. Não. Ela percebeu que um dia tinha se sentido, de fato, e se arrependia por isso. Ela gostaria de se desculpar, mas tinha pouquíssima energia, e ainda precisava pedir a ele um favor.

Pegou na gaveta de cima da cômoda uns quarenta envelopes finos que continham cartas que tinha escrito em papeis emprestados, com selos que Frau Isternitz havia comprado para ela com o último dinheiro que Michael mandara. Os nomes de Stephan e de Walter estavam nos envelopes, mas sem endereço de destino. A simples movimentação lhe causava dor, mas ela dispensou a ajuda de Otto. Ele não podia vê-la como uma mulher fraca. Se era para ver algo nela — era melhor que não visse nada, mas ainda assim, se visse —, que fosse sua força, sua vontade.

Ela entregou a ele todos os envelopes, com exceção de um, ainda sem selo.

Ele ficou sentado olhando, recusando-se a levá-los, como se soubesse o que isso significava, o que ela estava prestes a pedir a ele.

— Herr Perger, para mim, é muito difícil sair daqui, e eu tenho pouco tempo de vida...

— Não, eu não vou levá-los — insistiu ele.

— É injusto lhe pedir isso, eu sei — concordou ela. — Eu sou judia.

Ele não poderia ser preso para simplesmente colocar uma carta no correio para ela.

— Não é por isso — respondeu ele. — Claro que não é por isso, Frau Neuman. Você não precisa...

— Eu entregaria para outra pessoa — ela o interrompeu —, mas nós estamos... Ninguém acha que nós permaneceremos aqui. Meu marido já está morto, Herr Perger, e eu vou morrer a qualquer momento. Você precisa aceitar que estou morrendo. Fui largada sozinha neste quarto.

Ela juntou cada restinho de força que tinha para dar um leve sorriso. Esperava que aquilo parecesse com um sorriso. Fazia tanto tempo que não sorria.

— Por favor, faça essa gentileza para mim? — implorou ela. — Se não for por mim, que seja pelos meus filhos — disse, agradecida pelo carinho que ele tinha por Stephan. — Uma carta para ser enviada por semana, para que eles continuem sabendo que eu estou bem.

— Mas talvez...

— Para que eles possam começar a vida na Inglaterra e cuidem um do outro, sem se preocuparem comigo. — Palavras ditas em sussurro, com dor física e emocional. — A última carta está escrita com uma letra diferente, para dizer a eles que eu parti — afirmou ela. — Eles já esperarão por isso, ou pelo menos Stephan, e não quero que sofram sem notícia.

Ele passou os dedos em seu cavanhaque.

— Mas...quando eu saberei o momento certo de enviá-la?

Ruchele olhou para ele, sem falar nada. Ele era um homem idoso, os olhos por trás dos óculos redondos e pesados começavam a lacrimejar. Se ela precisasse dizer em palavras, ele relutaria. Qualquer um relutaria. Até mesmo um homem idoso que poderia entendê-la.

— Frau Neuman, você... — Ele colocou as mãos sobre as mãos dela, em cima das cartas. — Você não pode fazer...

— Herr Perger, o que eu preciso fazer na minha vida é garantir que meus filhos cresçam e sejam homens bons. — Ambos ficaram impressionados com a firmeza da voz dela, que acrescentou, com mais delicadeza: — Eu não tenho palavras para agradecer-lhe por fazer isso por mim. Agora posso descansar com a boa notícia de que meus filhos estão bem.

Ela colocou as cartas na mão dele.

— Elas não têm endereço.

— Eu não sei onde eles estarão, mas talvez você possa escrever para Žofie dizendo que está endereçando e colocando as cartas no correio para mim, porque estou com dificuldades para escrever. Acho que Žofie sempre saberá onde Stephan está.

As lágrimas começaram a escorrer novamente. Como essa garotinha estranha podia preencher a esperança que ela nutria por Stephan e, consequentemente, por Walter?

— Voltarei amanhã — disse Otto Perger. — Trarei comida. Você precisa comer, Frau Neuman.

— Por favor, não se incomode ainda mais comigo — falou ela. — Só envie as minhas cartas de tempos em tempos.

— Mas você precisa manter-se forte. Seus filhos precisam da sua força.

— Receberei todo o cuidado que preciso dos meus vizinhos, e você só iria se prejudicar.

Otto olhou para ela. Ele sabia sem saber, ela via em seus olhos por trás das lentes, sentia na pressão que ele fazia ao segurar as cartas. Ele queria saber, mas não sabia.

Ela continuou encarando-o. Se mantivesse o olhar firme, se mantivesse sua força nesse último momento, ele ficaria relutante em voltar, em incomodar.

— Em alguns dias, então — disse ele.

— Por favor, eu só preciso que você envie as cartas.

— Quando eu receber notícias de Žofie-Helene. Você certamente vai querer saber quando ela me escrever. E eu vou querer saber se Stephan e o pequeno Walter escreverem para você.

Ela assentiu, com medo de ele não ir embora se ela contestasse. E tendo entregado as cartas, ela precisava que ele partisse. O que faria se ele mudasse de ideia? O que faria se ela própria mudasse de ideia? — o que lhe ocorrera com essa conversa sobre as cartas que os filhos enviariam.

Ele se levantou, relutante, voltando-se para a porta pequenina. Ela fechou os olhos, como se não conseguisse evitar o sono.

Quando a porta se fechou silenciosamente, ela retirou do último envelope que restara uma foto de Stephan e Walter juntos. Beijou cada um deles uma vez e depois outra.

— Vocês são meninos tão bons — sussurrou ela. — Garotos tão bons, e me deram tanto amor.

Ela guardou a foto dentro de sua roupa, perto do peito, e então retirou o lenço de dentro do envelope e desenrolou a última gilete que restara de Herman.

Parte III

O

DEPOIS

JANEIRO DE 1939

COELHO NÚMERO 522

Stephan sentou-se na ponta da beliche do irmão.
— Vamos, Walter, é hora de irmos — disse Stephan, carinhoso. — Os outros garotos já saíram há um tempo. — Ele puxou a coberta. — É um novo dia, um novo ano!

Walter cobriu de volta a cabeça com o lençol.

— Nós já perdemos o café da manhã — argumentou Stephan.

O primeiro café da manhã de 1939. Em algumas semanas, Stephan faria dezoito anos. E então, o que aconteceria? Se ele e Walter não fossem para uma família antes disso, será que iriam enviá-lo sozinho?

— Peter não está com fome — resmungou Walter. — Peter disse que está frio demais para comer.

Coelho esperto, pensou Stephan.

— Eu tenho uma carta nova da Mutti — revelou Stephan.

O correio do acampamento, na ponta do salão principal da casa, não abria aos domingos, mas Stephan tinha guardado a carta desde o dia anterior, esperando para ler depois que os possíveis pais adotivos fossem embora. Era exaustivo passar um dia inteiro sentado, conversando educadamente com desconhecidos que tinham o seu futuro nas mãos, ou o descartavam. Até então, o futuro dele e de Walter havia sido descartado. Mas esse era apenas o terceiro domingo deles, e na semana anterior, do Natal, quase nenhum pai adotivo tinha visitado. Em Viena, teria o grande Christkindlmarkt, com biscoito de gengibre, *glühwein* e enfeites, pessoas chegando do país inteiro para ver a árvore na Rathausplatz. Em casa, eles teriam decorado a árvore com enfeites dourados e prateados e estrelas feitas de canudos, acendido as luzinhas e trocado presentes na noite de Natal, e cantado "*Stille Nacht! Heilige Nacht!*" — o ritmo era o mesmo, mas as palavras eram muito diferentes da versão dos ingleses. Alguns garotos de uma universidade perto do acampamento tinham ensinado a música natalina para eles, como uma iniciação ao idioma. Stephan pensou em quem estaria cantando com Mutti, ou se Mutti sequer havia cantado.

Ele colocou Walter sentado, vestiu no irmão um segundo suéter, além do que ele já estava usando por cima da blusa, e depois acrescentou um sobretudo e cachecol. Já estavam de gorro e luvas, pois era assim que os meninos ali dormiam. Além disso, todos dividiam a cama, e no caso deles dois, Stephan ficava abraçado a Walter. Tudo para se manterem aquecidos.

Quando Walter estava pronto, Stephan deu a ele Peter Rabbit e pegou o cartão com o número para pendurar em seu pescoço. Walter inclinou a cabeça para o lado e não deixou. Ele havia ficado irredutível com a bendita placa. Mas Stephan não o culpava. Ele mesmo odiava ter que usar, odiava ser reduzido a algo numérico e frio, não importava o quanto Žofie tentasse tornar seus números especiais. Mas a regra era esta: as crianças em Dovercourt tinham que usar seus números, sempre.

— Eu sei — disse ele com carinho. — Eu sei, mas...

Ele pegou a placa e deu três voltas no cordão, dizendo:

— E se Peter usasse hoje?

Walter avaliou a ideia e concordou.

Stephan passou o cordão pela cabeça de Peter: coelho número 522.

Estava um pouco mais quente na casa principal, graças à lareira, mas as crianças tomavam café da manhã com seus casacos, terminando de comer arenque com mingau em mesas compridas. Um rádio tocava música, e dois dos garotos mais velhos retiravam a árvore de Natal. Uma das mulheres responsáveis pelas crianças chamou a atenção, em inglês, de três meninos que brigavam na mesa de pingue-pongue:

— É melhor se comportarem, ou mandaremos vocês de volta para a Alemanha.

Eles viraram-se para ela, mas se entenderam o que ela disse, não demonstraram. Walter perguntou, e Stephan explicou.

Walter, confuso, sussurrou:

— Se eu me comportar *mal*, posso voltar para casa para ficar com Mutti?

Stephan sentiu um nó na garganta.

— Como eu sobreviveria aqui sem você para me aquecer à noite, Wall?

— Você pode se comportar mal também — respondeu Walter. Então olhou para o coelho e disse: — Peter, você poderia se comportar mal?

— Mas isso deixaria a Mutti triste — comentou Stephan. — Como ela poderia vir para a Inglaterra se nós formos para casa?

— Podemos ler a carta da Mutti agora? — implorou Walter.

Stephan pegou o envelope do bolso do casaco com a ponta dos dedos. O nome deles estava escrito com a letra da Mutti, mas o endereço, assim como as duas primeiras, estava com a letra de Herr Perger. A primeira carta da Mutti veio com um bilhete do avô da Žofie dizendo a eles para não se preocuparem com a mãe, que ele a estava ajudando — correndo um risco enorme, ele e Johanna, Stephan sabia; se o Herr Perger fosse preso por ajudar um judeu, quem cuidaria da irmã de Žofie? A mãe delas ainda estava sob custódia nazista.

Stephan olhou ao redor, à procura de Žofie, mas ela ainda não tinha chegado; o quadro de registro semanal das crianças adotadas, no entanto, tinha amanhecido cheio de equações que não estavam ali na noite anterior.

— Podemos ler a carta da Mutti agora, se for rápido — disse ele para o irmão. — Mas nada de chorar, combinado? Quem sabe a família que vai nos levar para casa venha hoje, em alguns minutos?

— Se nos escolherem, vamos nos mudar para uma casa com um aquecedor para mim e para o Peter, e uma biblioteca para você.

Stephan entregou a carta para ele.

— Vamos rezar pela biblioteca, mas o aquecedor é certo — respondeu ele. — Agora, leia você dessa vez.

— Peter quer ler — disse Walter.

— Está bem, então. Vai, Peter.

Walter, fingindo a voz do coelho, leu:

— Queridos e amados filhos, nós sentimos falta de vocês em Viena, mas me conforta saber que estão juntos na Inglaterra e sempre cuidarão um do outro. — Era o jeito que as duas primeiras cartas da Mutti começaram, cartas que eles leram e releram tantas vezes que agora Walter já tinha decorado.

O menino estava virando um ótimo leitor; eles haviam lido tantas coisas nas últimas semanas, com tão pouco para fazer. Como a maioria dos livros do acampamento era em inglês, Walter estava lendo melhor no idioma novo do que em sua língua materna, fato que Stephan só percebeu quando o irmão olhou para ele pedindo ajuda com a carta. É claro que os livros eram impressos, e as cartas da Mutti, escritas à mão, com uma caligrafia difícil até para Stephan. Às vezes, ele também precisava recorrer à memória.

Stephan enxugou as lágrimas de Walter com um lenço — uma das fraldas do trem —, e disse, com gentileza:

— Vamos lá, Walter. Lágrimas só à noite.

Žofie se juntou a eles segurando a bebê enrolada em cobertores que algumas mulheres tinham trazido. Stephan retirou os óculos de Žofie, embaçados pela mudança de temperatura do ar gelado do lado de fora para o ambiente levemente mais quente do lado de dentro. Ele limpou as lentes com a luva e devolveu ao rosto.

— Quem imaginava que o tempo podia esfriar ainda mais? — perguntou ele.

— O tempo continua ficando mais frio depois do solstício, apesar de os dias estarem ficando mais longos agora — respondeu Žofie. — A água retém cinco vezes mais calor do que a terra, então o mar funciona como um amortecedor contra o frio. Mas conforme ele perde calor, as propriedades amortecedoras se dissipam.

— Stephan e eu dormimos juntos, de casaco, e mesmo assim estava frio — disse Walter. — Peter estava congelando. Ele só tem um casaco. Mas talvez uma família nos escolha hoje.

— Aposto que sim, Walter. Estou sentindo que nessa semana é a sua vez — respondeu Žofie.

No quadro-negro, uma das mulheres apagou as equações. Stephan pegou a mão de Walter, e os quatro juntaram-se às crianças ao redor dela. Uma menina exclamou:

— Eu! Eu! Eu! Eu vou ser escolhida! — Enquanto a mulher escrevia. Quando a lista estava pronta, a fila de crianças na porta — que seriam levadas de volta para os chalés para arrumar a mala — consistia apenas em meninos pequenos e meninas. O resto começou a se sentar a mesas. Os possíveis pais estavam para chegar.

— Está bem, Wall — disse Stephan. — Vamos praticar.

— Boa tarde. Que bom que vieram nos visitar — falou Walter, com o inglês melhor do que no domingo anterior.

A prática levava à melhoria, se não à perfeição.

— Perfeito — elogiou Stephan, para aumentar a confiança do irmão. — Agora, onde você quer se sentar essa semana?

— Quero me sentar com Žofie e Johanna — respondeu Walter. — Todas as famílias vêm ver a Johanna.

Assim, como sempre, eles se sentaram ao lado de Žofie e da bebê, em cadeiras viradas para fora das mesas, com as últimas louças do café da manhã limpas, enquanto se preparavam para mais um domingo longo e triste, ao qual Stephan começou a se referir como "a Inquisição". E mesmo assim, ele observava, esperançoso, as portas se abrirem e os possíveis pais entrarem.

DEZENOVE VELAS

Stephan acordou com um susto, desorientado, no pequeno chalé soturno, com seu irmão agarrado a ele na cama. Era o seu décimo oitavo aniversário. Se ainda estivesse em Viena, não poderia mais ser aceito no programa do Kindertransport. Ele já estava na Inglaterra, mas ainda não tinha conseguido uma família. Será que seria enviado de volta?

Fechou os olhos e imaginou acordar em sua própria cama, no palácio na Ringstrasse que ele jamais pensou que pertenceria a alguém que não fosse da sua família, mesmo depois dos nazistas invadirem e tomarem a casa. Ele se imaginou descendo a escada de mármore sob o lustre de cristal, tocando cada escultura em cada curva, até chegar lá embaixo, na mulher de pedra, aquela com os seios como os de Žofie. Ele se imaginou passando pelos quadros no hall — os troncos de bétula com sua perspectiva engraçada; o Malcesine no Lago de Garda, de Klimt, onde às vezes eles passavam as férias de verão; o Kokoschka da tia Lisl. Ele se imaginou entrando na sala de música, a Suíte para Violoncelo nº 1, de Bach, tocando — sua preferida. Ele imaginou um bolo feito com os melhores chocolates do seu pai e preparado por Mutti, mesmo no ano anterior, quando ela teve que passar o dia inteiro na cama recuperando-se da exaustão de fazer um simples bolo. Seu pai acenderia as velas do seu aniversário, como fizera em todos os aniversários da vida de Stephan, até então. Seriam dezenove velas, uma para cada ano e uma para dar sorte. E Stephan olharia pela janela, procurando Žofie, com uma nova peça de teatro para ela ler. Ele deveria escrever outra peça. Deveria escrever uma em inglês, sua nova língua. Mas não tinha certeza se suportaria escrever sobre esse lugar.

Ele não contaria para ninguém sobre o seu aniversário. Nem para Walter. E nem para Žofie-Helene.

Vestiu-se no quarto congelante, acordou os meninos e os ajudou a se vestirem, depois apressou todo mundo para atravessar o jardim gelado e entrar na casa principal. Colocou todos eles, inclusive Walter, para jogar um jogo e ficou feliz ao ver a cena. Observou seu irmão por um instante antes de ir atrás de Žofie, de pé lá no fundo do salão, na longa fila do correio.

Eles esperaram com paciência, distraindo a bebê. Na vez deles, Stephan recebeu uma carta e um pacote, mal teve tempo de ficar surpreso quando Žofie falou:

— Olhe, Stephan! — E mostrou um envelope que não estava escrito com a letra deitada do avô dela, como no dele, mas com uma letra redonda e graciosa.

Ela entregou a bebê para Stephan e rasgou o pacote.

Stephan colocou sua carta e seu pacote em uma das mesas compridas para não deixar a bebê cair. A carta estava, como sempre, com o nome dele e do Walter escritos com a letra da Mutti, e o endereço com a letra do Herr Perger. Ele ia esperar para ler depois que Walter terminasse de brincar; estava feliz de ver seu irmão fazendo amigos. Mas o pacote estava endereçado somente a ele, e com uma letra mais bonita do que a da Mutti e do Herr Perger. Sem carimbo postal?

— É da mamãe! — exclamou Žofie-Helene. — Ela está na Checoslováquia! A mamãe foi solta na semana passada e eles foram imediatamente para lá. Estão fora do alcance de Hitler.

Ela começou a chorar, e Stephan, meio desajeitado, com a bebê no colo, abraçou as duas ao mesmo tempo.

— Ei, não chore — disse ele. — Eles estão em segurança.

Žofie chorou ainda mais intensamente.

— Estão todos juntos e agora não virão mais para a Inglaterra, nem a Johanna — concluiu.

Stephan pegou a carta e passou os olhos.

— Sua mãe diz que eles vão solicitar vistos ingleses lá na Checoslováquia, Žofe. Não vai demorar. É muito mais rápido para cidadãos não judeus. Aposto que estarão aqui na primavera.

STEPHAN NÃO LEMBROU da sua própria carta até que Žofie parasse de chorar e se sentasse para tomar o mingau com leite, retirado do enorme jarro branco. Quando ele começou a abrir o pacote, Žofie sorriu.

— É seu aniversário!

— Shhh — pediu ele, e ela ficou surpresa. Dezoito anos.

Dentro do embrulho de papel marrom havia um livro, cuidadosamente embrulhado com papel de presente e um laço. Ele rasgou o papel e revelou um exemplar novo em folha de *Caleidoscópio*, de Stephan Zweig — livro do seu pai, que ele ganhou e deu para Žofie, que depois levou de volta para ele durante aqueles dias terríveis nos túneis subterrâneos de Viena.

— Que exemplar lindo! — disse Žofie.

Stephan abriu a capa e folheou as páginas.

— É em inglês.

— Está assinado, Stephan. Veja. Está autografado por Stefan Zweig. "De escritor para escritor, com felicitações de aniversário de uma mulher que te admira muito." — falou Žofie.

— "De escritor para escritor, com felicitações de aniversário de uma mulher que te admira muito" — repetiu Stephan.

— É da sua mãe?

Stephan olhou para ela, cético. Será que ela estava sendo tímida? A mãe dele teria se identificado no recado do autógrafo. Sua mãe teria dito "ama" em vez de "admira".

Ele vasculhou o papel de embrulho, pensando que se realmente não era um presente de Žofie, devia ter um bilhete de quem enviou. Mas não tinha nada que pudesse identificar o remetente. Nenhum cartão. Nem sequer um nome ou um endereço de devolução no pacote.

— Não chegou pelo correio — afirmou ele. — Não tem selo. — O que significava que só poderia ser de Žofie.

— Foi entregue pessoalmente? — perguntou Žofie.

— Žofie — disse ele. — Odeio ter que dizer isso, mas ninguém aqui sabe que é meu aniversário, exceto você. Nem o Walter se lembrou, ou percebeu.

A expressão no rosto dela: vergonha imediata. Ela não tinha nada para dar a ele. Claro que não tinha. Ninguém ali tinha nada.

— Aposto que é da sua mãe — afirmou ela.

Mas quem, além de Žofie, sabia que esse era exatamente o livro que ele havia trazido, e que tinha sido embrulhado em fraldas molhadas e depois sido alvo do vômito de seu irmão? Quem, além de Žofie, poderia imaginar que ele havia guardado o exemplar arruinado? Arruinado. Impossível de ser lido novamente.

— Você deve estar certa — disse ele, não muito convencido. — E a carta certamente é da Mutti.

Estava com selo da Checoslováquia. Herr Perger deve ter levado ao correio para Mutti quando a mãe de Žofie foi solta e eles foram embora da Áustria. Ele achou que deveria considerar uma sorte Herr Perger ter se lembrado de enviar. Ele esperava que sua mãe encontrasse outra pessoa para enviar suas cartas. Eram elas que ajudavam Walter a seguir em frente, lavando o rosto todo domingo de manhã e colocando sua melhor roupa, tirando o casaco para se sentar no salão enorme e gelado, em mais uma tentativa de ser escolhido. Ele achou que deveria esperar Walter para abrir a carta, mas seu irmão estava brincando, tão feliz; e era o dia do seu aniversário, afinal de contas.

Ele abriu o envelope, tirou o papel fino lá de dentro e leu: *Um beijo de aniversário de Viena.*

Mutti sentia muito não poder enviar um presente para ele, para comemorar a ocasião, mas ele já era um homem, tinha dezoito anos, e ela queria que ele soubesse o quanto ela estava orgulhosa.

OS QUE NÃO FORAM ESCOLHIDOS

Žofie-Helene sentou-se novamente na mesa comprida com a pequena Johanna, olhando para Stephan. O vovô diria que ele precisava de um corte de cabelo, mas todos os meninos que ainda restavam no Acampamento de Férias do Warner precisavam cortar o cabelo. E Žofie gostava desse estilo mais casual em Stephan. Ele ficava estiloso sem o casaco e a luva, mas também certamente com frio.

Tirou o casaco de Walter e ajeitou o colarinho de sua camisa e de seu blazer.

— Mais uma vez, Wall — disse ele.

— Peter não gosta de como os adultos olham para ele.

— Eu sei — confirmou Stephan. — Estou começando a me sentir uma maçã podre no mercado também. Mas não faz tanto tempo assim. Mais uma vez, vamos lá.

— Boa tarde. Que bom que vieram nos visitar — repetiu Walter, sem nenhum entusiasmo.

Žofie enfiou o rosto no pescoço da bebê, pensando na Jojo de verdade na casa da vovó Betta, com a mãe e o avô. Talvez um dia Stephan escrevesse uma peça de teatro sobre isso, com uma personagem como a mulher elegante que estava se aproximando de Walter naquele momento. Ele era um garotinho muito fofo. Já estaria com uma família legal se Stephan o deixasse partir, mas toda vez que ela tentava conversar sobre isso, ele dizia que tinha prometido à mãe, de qualquer forma, essa era só a opinião dela. Mas com certeza agora que tinha feito dezoito anos — velho demais para arrumar uma família, mesmo que disfarçasse a idade —, ele teria que deixar Walter partir.

A mulher perguntou a Walter:

— Qual é o seu nome, pequeno?

Stephan respondeu, como sempre fazia:

— Esse é Walter Neuman. E eu sou o irmão dele, Stephan.

Žofie respirou fundo.

— Boa tarde. Que bom que vieram nos visitar. Esse é Peter Rabbit. Ele vem com a gente — disse Walter.

A mulher indagou:

— Entendi. Vocês querem ficar juntos?

Era isso o que os pais sempre perguntavam quando percebiam que teriam que levar Stephan com Walter.

— Stephan é um escritor muito talentoso — comentou Žofie.

— Um bebê! — exclamou a mulher. — Achei que não houvesse bebês! — Ela chacoalhou suas chaves na frente de Johanna, que tentou pegá-las, sorrindo.

Žofie deixou que a mulher pegasse Johanna. Ela só deixava se gostasse da pessoa. Era sempre difícil na hora de devolvê-la.

— Ah, eu acho que tenho uma casa para você — disse a mulher para Johanna.

Žofie perguntou, em seu melhor inglês possível:

— Onde você mora?

— Onde eu moro? — repetiu a mulher, perplexa, e sorriu com carinho, o sorriso elíptico que Žofie associava ao melhor tipo de gente. — Nós temos uma casa na The Bishops Avenue, em Hampstead, não temos, amor? — disse ela. — E em Medford Hall, no interior.

— Parece legal — comentou Žofie.

— É, sim. É muito legal.

— É perto de Cambridge? — perguntou Žofie.

— Melford Hall? Sim, é perto.

— Eu poderia ser a babá dela — concluiu Žofie. — Eu tomava conta da Johanna quando estava trabalhando com o Professor Gödel. Na Universidade de Viena. Eu o ajudava com a hipótese generalizada do continuum.

— Uau! Eu... Mas... Bem, eu não sei se a babá Bitt vai gostar disso. Ela está conosco desde que meu Andrew nasceu, deve ter a sua idade agora, eu diria. Você é... irmã da bebê?

Žofie-Helene olhou para ela, tentando decidir qual seria a melhor resposta. Precisava de algo diferente, sabia disso, mas não sabia o quê.

Johanna esticou os bracinhos para ela e disse:

— Mama!

A mulher, chocada, devolveu Johanna para Žofie-Helene e foi embora.

Žofie-Helene gritou para ela:

— Johanna e Žofie-Helene Perger.

Ela se virou para Stephan, que olhava para Johanna.

— Eu não sabia que ela sabia falar — falou ele.

— Nem eu! — Ela beijou o pescoço quentinho da pequena, dizendo: — Você é uma Johanna muito esperta. É, sim.

THE PRAGUE GAZETTE

LEI PARA CRIANÇAS REFUGIADAS É PROPOSTA NO CONGRESSO DOS EUA

Por Käthe Perger

PRAGA, CHECOSLOVÁQUIA, 15 de fevereiro de 1939

Um projeto de lei bipartidário foi introduzido no Senado americano pelo senador Robert F. Wagner, de Nova York, e na Câmara dos Deputados pela deputada Edith Nourse Rogers, de Massachusetts. O projeto propõe a admissão, durante um período de dois anos, de 20 mil crianças alemãs refugiadas com menos de quatorze anos. Inúmeras instituições beneficentes estão trabalhando sem parar para conseguir apoio à lei, contra a oposição agressiva, pautada no medo de que a ajuda a crianças estrangeiras seja à custa da verba destinada a americanos necessitados.

A adequação das restrições de imigração para cidadãos do Reich é urgente, devido ao tratamento cruel aos descendentes de judeus na Alemanha, na Áustria e na região dos Sudetos, que foi cedida à Alemanha na Conferência de Munique, ocorrida em setembro passado, em prol da política do apaziguamento. Apesar do pacto, a Alemanha recentemente voltou a fazer ameaças para destruir a nossa cidade, a não ser que as fronteiras checas sejam abertas para as tropas alemãs...

OUTRA CARTA

Stephan se deitou abraçado a Walter — muito cedo para dormir, mas já escuro e muito frio, e, sinceramente, que diferença fazia? Ele tentou não pensar na carta, a sexta desde seu aniversário; uma carta nova chegava a cada semana. O nome dele e de Walter escritos com a letra da Mutti, e a mensagem começando sempre do mesmo jeito, dizendo o quanto ela sentia saudade, mas queria que eles soubessem que ela estava bem. O resto da carta contava os afazeres dos vizinhos no pequeno apartamento de Leopoldstadt, em Viena. Mas o envelope novamente estava endereçado com a letra do Herr Perger, com o carimbo do correio da Checoslováquia, com selos checos por cima dos austríacos.

NA PRAIA

Stephan, Walter, Žofie e a bebê Johanna sentaram-se em um lençol na areia; Žofie estava trabalhando em uma teoria no caderno em seu colo, Stephan escrevia em seu diário. O inverno tinha acabado, e a areia estava mais dourada, o oceano, mais azul, com o céu brilhante. Mesmo não estando exatamente quente, era prazeroso sentar agasalhados do lado de fora, ver as ondas estourarem na direção deles, embora ainda longe.

Walter jogou seu livro no lençol e reclamou:

— Eu não consigo ler isso!

Stephan fechou os olhos, ainda assim absorvendo os raios de sol, e sentiu a culpa de tudo aquilo: de ignorar seu irmão durante dias enquanto escrevia na máquina de escrever que Mark Stevens, um dos alunos que ensinava inglês para as crianças e também fã de Zweig, tinha levado para ele; de, no domingo anterior, querer entregar Walter para algum dos pais, qualquer um; da decepção que Mutti sentiria por ele.

Ele colocou seu braço ao redor do irmão e abriu o livro.

— O Peter não pode nos ajudar? — perguntou. — Ele é ótimo para ler em inglês.

— É melhor até do que você — implicou Walter, aninhando-se ao lado de Stephan, precisando de amor.

É claro que ele precisava de amor. É claro que Stephan não o entregaria para um desconhecido. Às vezes, ele simplesmente imaginava o que faria sozinho, sem o fardo de ter que cuidar do irmão. Às vezes, ele se imaginava indo embora do acampamento e arrumando um emprego em algum lugar, qualquer emprego, onde pudesse começar uma vida, ganhar dinheiro para comprar livros e papel, ter tempo para escrever.

— Você se lembra de todos aqueles livros da biblioteca do papai? Aposto que o Peter conseguiria ler todos agora — disse Stephan para Walter.

Ele ouviu a voz da Mutti dizendo: *Walter não vai se lembrar de nós. Ele é muito pequeno. Ele não vai se lembrar de nenhum de nós, Stephan, só através de você.*

Johanna saiu engatinhando pelo lençol, em direção à areia, e Žofie deixou o caderno de lado para resgatá-la, dizendo:

— Ah, não!

— Mama — repetiu a pequena.

— Eu não sou mama, sua boba — disse Žofie, carinhosa. — Mama é qualquer mulher que nos leve para casa.

Stephan olhou para elas e pegou o roteiro em sua bolsa — a bolsa que também era de Mark.

— Eu escrevi uma peça nova — falou ele, tomando coragem, pegando os papéis e entregando a ela. — Pensei que você pudesse ler e me dizer o que acha.

Pronto, estava feito. Estava dito. Tinha que ser assim.

Quando ela pegou os papéis, Stephan pegou Walter no colo, colocando seu irmão de pé na areia ao seu lado.

— Pique-pega! — exclamou ele, do jeito que seu pai costumava desafiar Stephan nas férias de verão na Itália.

Juntos, eles correram na beira da água, enquanto Stephan resistia à vontade de olhar para Žofie-Helene, até que estavam lá longe na areia. Walter corria atrás de um pássaro no pôr do sol surpreendente. Žofie se sentou com a bebê no colo, a cabeça debruçada sobre as páginas e o cabelo caindo nas palavras que ele havia escrito só para ela.

O PARADOXO DO MENTIROSO
Por Stephan Neuman
ATO I, CENA I.

No salão principal do Acampamento de Férias do Warner, as crianças se sentam com mais paciência do que deveria se esperar de uma criança. Possíveis pais caminham pelas mesas, como se procurassem um bife para jantar, uma pera perfeita, uma beringela para colocar em um prato na mesa, só para exibir. Sobram somente crianças mais velhas. Os pequenos foram todos escolhidos nas semanas anteriores.

A sr. Montague, alta e elegante, aproxima-se de uma linda adolescente, Hannah Berger, que segura uma neném.

Sr. Montague: Mas que bebê gracioso! Você não é a mãe dela, é? Eu não poderia afastar uma bebê de sua mãe...

ERA SÓ UM BEBÊ NO TREM

Stephan pegou o casaco de Walter e Peter Rabbit do chão e chamou o irmão, que jogava futebol do lado de fora da casa principal.

— Não era para você se sujar — disse ele.

— Adam falou que eu podia ser o goleiro.

Stephan ajeitou a camisa de Walter para dentro da calça e o ajudou a vestir o casaco. As mangas já estavam curtas, mas era a melhor roupa que Walter tinha. Ele entregou Peter Rabbit ao irmão.

— Muito bem — falou Stephan. — Mais uma vez, Wall. Vamos lá.

— Boa tarde. Que bom que vieram nos visitar — disse Walter.

Dentro da casa principal, Žofie já estava sentada a uma das mesas compridas, com a bebê no colo e com seu caderno aberto. Johanna estava de banho tomado e com um vestido limpinho que alguém tinha doado para o acampamento. O cabelo de Žofie estava solto, sem as tranças habituais, e penteado: comprido e ondulado.

— Vamos nos sentar em uma mesa diferente hoje, Wall — sugeriu Stephan.

Walter olhou para ele por um tempo, como se pudesse ler seus pensamentos traidores.

— Peter quer se sentar com Johanna — resmungou Walter, e saiu andando na direção de Žofie e da pequena, sentando na cadeira ao lado delas.

— Essa é uma teoria em que estou trabalhando, Johanna — explicava Žofie para a bebê enquanto Stephan se unia a eles. — Veja, o problema é...

Ela olhou para Stephan.

Stephan esticou a mão por cima de Walter para pegar os óculos que estavam no rosto dela.

— Ela é bebê — disse ele, enquanto limpava as lentes na ponta da sua camisa. — Não fala nem três palavras.

— O papai dizia que a matemática é como qualquer língua — afirmou ela. — Quanto mais cedo se aprende, mais fácil se torna. — Então voltou-se para a equação, dizendo para a bebê: — Veja, o problema é… Vamos chamar de "Paradoxo de Stephan". O conjunto de todos os amigos que foram inexplicavelmente indelicados um com o outro e se recusam a pedir desculpas ainda é um conjunto de amigos? Se eles se desculparem, não serão mais inexplicavelmente indelicados. Se não se desculparem, não são amigos.

— Desculpe, Žofe, mas eu não acho que um amigo deve incentivar atitudes que nos impedem de encontrar uma família. Isso tinha que ser dito — disse Stephan.

Ela empurrou as páginas da peça de Stephan na mesa, com suas edições.

O PARADOXO DO MENTIROSO
Por Stephan Neuman
ATO I, CENA I.

No salão principal do Acampamento de Férias do Warner, as crianças se sentam com mais paciência do que deveria se esperar de uma criança. Possíveis pais caminham pelas mesas, como se procurassem um bife para jantar, uma pera perfeita, uma beringela para colocar em um prato na mesa, só para exibir. Sobram somente crianças mais velhas. Os pequenos foram todos escolhidos nas semanas anteriores.

A sr. Montague, alta e elegante, aproxima-se de ~~uma linda adolescente, Hannah Berger,~~ um belo adolescente, Hans Nieberg, que segura ~~um neném.~~ a mão de seu irmão mais novo.

Sr. Montague: Mas que ~~bebê~~ garotinho gracioso! Você não é ~~a mãe dela,~~ o irmão dele, é? Eu não poderia afastar um ~~bebê de uma mãe…~~ garotinho de seu irmão…

Stephan ficou sentado, olhando para as palavras.

— Desculpe — disse Žofie-Helene baixinho. — Mas tinha que ser dito.

— O que tinha que ser dito? — indagou Walter.

Stephan dobrou as páginas da peça e guardou em sua bolsa. Deu um livro para Walter ler e abriu seu diário. Os domingos passavam mais rápido desde que eles tinham resolvido fazer alguma coisa em vez de simplesmente esperarem sentados por pais que os descartavam e escolhiam crianças que haviam acabado de chegar.

— O que tinha que ser dito? — repetiu Walter.

— Que até um coelho de pelúcia escreve uma peça melhor do que a minha. Agora, leia quietinho, tá bem?

Walter abraçou seu coelho. É claro.

— Desculpe — falou Stephan. — Desculpe, Walter. Desculpe, Peter. — Ele acariciou a cabeça do coelho. Como ele estava apelando! Pedindo desculpa para um coelho de pelúcia?

— Eu não quis depreciar a sua capacidade de escrita, coelhinho — completou ele.

Walter olhou para ele com seus cílios longos, agora úmidos. Úmidos, mas não molhados. Isso fez com que Stephan quisesse chorar. Não o fato de seu irmão estar com lágrimas nos olhos, mas de ter segurado o choro. Em algumas semanas, ele tinha crescido tanto.

— Desculpe, Wall. Eu realmente não quis dizer isso. Estou rabugento que nem o Rolf, não é?

— Mais ainda.

— Mais ainda — concordou Stephan. E dirigiu-se a Žofie: — Mark Stevens me contou que há rumores de que os organizadores vão fechar o acampamento.

— Seu amigo fanático pelo Zweig? — retrucou Žofie, um pouco descontente.

— Diz a garota que decorou todas as falas de Sherlock Holmes.

Embora isso também não fosse verdade. Žofie não decorava da mesma maneira que as outras pessoas; ela simplesmente lia e depois lembrava, recordava.

— Eles terão que nos enviar para uma família, não? — perguntou Žofie.

— Para albergues, eu acho. Ou para escolas.

Mark havia dito a ele que seria no fim de março, o que parecia bastante específico para um simples rumor. Aquele era dia 12 de março. Stephan sabia que ele e Walter não iriam para a mesma escola, então talvez aquela fosse a última chance de os dois ficarem juntos.

— Eu queria voltar para a escola. Você não? — perguntou Žofie. — Quem sabe eu possa ir para Cambridge?!

Mark dissera que eles seriam enviados para escolas especiais para judeus, mas Žofie não era judia, então ele não sabia o que ia acontecer.

— Não acho que em Cambridge tenha meninas com bebês — retrucou ele.

Que maldade. Ele sabia que estava sendo maldoso e que não deveria ter dito aquilo. Ele percebeu que Žofie levou os dedos à boca para... O quê? Impedir que as palavras dele a machucassem? Impedir a si mesma de responder?

Mas ela se negava a enxergar o que as pessoas achavam, e o que elas achavam era um problema não só para Žofie, mas também para Walter e Stephan. A menina se negava a enxergar que os possíveis pais achavam que o bebê era dela, e talvez dele também; que era a bebê que estava impedindo que todos eles encontrassem uma família. Todos os pais que entravam queriam a bebê, até que achavam, como a mulher daquele primeiro dia em Dovercourt havia sugerido, que Johanna era filha de uma criança "arruinada". Não só machucada, mas arruinada, incapaz de ser reconstruída. A mulher estava certa sobre Žofie estar arruinada, embora fosse outro tipo de ruína, e Stephan enfim entendia isso. A ruína não era pelo que Žofie estava fazendo. Žofie estava arruinada, assim como ele e Walter, por circunstâncias, parentesco, pelo fato de o mundo inteiro estar sentado inerte em um momento em que alguém, *alguém*, precisava se levantar.

Stephan colocou seu diário de lado e disse para Walter:

— Será que Peter está cansado de ler tanto? E se eu ler para vocês dois?

Walter entregou o livro de volta e recostou-se em Stephan, que estava fazendo de tudo para se desculpar.

— Você é igualzinho a Mutti, Walter — concluiu Stephan. Ele passou o braço ao redor do irmão e o puxou para mais perto. Abriu o livro. — Desculpe por estar rabugento. Eu estou mesmo um chato.

Os possíveis pais começavam a chegar, e assim como acontecia todo domingo, um casal traçou uma linha até Žofie e a bebê. Dessa vez, era uma mulher sofisticada de meia-idade e seu marido. Ela dirigiu-se à neném:

— Oi, pequenina. Como você se chama? — Enquanto o marido olhou para o caderno de Žofie.

— Posso ver? — perguntou o homem para Žofie.

Stephan já gostou dele. A maioria dos possíveis pais teria presumido que podia simplesmente ver o trabalho de Žofie, se quisesse, ou os escritos de Stephan.

— Eu só estou brincando — respondeu Žofie, com o inglês muito melhor do que quando tinham chegado.

O homem, de certa maneira incrédulo (*incrédulo* era uma palavra que Stephan acabara de aprender; ele amava a pronúncia), perguntou:

— Você "só está brincando" com o axioma da escolha?

— Sim! Você conhece? — indagou Žofie. — É bastante controverso, é claro, mas eu não consigo ver outra explicação para conjuntos infinitos. Você consegue?

— Bem, não é precisamente a minha área. Quantos anos você disse que tem?

— Eu não disse — respondeu Žofie. — Eu teria dito, mas você não perguntou. Tenho quase dezessete anos.

— Olhe, querida. Olhe isso — disse ele, indicando o caderno de Žofie.

Sua mulher não ouviu; estava do outro lado da sala, falando atentamente com um voluntário. Ela olhou para o marido, deu um sorriso grande e voltou depressa.

Stephan observou Žofie olhar para a mulher e abraçar Johanna. Normalmente, ela entregava a bebê para os possíveis pais nesse ponto. Ela sabia como era fácil se apaixonar com a pequena Johanna nos braços; bastava segurá-la no colo para os pais quererem levá-la. E todo mundo sabia que esse era o objetivo: encontrar pais que quisessem levá-los para casa. Mas Žofie só a abraçou ainda mais. Ela queria muito ir com essa família, com esse homem que falava a língua da matemática como ela, embora não fosse precisamente a área dele. Stephan desejou que tivesse tanto conhecimento quanto o homem; que ele conseguisse conversar com Žofie sobre todos esses rabiscos esquisitos no papel quadriculado; que não tivesse escrito a droga da peça, que não a tivesse pressionado. E se essa família a levasse embora? Ele queria que fizessem isso, é claro que queria. Mas não suportaria.

— Meu Deus do céu — disse a mulher para o marido, com a voz baixa, como se estivesse contando um segredo. — A bebê não tem nenhum documento. — Ela virou-se para Johanna. — Você não tem nenhum documento, não é verdade? — Ela continuou falando com o marido. — É complicado, eu sei, mas… nós podíamos pedir para o meu irmão Jeffrey… emitir uma certidão de nascimento, você não acha? Quer dizer, se… se alguém aparecer para pegá-la de volta. Ela deve ser órfã. Quem mandaria um bebê da Alemanha só com desconhecidos?

O marido olhou para Žofie-Helene. O marido levaria Žofie, Stephan tinha certeza. O marido preferia levar Žofie. Por que o homem não falava isso?

Žofie, claramente tentando não chorar, entregou a bebê à mulher, como fazia toda semana, mas geralmente com os olhos secos.

A bebê encostou no rosto da mulher e riu.

— Ah, eu poderia morrer de amores por você — disse a mulher.

O homem perguntou para Žofie:

— Ela é… Ela é sua irmã?

Žofie-Helene, sem conseguir falar, só fez que não com a cabeça.

— Como ela se chama, meu amor? — perguntou a mulher.

— Johanna — murmurou Žofie.

— Ah, eu poderia morrer de amores por você, pequena Anna — disse a mulher. — Eu vou morrer de amores por você.

— Qual é o sobrenome dela? — indagou o homem.

Žofie não respondeu. Ela olhou para Stephan através das lentes embaçadas. Se tentasse falar uma única palavra, certamente começaria a chorar.

— Nós não sabemos — respondeu Stephan ao homem. — Ela era só um bebê no trem. Estava lá, em uma cesta, depois que a porta foi trancada.

IRMÃOS

Stephan esperava na casa principal com Walter, que segurava sua mala e Peter Rabbit. Žofie aguardava com eles, os três parados na porta, aberta para a tarde de primavera, assim como ele e Walter tinham esperado com ela quando os pais vieram buscar Johanna dois dias antes, com a única diferença do tempo frio e chuvoso e da porta fechada.

— Nós prometemos para a Mutti que iríamos juntos para uma família.

— Eu sei, eu prometi isso para a Mutti — concordou Stephan, e novamente começou a explicação. — A questão é que agora tenho dezoito anos e preciso trabalhar. Estou velho demais para morar com uma família, e ainda não posso cuidar de você direito. Mas vou pensar em você todos os dias, e você vai estar muito ocupado na sua escola nova. Vou visitar nos fins de semana. Os Smythe disseram que eu posso ir todo fim de semana. E depois que eu tiver juntado um pouco de dinheiro, vou alugar um apartamento e buscar você, e nós poderemos morar juntos de novo, está bem?

— E a Mutti também?

Stephan desviou o olhar para o quadro-negro. "Walter Neuman" agora estava na lista das crianças destinadas a uma família. O rádio tocava uma música em inglês e o apresentador também era inglês, para ajudá-los a aprender a língua. Na verdade, ele não sabia nada da Mutti. Não tinha certeza. As cartas dela vinham da Checoslováquia, mas contavam sobre a vida em Viena; a única possível explicação para aquilo, ele preferia não saber, e Mutti tampouco ia querer que Walter soubesse, muito menos naquele dia.

— Vou visitar você assim que possível — prometeu ele. — Você e Peter.

— E Žofie também vai vir? — Walter virou Peter Rabbit para Žofie.

— Você vai nos visitar, Žofie? — perguntou com a voz do coelho. — A senhora Smythe disse que nós podemos visitar o Tower Bank Arms, do *Conto da Jemima Puddle-duck*. Não a foto do livro. A casa de verdade.

Era uma longa viagem de Cambridge até Lake District, onde a família adotiva de Walter morava. Ainda mais longa até Chatham, onde Stephan estaria, na Escola Real de Engenharia Militar. Ele não seria aluno. Faria algum trabalho por lá. Ele ainda não sabia o que era, mas teria dois dias de folga por semana, tempo só para pegar o trem para Windermere e voltar, se partisse assim que terminasse seu expediente.

— Žofie vai estar muito ocupada — respondeu Stephan. — O pai que adotara a bebê tinha arrumado uma vaga para Žofie estudar matemática em Cambridge, onde ele trabalhava.

— Eu vou visitar você e Peter — insistiu Žofie, dando um beijo carinhoso na bochecha de Peter Rabbit e depois na de Walter. — E talvez Stephan leve vocês dois para me visitar. Ou nós poderíamos nos encontrar em Londres, na Baker Street nº 221B!

Os Smythe chegaram em um calhambeque preto, sujo com a poeira da estrada. O carro mal tinha estacionado e o sr. Smythe já estava lançando suas pernas compridas para fora e correndo para abrir a porta para a sra. Smythe. Quando os dois se aproximaram, Stephan deu um abraço em Walter. Ele não tinha imaginado quão difícil seria esse momento.

A sra. Smythe perguntou:

— O senhor coelho está pronto para uma aventura nova?

— Você promete, Stephan? — indagou Walter.

Stephan engoliu o choro. De que valia uma promessa? Ele havia feito tão poucas para Mutti, e falhou em todas.

Walter pressionou a cara de Peter na bochecha de Stephan e fez um som de beijo.

Stephan levantou o irmão e o abraçou forte, pela última vez.

— Eu prometo — respondeu ele.

Ele colocou Walter no chão e retirou a placa de número 522 do seu pescoço.

— Agora, vai, Wall. E lembre: não olhe para trás.

Ele virou seu irmão na direção dos Smythe.

O senhor e a senhora Smythe seguraram as mãozinhas de Walter, e o sr. Smythe segurou junto a mão de Peter Rabbit. Eles começaram a conversar sobre o quarto confortável que tinham preparado para Walter e Peter dividirem na casa deles em Ambleside, não muito longe da casinha com fama de ser a menor do mundo. Agora que o clima estava melhorando, eles podiam levar o Peter para o lago. Podiam levar as bicicletas na balsa até a bacia Mitchell Wyke e pedalar até Near Dawrey, para ver os lugares das fotos dos livros da sra. Potter.

— Peter não sabe andar de bicicleta — afirmou Walter.

— Nós podemos colocá-lo em uma cesta na frente da sua bicicleta — garantiu a sra. Smythe.

— Eu vou ter uma bicicleta?

— Já tem — respondeu o sr. Smythe. — Você disse que sua cor preferida era azul, como o casaco do Peter, então compramos uma bicicleta azul para você.

— Mas eu também não sei andar de bicicleta.

A sra. Smythe pegou Walter no colo e, olhando para Stephan, falou para ele ouvisse:

— Eu vou te ensinar, para fazermos uma surpresa para Stephan quando ele for nos visitar! Stephan sabe andar de bicicleta?

— Stephan sabe tudo. Ele é mais inteligente até do que Žofie-Helene — respondeu Walter.

Eles já estavam dentro do carro, e Walter olhava pela janela com Peter. Stephan apertou firme a placa com o número do seu irmão, e Žofie segurou sua outra mão.

— Você não contou para ele — disse Žofie com carinho.

Ele não respondeu. Não conseguia responder. Não conseguia falar uma única palavra. Mas estava, de certa forma, cumprindo uma promessa que fizera a Mutti, que não desejaria que Walter soubesse, que não desejaria que nenhum dos dois soubesse. Estava, de certa maneira, cumprindo uma promessa que fizera à sua mãe, enquanto via o carro passar debaixo da placa do Acampamento de Férias do Warner e desaparecer na estrada.

O PARADOXO DE KOKOSCHKA

Não tinha fila no pequeno correio do acampamento naquela manhã, já que a maioria das crianças agora tinha uma família. Žofie não precisou esperar para a moça entregar-lhe sua correspondência do dia: uma carta da mãe e outra da Jojo. A moça pediu para Stephan esperar. Enquanto Žofie aguardava também, abriu a carta da Jojo: não era uma carta, mas um desenho com todos eles juntos dentro de um coração: a mãe, o vovô, a vovó Betta e Žofie.

A moça voltou com uma carta para Stephan, da mãe, algo que sempre o entristecia. Žofie queria escrever ao vovô pedindo que ele parasse de enviar as cartas, mas pensou que a única coisa que poderia deixá-lo mais triste do que receber as cartas da mãe morta seria parar de recebê-las.

Hoje, um pacote intrigante também chegara para ele — uma caixa estreita, quase da altura de Žofie.

— Foi postado de Shanghai — falou Žofie. — Deve ser da sua tia Lisl. Vai, abre logo!

Stephan colocou a caixa na mesa comprida e vazia, onde eles comiam todos juntos e escreviam em seus cadernos — os cálculos de Žofie e as peças de Stephan —, enquanto esperavam os possíveis pais passarem. Ele abriu a caixa com cuidado. Dentro, havia um envelope grudado em um embrulho cilíndrico de papel de pão. Ele abriu o envelope e leu a carta, enquanto lágrimas escorriam pelo rosto.

Žofie encostou em seu braço carinhosamente, e ele deu a carta para que ela lesse:

Querido Stephan,
  Sinto muito por mandar a notícia de que sua mutti faleceu.
Você sabe o quanto ela te amava.

Espero que saiba o quanto eu também amo vocês — você e Walter. Amo vocês como amaria meus próprios filhos. Rezo para o dia em que essa tristeza acabe e nós possamos estar juntos novamente.

Eu me preocupo com você, Stephan. Sei que está com dezoito anos agora, e talvez seja considerado velho demais para morar com uma família, não é? Você é muito talentoso. Sei que vai encontrar um trabalho. Mas sua mãe ia querer que você continuasse seus estudos. Portanto, estou lhe enviando essa encomenda, que Michael deu um jeito de fazer chegar até mim, aqui em Shanghai. É a única coisa de valor que tenho para mandar para você. Encontre o artista, Stephan. Ele mora em Londres agora. Deixou Praga e foi para Londres no ano passado, mas é de Viena. Diga a ele que você é meu sobrinho, diga quem são seus pais, e ele vai lhe ajudar a encontrar um vendedor respeitável.

Sei que você não vai querer vendê-lo, mas juro que tenho a pintura da sua mãe e vou dar um jeito de enviá-la para você algum dia. Mas essa, Stephan, você *precisa* vender. Sei que vai querer guardá-la por mim, mas ficarei feliz por quem quer que a compre. Isso vai significar que essa pessoa permitiu que você fosse para a universidade, que permitiu que você prosperasse.

Com muito amor,
Tia Lisl

Žofie sabia o que a caixa continha, mesmo antes de Stephan levantar delicadamente a pintura e desenrolar o retrato da sua tia Lisl, com suas bochechas arranhadas. Perturbadora e elegante. Ruborizada e ferida.

THE PRAGUE GAZETTE

TROPAS ALEMÃS CHEGAM À CHECOSLOVÁQUIA

Hitler discursa do Castelo de Praga

Por Käthe Perger

PRAGA, CHECOSLOVÁQUIA, 16 de março de 1939

Às 3h55 de ontem, após uma reunião em Berlim com Adolf Hitler, o presidente Hácha entregou o destino do povo checo ao Reich alemão. Duas horas depois, o exército alemão atravessou a nossa fronteira em meio a uma nevasca, seguido na noite passada por um comboio de dez veículos trazendo Hitler para Praga.

Hitler não foi recebido por multidões alegres, mas por ruas desertas. Ele passou a noite no castelo de Hradčany, de onde discursou hoje...

NA ESTAÇÃO DE TREM DE PRAGA, 1º DE SETEMBRO DE 1939

Käthe Perger olhou o rostinho de Johanna pela janela do trem até não conseguir mais enxergar sua filha. Com os outros pais, ela assistia ao trem desaparecer, e depois ao espaço vazio que ele deixara. Ficou ali parada enquanto os outros pais iam embora até estar quase sozinha, e dirigiu-se para a cabine telefônica.

Fechou a porta de vidro da cabine e discou para o operador de longa distância. Deu o número do telefone de Žofie, em Cambridge — número que a filha havia enviado para ela em sua última carta. Žofie-Helene estava estudando matemática em Cambridge. Imagine só. Ela colocou a quantidade de moedas que o operador especificou e, rapidamente, o telefone começou a tocar do outro lado.

Uma menina britânica atendeu e, quando o operador pediu para falar com Žofie-Helene Perger, disse que ia chamá-la. Käthe ouviu o telefone ser apoiado em uma mesa e os barulhos sutis da vida de Žofie nesse outro universo.

Do outro lado da estação de Praga, enquanto Käthe esperava Žofie atender, dois policiais da Gestapo com seus cachorros acorrentados marchavam na direção dela.

— Por favor! — disse ela no telefone. — Por favor! Diga a Žofie que a irmã dela está chegando! Diga a Žofie que Johanna está indo no trem de Praga!

— Mamãe? — falou uma voz, a voz de Žofie.

Käthe fez de tudo para não chorar.

— Žofie-Helene — disse ela, com a maior calma que conseguiu.

— Johanna está vindo para a Inglaterra? — perguntou Žofie-Helene.

— O trem dela acabou de partir — respondeu Käthe, rapidamente. — Ela tem uma família, então vai direto para a estação de Liverpool Street, em

Londres, onde eles vão buscá-la. Sua deve chegar às onze horas da manhã do dia três de setembro. Se puder ir até lá, você vai vê-la e conhecer a família dela. Você consegue, não é? Agora eu preciso ir. Tenho que deixar os outros pais usarem o telefone.

Não havia outros pais. Somente os dois policiais da Gestapo, e um já estava abrindo a porta da cabine telefônica.

— Eu te amo, Žofie-Helene — disse ela. — Eu vou sempre te amar. Lembre-se disso. Lembre-se sempre disso.

— Você também vai conseguir um visto, mãe? — perguntou Žofie. — E o vovô Otto?

— Eu te amo — disse Käthe outra vez, e delicadamente desligou, como se o telefone fosse o bebê que Žofie-Helene havia sido um dia, um bebê colocado no berço, com toda uma vida maravilhosa pela frente.

— Käthe Perger? — Ela escutou, e virou-se devagar do telefone para um policial da Gestapo parado do lado de fora da cabine.

Mas suas filhas estavam seguras agora. Era isso o que importava. Žofie e Johanna estavam seguras.

FACULDADE DE NEWNHAM, CAMBRIDGE

Žofie-Helene falou no telefone de um corredor:
— Sim, na estação de Liverpool Street depois de amanhã, dia três.
— Ela ouviu e depois respondeu: — Eu sei. Eu também.

Desligou e voltou para a sala de estudos lotada, com algumas das outras garotas olhando enquanto ela retornava à sua cadeira, com um cálculo escrito com a sua letra na mesa.

— Está tudo bem, Žofe? — perguntou sua colega de quarto, na cadeira ao lado.

— A minha irmã está vindo para cá — respondeu Žofie. — Encontraram uma família para ela, e a mamãe acabou de colocá-la em um trem em Praga. Ela vai chegar em Londres depois de amanhã, e eu vou poder vê-la na estação de Liverpool Street e conhecer a família dela antes de irem para casa.

Sua colega a abraçou, dizendo:
— Isso é maravilhoso, Žofie!
— É mesmo — concordou Žofie, mas no fundo o sentimento era outro. Mamãe não parecia estar bem. Mas certamente deve ter sido difícil para ela mandar Jojo embora. Ela queria que a mãe e o vovô Otto estivessem vindo também, mas é claro que isso era impossível.

— Você quer companhia? — perguntou sua colega de quarto. — Posso ir até a estação com você.

— Eu... Obrigada, mas um amigo de Viena vai me encontrar lá.

Sua amiga levantou a sobrancelha. Žofie sorriu e voltou para os seus cálculos.

Depois do jantar, Žofie voltou à sala de estudos com algumas outras garotas, quando a matrona entrou e ligou o rádio.

— Meninas, acho que vocês vão querer parar os estudos um pouco e ouvir a notícia de hoje — disse ela.

A voz era de Lionel Marson, da BBC — Lionel, um nome tão engraçado, Žofie pensou. Ela tentou não entrar em pânico, não imaginar todas as coisas terríveis que estava imaginando desde que a mãe tinha desligado o telefone sem nem esperar que Žofie dissesse que também a amava.

"A Alemanha invadiu a Polônia e bombardeou diversas cidades", dizia Lionel Marson. "Uma mobilização geral foi solicitada na Grã-Bretanha e na França. O Parlamento foi convocado para às seis da tarde de hoje. Ordens para a mobilização do exército, da marinha e da força aérea foram assinadas pelo rei em uma reunião do Conselho de Estado…"

— Ele está dizendo que a Inglaterra e a França estão em guerra com a Alemanha? — perguntou Žofie para a sua colega de quarto.

— Ainda não. Mas prestes a entrar em guerra.

ESTAÇÃO DE LIVERPOOL STREET, LONDRES, 3 DE SETEMBRO DE 1939

Žofie saiu do trem em meio ao vapor e ao barulho de metal contra metal. No caos da estação de Liverpool Street, com pessoas para todos os lados, um relógio marcava 10h43. Ela estava procurando Stephan quando ele a abraçou por trás.

— Stephan! Você veio! — Ela virou-se, abraçou-o e deu um beijo nele, para sua própria surpresa.

E ele a beijou de volta, duas vezes.

Ele retirou os óculos dela e a beijou uma terceira vez, um beijo longo que despertou olhares de reprovação. Mas Žofie nem sequer percebeu os olhares a princípio, e mesmo quando reparou, no fim do beijo, não se importou. Estava acostumada com olhares de reprovação. Até em Cambridge as pessoas lhe lançavam olhares desconfiados sempre que falava algo. E mesmo não sendo delicada e elegante como a Mary Morstan do dr. Watson, ela enfim entendia o que antes era só história: como alguém se sentia quando podia expressar sentimentos ignorados.

— Acho que se o seu trem atrasasse só mais um pouquinho, Žofe, eu teria desistido de esperar — disse Stephan.

Ele limpou as lentes dela com a ponta da sua camisa, colocou os óculos de volta no rosto de Žofie e sorriu para ela.

— Eu fui checar o horário do trem da Johanna, mas ainda não está na lista — comentou ele. — Deve chegar a qualquer momento.

Ela deu a mão para ele enquanto atravessavam a plataforma e entravam na estação. Os dedos dele ainda entrelaçados aos dela ao observarem o quadro de horários que indicava uma chegada de Harwich, o trem da Jojo. Esperaram no fim da plataforma enquanto os passageiros desembarcavam:

mulheres e soldados, e mães com seus filhos. Žofie estava mais feliz até do que quando soube que ia estudar em Cambridge.

Quando os últimos passageiros saíram, Žofie indagou:

— Será que estou com o horário errado?

Johanna não estava lá. Não havia nenhuma criança desacompanhada.

Stephan falou gentilmente:

— Todos cometemos erros. Até você, Žofie. Vamos ligar e descobrir o trem certo.

— E se ela já chegou e foi embora?

— Aí nós daremos um jeito de ir até a casa da família dela.

Stephan era tão tranquilizador.

— Mesmo quando você não está comigo em Cambridge, eu pego as suas cartas e as releio. Elas sempre me animam — falou ela.

— Você sabe que ninguém fala essas coisas, Žofe.

— Por que não? — perguntou ela.

Ele abriu aquele sorriso adorável e elíptico.

— Não sei — respondeu ele. — Mas eu também releio as suas.

STEPHAN HESITOU. Ele detestou ter que devolver o colar com pingente de infinito de Žofie-Helene, aquele que tinha sido o clipe de gravata do pai dela, mas pegou em seu bolso e ergueu a correntinha.

— Meu colar! — exclamou Žofie.

Stephan devolveria qualquer coisa para ver aquela alegria no rosto dela — até esse pequeno pedaço de ouro por onde havia passado os dedos tantas vezes para se confortar, desde que ela lhe dera na estação de trem em Viena; desde que havia resgatado do forro do banco do trem no primeiro grito de comemoração.

— Eu queria ter entregado a você antes — explicou ele. — Eu já deveria ter te devolvido, mas eu… Eu queria ficar com um pedacinho de você comigo.

Žofie-Helene o beijou na bochecha e disse:

— Eu sei, Stephan, ninguém fala essas coisas.

— Por que não? — perguntou ele.

Ela sorriu e respondeu:

— Eu não faço a menor ideia.

Stephan pegou o colar e passou ao redor do pescoço dela, prendeu o fecho para que voltasse para onde pertencia, na pele linda de Žofie.

— A maioria de nós fala o que todo mundo fala, ou não fala nada, para não parecer idiota.

— Mas você não — concluiu Žofie.

A frase que ele tinha lido no livro de Zweig na noite anterior veio em sua memória: *Mil anos não recuperam algo perdido em uma única hora.* Ele tinha lido durante a metade da madrugada, sem conseguir dormir só por saber que ia ver Žofie-Helene. Tinha pensando no que dizer para ela, como dizer a ela que ele a amava. E então ela o beijou, antes que ele pudesse falar qualquer coisa.

Ele hesitou, sem querer quebrar o encanto do afeto dela, mas precisava ser verdadeiro e contar tudo o que ela tinha que saber.

— Eu também — disse ele, baixinho. — Eu saudei as tropas alemãs, Žofe, no dia em que invadiram Viena.

Ele esperou que ela ficasse chocada, ou indignada, ou simplesmente decepcionada. Como ele poderia ter celebrado soldados que tinham ido assassinar seu pai? Ele não sabia que era para isso que tinham ido, mas sabia que não era para saudá-los, que ninguém na Áustria deveria saudar tropas que tinham invadido o país. Mas Žofie pegou a mão dele e a apertou.

Ele encostou o dedo no pingente do colar dela, e também em sua pele.

— Ele era matemático, o seu pai? — perguntou ele.

— Ele era bom em matemática, mas era escritor, como você. Ele dizia que seria um matemático melhor, mas os escritores eram mais importantes agora, por causa de Hitler.

Eles caminharam juntos até uma cabine de telefone vermelha. Enquanto esperavam um homem terminar uma ligação, uma voz surgiu no alto-falante da estação. Era o primeiro-ministro Neville Chamberlain dizendo:

"Hoje de manhã, o embaixador britânico em Berlim entregou ao governo alemão um ultimato dizendo que, se até às onze horas da manhã de hoje eles não estivessem preparados para recuar com as tropas da Polônia, um estado de guerra seria estabelecido entre nós."

A estação inteira ficou em silêncio. O homem na cabine telefônica saiu e ficou parado ao lado deles. Stephan olhou para o relógio, com uma angústia imensa tomando seu corpo. Já passava das onze horas.

"É importante que vocês saibam agora", Chamberlain continuou, "que nenhuma atitude foi tomada, e que, por consequência, este país está em guerra com a Alemanha."

Stephan, ainda segurando a mão de Žofie, entrou na cabine telefônica e discou para o operador. O telefone tocou sem parar, enquanto Chamberlain dizia:

"Agora, que Deus abençoe todos vocês. Que Ele defenda o bem. Será contra a maldade que estaremos lutando: força bruta, má-fé, injustiça, opressão e perseguição, e contra tudo isso, estou certo de que o bem prevalecerá."

No silêncio que se seguiu após as palavras do primeiro-ministro, um murmúrio baixinho começou a se espalhar pela estação. Somente nesse momento, o toque no telefone parou e uma voz embargada disse:

— Operador. Como posso ajudá-lo?

— Movimento em Prol das Crianças Alemãs, por favor. — Stephan engasgou. — Acredito que seja em Bloomsbury.

Ele puxou Žofie para dentro da cabine, fechou a porta e colocou seu outro braço ao redor dela. Ele inclinou o fone para que ela também conseguisse ouvir.

— Sim, alô. Estou ligando para saber sobre o trem que estava trazendo crianças de Praga para Londres — disse ele.

PARIS: 10 DE MAIO DE 1940

Truus se sentou na varanda do apartamento de Paris de Mies Boissevain--van Lennep, com um mapa entre elas. O som de um rádio ecoava no fundo, mas as duas não estavam prestando muita atenção. Estavam absortas, discutindo para onde a agressão da Alemanha levaria o mundo.

— Mas os alemães, com sua comunicação à distância e sua mobilidade, podem coordenar — disse Mies. — Se veem uma fraqueza, podem compartilhar a informação e...

Elas pararam de falar quando perceberam o que estava sendo dito no rádio:

"Em vista do ataque brutal da Alemanha à Holanda, iniciado sem qualquer aviso, o julgamento do governo holandês é de que um estado de guerra estabeleceu-se entre o Reino da Holanda e a Alemanha."

Truus colocou sua xícara na mesa e se levantou.

— Não será seguro voltar, Truus — insistiu Mies. — Joop vai sair de lá. Ele provavelmente está...

— Mas, Mies, há muitas crianças que ainda estão na Holanda — interrompeu Truus.

IJMUIDEN, HOLANDA: 14 DE MAIO DE 1940

O ônibus cheio de crianças parou ao lado do Bodegraven. Truus virou de costas para olhar o segundo ônibus, onde estava Joop, parando atrás deles nas docas. Ela logo pegou a pequena Elizabeth do colo de sua irmã mais velha, dizendo:

— Rápido, crianças. Rápido.

As crianças saíram dos ônibus e correram ao lado dos voluntários — setenta e quatro crianças sem nenhum documento para entrarem na Inglaterra, mas Truus ia deixar que os britânicos se preocupassem com isso.

— Olhe, Elizabeth — disse ela. — Está vendo aquele barco?

A pequenina respondeu:

— Ele está muito sujo.

Truus retirou os óculos embaçados da menina, limpou-os e devolveu-os ao seu rosto adorável.

— Ainda está sujo?

A menina riu.

— Sim! Está sujo!

— Está mesmo, não é? — brincou Truus, pensando que nesse mundo virado do avesso, só se podia confiar nas crianças para dizerem a verdade. — Normalmente, ele transporta carvão, mas vai levar vocês até a Inglaterra, onde poderão mandar um beijo meu para a Princesa Elizabeth.

— O mesmo nome que o meu? — indagou Elizabeth.

— E ela tem uma irmã chamada Margaret, assim como a sua. Mas a irmã dela é mais nova, e a sua é mais velha.

— A princesa vai estar lá para nos encontrar quando o nosso barco chegar, Tante Truus? — perguntou a irmã da menina.

Truus ajeitou o cabelo dela. A menina encarou a mulher, com um olhar de preocupação por trás de seus óculos tão embaçados quanto os de sua irmãzinha, com lentes que fizeram Truus pensar em Žofie-Helene Perger. Era binário, a criança entendia isso. A vida inteira tinha se tornado binária. Certa e errada. Boa e ruim. Luta e rendição. Uma guerra sem chance de neutralidade.

— E se ninguém for nos buscar? — perguntou a pequena Elizabeth. — Podemos ficar com você, Tante Truus?

— Ah, Elizabeth — lamentou Truus, beijando a menina, e depois mais uma vez, e outra; e lembrou-se de Helen Bentwich na chegada daquele primeiro barco, perguntando se Truus tinha certeza de que não queria levar a bebê de volta para Amsterdã. A questão nunca tinha sido a bebê. — Mesmo se as princesas reais não estiverem lá para recebê-las — disse ela para Elizabeth e sua irmã —, alguém vai arrumar uma família muito legal para cuidar de vocês, uma mãe que vai amá-las.

Rapidamente, ela deu um beijo de despedida nessas últimas setenta e quatro crianças, chamando cada uma pelo nome, enquanto as conduzia para o barco.

Ficou parada observando a última delas embarcar, chorando, uma vez que as crianças não conseguiam mais vê-la, e tentando não se preocupar com o que tinha prometido às duas irmãs, pois talvez não fosse verdade. A alternativa, que era ficarem na Holanda, não era mais possível. Em Haia, enquanto Truus e Joop enviavam essas últimas crianças, o governo estava ordenando que o exército holandês se rendesse à Alemanha.

Joop colocou o braço ao redor da cintura dela, e os dois assistiram ao barco partir, com as crianças acenando do deck e falando:

— Nós te amamos, Tante Truus!

Parte IV

E ENTÃO...

Cerca de dez mil crianças, sendo três quartos judias, encontraram refúgio na Inglaterra, graças a heróis da vida real envolvidos nos esforços do Kindertransport, incluindo Geertruida Wijsmuller e seu marido, Joop, da Holanda; Norman e Helen Bentwich, da Inglaterra; e Desider Friedmann, da Áustria, que morreu em Auschwitz em outubro de 1944. Crianças resgatadas cresceram e viraram proeminentes artistas, políticos, cientistas e até ganhadores do prêmio Nobel, como Walter Kohn, o menino de dezesseis anos que foi resgatado de Viena por Tante Truus.

A última balsa com setenta e quatro crianças saiu da Holanda em 14 de maio de 1940, dia em que os holandeses se renderam à Alemanha. No início daquela mesma primavera, muitos dos meninos mais velhos que haviam sido levados em segurança para a Inglaterra foram presos pelos britânicos, com prisioneiros de guerra nazistas; muitos se juntaram mais tarde às Forças Aliadas.

Tentativas de realizar transportes similares para os Estados Unidos, através do projeto de Lei Wagner-Rogers apresentado ao Congresso em fevereiro de 1939, se depararam com a oposição anti-imigração e antissemita. Um memorando do 2 de junho de 1939 em busca de apoio do presidente Roosevelt para o transporte foi assinalado com a sua letra: "Arquivar o processo. FDR."

O escritor Stefan Zweig, dentre os autores mais populares do mundo nos anos 1930 e início dos anos 1940, saiu do exílio na Inglaterra para exilar-se nos Estados Unidos e, por fim, exilou-se em Petrópolis, nas montanhas ao norte do Rio de Janeiro, onde outros refugiados alemães se estabeleceram. Lá, ele completou sua autobiografia, *O mundo de ontem*. Enviou o manuscrito para o seu editor no dia 21 de fevereiro de 1942. No dia seguinte, desesperançosos com a guerra, com o exílio e com o futuro da humanidade, ele e sua segunda esposa, de mãos dadas, cometeram suicídio.

O sistema de Adolf Eichmann, de arrancar todos os bens e a liberdade dos judeus de Viena, tornou-se o modelo por todo o Reich. Ele comandou deportações em massa para campos de concentração. Após a guerra, fugiu para a Argentina, onde foi capturado em 1960, julgado em Israel e condenado por crimes de guerra. Foi enforcado em 1962.

O último Kindertransport do Reich alemão — o nono saindo de Praga — levou 250 crianças em 1º de setembro de 1939, dia em que a Alemanha invadiu a Polônia. O trem nunca chegou à Holanda. O destino daquelas crianças ainda é desconhecido.

A maioria das crianças resgatadas pelo Kindertransport nunca mais viram seus pais.

Geertruida Wijsmuller — a Tante Truus — permaneceu na Holanda durante toda a ocupação nazista, levando clandestinamente crianças judias para a Suíça, para Vichy, na França, e para a Espanha. Presa pela Gestapo pela segunda vez em 1942, ela foi solta, assim como da primeira vez em Viena. Um obituário a descreveu como "Mãe de 1001 crianças, que tornou o resgate de crianças judias o trabalho de sua vida."

AGRADECIMENTOS

Minha caminhada na escrita deste livro começou em uma tarde há mais de uma década, quando meu filho de quinze anos, na época, chegou em casa do Teatro para Crianças Palo Alto, onde Michael Liftin, um diretor com quem Nick trabalhou, teve a ideia de que um pequeno grupo de atores mirins que ele tanto amava conhecesse um pouco da história do kindertransport e escrevesse uma peça sobre isso. Meu filho — geralmente muito falante — estava desconfortavelmente quieto quando chegou da primeira de quatro entrevistas que ele e seus colegas do teatro fizeram com Ellen Fletcher, Helga Newman, Elizabeth Miller e Margot Lobree. Quando Michael faleceu apenas alguns meses mais tarde, devido a um câncer de estômago, a diretora do teatro, Pat Briggs, fez uma promessa em seu leito de morte de que levaria adiante a história, de alguma maneira. Já no fim da vida de Pat, com aquelas crianças já crescidas e dispersadas, ela me permitiu escrever a história do meu jeito. Eu mantive o silêncio do meu filho no meu coração enquanto escrevia esta história, e, além disso, o amor dos diretores pelas crianças que eles nutriram.

Este livro foi inspirado por Truus Wijsmuller-Meijer, e em homenagem a ela e às crianças que ela resgatou, assim como às tantas pessoas que tornaram o Kindertransport possível. Tentei ao máximo me manter fiel aos fatos da *Anschluss*, da *Kristallnacht*, e das mudanças velozes e chocantes na sociedade de Viena nos poucos meses entre os dois eventos, incluindo o papel do então jovem e ambicioso Adolf Eichmann, os esforços britânicos e da própria Truus para realizarem o primeiro Kindertransport saindo da Áustria. Mas como essa é uma ficção, e não um relato histórico, eu tomei pequenas liberdades pelo bem do próprio livro. Na história real, por exemplo, Helen Bentwich, apesar de ter sido uma importante colaboradora dos esforços do Kindertransport, não viajou para Amsterdã com seu marido, Norman, para fazer o pedido a Truus; e foi Lola Hahn-Warburg, e não Helen, quem organizou as balsas de Hoek van Holland para Harwich. Eu li e reli o livro de Truus, *Geen Tijd Voor Tranen*, embora grande parte da personagem de Truus apresentada neste livro seja um produto da minha imaginação, criado a partir do livro relato de sua vida.

Como Melissa Hacker, da Associação do Kindertransport, sugeriu: "Alguns detalhes da operação do Kindertransport são um pouco incertos até hoje." Os relatos variam até sobre a partida do primeiro Kindertransport de Viena. Tanto o *Times of London* quanto o *New York Times* reportaram em notas bem curtas que o primeiro transporte saindo de Viena ocorreu no dia 5 de dezembro de 1938 — o mesmo dia em que a própria Truus escreve que conheceu Eichmann. Os relatos mais detalhados de Truus afirmam que ela partiu para Viena no dia 2 de dezembro, encontrou-se com Eichmann na segunda-feira (que seria o dia 5 de dezembro), depois começou a movimentação para que as crianças deixassem Viena no Shabat e chegassem a Colônia às 15h30 de domingo (dia 11 de dezembro), saindo de balsa durante a noite de Hoek van Holland nesse mesmo dia. O Museu Memorial do Holocausto dos Estados Unidos diz que o primeiro Kindertransport saindo de Viena e chegando a Harwich ocorreu no dia 12 de dezembro de 1938, que coincide com o relato de Truus — e com a cronologia que eu resolvi estabelecer.

Algumas fontes às quais recorri além da autobiografia de Truus e das entrevistas do Teatro para Crianças incluíram material on-line e informações no site do Museu Memorial do Holocausto dos Estados Unidos; entrevistas da *Tauber Holocaust Library*, no *Jewish Family and Children's Services Holocaust Center*, em São Francisco; "Entrevista com Geertruida (Truus) Wijsmuller--Meijer, 1951, *Netherlands Institute for War Documentation NIOD*, Amsterdã"; *Nos Braços de Estranhos*, de Mark Harris, Jonathan e Deborah Oppenheimer; *My Brother's Keeper*, de Rod Gragg; *Never look back*, de Judith Tydor Baumel--Schwarts; *Nightmare's Fairy Tale*, de Gerd Korman; *Rescuing the Children*, de Deborah Hodge; *Children's Exodus*, de Vera K. Fast; *The Children of Willesden Lane*, de Mona Golabek e Lee Cohen; *Ten Thousand Children*, de

Anne L. Fox e Eva Abraham-Podietz; *"Touched by Kindertransport Journey"*, de Colin Dabrowski; *"The Children of Tante Truus"*, de Miriam Keesing; e *"The Kindertransport: history and memory"*, de Jennifer A. Norton, sua tese de mestrado em História, na Universidade do Estado da Califórnia, em Sacramento. Também foram de imensa ajuda: os livros *The Found Refuge*, de Norman Bentwich; e *Men of Vision: Anglo-Jewry's Aid to Victims of the Nazi Regime 1933-1945*, de Amy Zahl Gottlieb; assim como os filmes: *Defying the Nazis: the Sharp's War*, *The Children Who Cheated the Nazis* e *Nicky's Family*, de Ken Burns; e *My Knees Were Jumping*, de Melissa Hacker, sobre sua mãe.

Outras fontes incluíram *O mundo de ontem*, de Stefan Zweig, assim como seus livros de ficção; o extraordinário e emocionante *A lebre com olhos de ambar*, de Edmund de Waal; *The Lady in Gold*, de Anne-Marie O'Connor; *The Burgtheater and Austrian Identity*, de Robert Pyrah; *Becoming Eichmann*, de David Cesarani; *If it's not possible: The Life of Sir Nicholas Winton*, de Barbara Winton; *Whitehall and the Jews, 1933-1948*, de Louise London; *Eichmann Before Jerusalem*, de Bettina Stangneth; *50 Children*, de Steven Pressman; e *Jewish Vienna: Heritage and Mission*, publicado pelo Museu Judeu de Viena.

Devo muito ao Museu Memorial do Holocausto dos Estados Unidos e sua fonte de pesquisa on-line, e à historiadora de pesquisa sênior Patricia Heberer-Rice, que respondeu às minhas perguntas; e a Sandra Kaiser, que facilitou esse processo; assim como ao Centro do Holocausto JFCS e Yedida Kanfer, que me ajudou com as pesquisas. A Associação do Kindertransport, da qual sou um membro silencioso e discreto, forneceu-me muita informação e inspiração; obrigada especialmente a Melissa Hacker por toda a ajuda. O Museu Judeu de Viena e o aplicativo "Between the Museums" foram muito úteis ao me orientarem em Viena. E visitar a coleção dos pertences das malas do Museu do Kindertransport de Viena é uma experiência que eu jamais esquecerei; minha gratidão a Milli Segal por abrir a coleção para mim e por me levar a um local silencioso onde pude chorar depois.

Mais agradecimentos do que eu posso expressar em palavras aos editores que dedicaram um amor precoce a este livro, e à minha incrível editora, Sara Nelson. As percepções inteligentes de Sara, sua atenção carinhosa e seu entusiasmo sem limites são o sonho de um escritor. Obrigada a todos da Harper, incluindo Jonathan Burnham, Doug Jones, Leah Wasielewski,

Katie O'Callaghan, Katherine Beitner, Robin Bilardello, Andrea Guinn e Mary Gaule.

Como sempre, estou muito agradecida ao apoio maravilhoso dos amigos e da família. Dessa vez, agradeço particularmente ao meu filho, Chris, por me mostrar as primeiras páginas que vi da autobiografia de Truus (e à Biblioteca de Harvard, por ser um dos únicos lugares dos Estados Unidos a possuir um exemplar), e a Murielle Sark por me trazer o restante e me ajudar a traduzir as passagens em que o tradutor do Google não foi tão preciso. E também a Brian George, por vasculhar o depósito de teatro para mim e me animar ao longo do caminho; Nitza Wilon pelo entusiasmo antecipado pelo livro, e Elizabeth Kaiden pela leitura atenta de uma versão para o cinema; David Waite pela ajuda com o alemão e por vir de Berlim me encontrar na Áustria; Claire Wachtel, pela leitura generosa e pela sugestão da nota de abertura; Mihai Radulescu; Hannah Knowles; Karen Joy Fowler; os muitos livreiros que tanto fazem por todos nós, e especialmente Margie Scott Tucker; e minha amiga fotógrafa imensamente talentosa, Adrienne Defendi.

E sempre, Brenda Rickman Vantrease, por ser Brenda, minha melhor amiga escritora. Jenn DuChene e Darby Bayliss, sem a amizade de vocês eu seria uma pessoa muito menor. Os quatro irmãos Waite e as irmãs que por sorte eu ganhei quando me casei. E Don e Anna Tyler Waite, com quem eu sempre pude contar. (Mãe, como sempre, obrigada por ler.)

Marly Rusoff, por ser sempre Marly, agente e amiga, que acreditou tanto neste livro desde o primeiro instante em que eu comecei a considerá-lo, que me permitiu acreditar nele também. Obrigada, Marly, por me ajudar de tantas maneiras ao longo desses doze anos e por dar a este livro uma apresentação tão linda no mundo lá fora.

E a Mac, por ler. E ler. E ler novamente. Por me convencer a ficar em Viena. Pela sua alegria e humor maravilhosos em caminhadas longas em Viena, Amsterdã e Londres, e pela sua companhia silenciosa naquele leito no trem noturno de Viena. Por me manter sã, mais ou menos. Por tudo.

Este livro foi impresso pela Vozes, em 2023, para a HaperCollins Brasil. A fonte do miolo é Fournier MT Std. O papel do miolo é avena 70g/m², e o da capa é cartão 250g/m².